CB024344

VOCAÇÃO, ASTROS E PROFISSÕES

Manual de astrologia vocacional

Dados Internacionais de Catalogação na Publicação (CIP)
(Câmara Brasileira do Livro, SP, Brasil)

B941v
Bueno, Ciça
Vocação, astros e profissões: manual de astrologia vocacional / Ciça Bueno e Márcia Mattos. – [2. ed. rev.] – São Paulo: Ágora, 2021.
288 p. : il ; 24 cm.

Inclui Bibliografia
Acesso a link com programa para baixar mapa astral
ISBN 978-85-7183-289-3

1. Astrologia e orientação profissional I. Mattos, Márcia. II. Título.

21-71807 CDD-133.58331702
CDD-133.52:331.548

Camila Donis Hartmann – Bibliotecária – CRB-7/6472
29/06/2021 30/06/2021

Compre em lugar de fotocopiar.
Cada real que você dá por um livro recompensa seus autores
e os convida a produzir mais sobre o tema;
incentiva seus editores a encomendar, traduzir e publicar
outras obras sobre o assunto;
e paga aos livreiros por estocar e levar até você livros
para a sua informação e o seu entretenimento.
Cada real que você dá pela fotocópia não autorizada de um livro
financia o crime
e ajuda a matar a produção intelectual de seu país.

Ciça Bueno e Márcia Mattos

VOCAÇÃO, ASTROS E PROFISSÕES

Manual de astrologia vocacional

VOCAÇÃO, ASTROS E PROFISSÕES
Manual de astrologia vocacional
Copyright © 2007, 2021 by Ciça Bueno e Márcia Mattos
Direitos desta edição reservados por Summus Editorial

Editora executiva: **Soraia Bini Cury**
Capa: **Márcio Koprowski**
Projeto gráfico: **Daniel Rampazzo / Casa de Ideias**
Diagramação: **Spress**

Editora Ágora
Departamento editorial:
Rua Itapicuru, 613 – 7º andar
05006-000 – São Paulo – SP
Fone: (11) 3872-3322
http://www.editoraagora.com.br
e-mail: agora@editoraagora.com.br

Atendimento ao consumidor
Summus Editorial
Fone: (11) 3865-9890

Vendas por atacado
Fone: (11) 3873-8638
e-mail: vendas@summus.com.br

Impresso no Brasil

Sumário

Apresentação

O QUE É VOCAÇÃO?

Há uma célebre frase de Josephine Baker, uma das maiores cantoras norte-americanas de todos os tempos, que diz: "É isso que chamamos de vocação, o que a gente faz com alegria como se tivesse fogo no coração e o diabo no corpo?" (Hillman, 1997).

O termo "vocação" descende do latim *vocare* – a união de *vox* (voz) e *core* (coração) – e significa *evocar a voz do coração*. Nos dicionários da língua portuguesa, "vocação" é uma palavra associada tanto a chamamento, dom, escolha e predestinação quanto a talento, aptidão, pendor, disposição ou terreno em que uma atividade se desenvolve de maneira admirável.

Vocação é muito diferente de profissão porque é uma expressão natural da personalidade. Você deve buscar uma atividade profissional que corresponda aos seus talentos naturais. Assim, não só encontrará um caminho profissional como também uma maneira de se sentir realizado e feliz.

Ter uma profissão não deve ser apenas uma questão de escolha ou de sobrevivência. Passamos mais de um terço do dia trabalhando, ou melhor, criando. Digo isso porque o trabalho deve proporcionar tanta alegria quanto uma brincadeira de criança. Se ele também puder inspirar, tocar o coração, evocar os sentimentos e fascinar a cada tarefa cumprida, dará à vida um significado maior, uma razão a mais para viver, um senso de destino pessoal. Quando encontramos nossa real vocação, o coração bate forte como se estivéssemos vivendo uma paixão. Temos a certeza de que o mundo à nossa volta conspira para que possamos expressar nossa singularidade.

Cada um de nós tem uma disposição natural, um dom que nos foi dado, que permitirá construir uma biografia única, ter uma assinatura própria, perseguir uma imagem inata, aquela que carregamos desde o nascimento (Hillman, 1997). Quando o chamado é claro, funciona como uma intimação, um apelo, uma convocação, e nos entregamos a ele de corpo e alma, como a um sacerdócio. Você deve responder a esse chamado e não se contentar em ser apenas mais alguém que deu certo na vida.

Em nosso trabalho de orientação vocacional, somos quase sempre procuradas por jovens perdidos, que não conseguem decidir por essa ou aquela profissão. Na maioria dos casos, notamos que falta informação para que esses jovens possam fazer suas escolhas. Falta informação sobre as profissões existentes, das mais comuns às mais estranhas; falta ainda informação sobre o mercado de trabalho e os desdobramentos que cada profissão pode ter, bem como sobre as escolas e os cursos disponíveis. Por exemplo, no caso da medicina, há mais de cinquenta especialidades, sem contar que em várias delas é possível optar pela área clínica, científica ou cirúrgica.

Mas o que constatamos com mais frequência no consultório é a falta de informação dos jovens sobre si mesmos: eles não sabem quem são, de onde vêm e para onde vão. Não sabem de que matéria-prima são feitos, do que gostam, em que acreditam, com que talentos e habilidades contam, quais serão seus desafios pessoais e profissionais. Ou seja, falta-lhes autoconhecimento.

Os casos de pessoas que já exercem uma profissão mas estão insatisfeitas e infelizes podem ser ainda mais graves. A escolha errada vem da inconsciência sobre si mesmo somada à falta de informação e orientação na época em que foi necessário escolher.

É claro que há casos e casos. Indivíduos com múltiplos talentos sentem mais dificuldade para fazer uma opção do que aqueles que têm um talento definido e habilidades afins. Aos mais plurais e cheios de recursos, a escolha pode ser mais cruel. Justamente por fazerem várias coisas com relativa facilidade, nem sempre conseguem detectar a profissão que realmente lhes preencherá a alma.

Pior que isso é escolher um caminho porque ele trará uma maior recompensa material. Ao contrário do que se pensa, esse é um tremendo engano, pois qualquer recompensa só virá em consequência de uma profissão exercida com desejo, vontade, estímulo e satisfação. Já o contrário não é tão óbvio. Quando uma pessoa pratica algo só pelo possível ganho, mais cedo ou mais tarde a frustração bate à sua porta e ela se sente tão infeliz que a conquista material não vale a pena.

São muitas as perguntas a que um jovem como você se vê obrigado a responder:

- O que eu realmente gosto de fazer?
- Em que profissão vou me dar bem?
- Como será meu dia a dia de trabalho nessa ou naquela profissão?
- Devo escolher o que mais gosto ou o que vai me dar mais dinheiro?
- Devo ouvir os conselhos dos meus pais?
- E se eu errar na escolha?
- O que eu realmente quero da vida?

Comece tentando responder a esta: *Qual é meu maior objetivo profissional?*

Talvez você não saiba, mas nem todas as pessoas têm a mesma mobilização para a questão profissional. Há os que trabalham porque amam aquilo que fazem e desde cedo sabiam o que queriam; há os que trabalham visando a um resultado concreto, material, sucesso ou reconhecimento; há os que o fazem apenas porque precisam ou porque ainda não descobriram sua real vocação; há os que têm diversos talentos e podem fazer várias coisas com relativa facilidade; e há aqueles que não querem nem saber de trabalhar. A qual desses grupos você pertence (Binder, 2002)? Veja como é preciso ir fundo na investigação. Você

- Deseja que uma profissão lhe traga recompensa material, poder ou satisfação pessoal?
- Almeja trabalhar para realizar-se ou para obter prestígio? Ou será que o que você realmente busca é reconhecimento?
- É talhado para trabalhar por conta própria ou prefere fazer parceria com alguém?
- Se dispõe a receber ordens ou não se submeteria à orientação de alguém?
- É bem criativo, do tipo capaz de gerar o próprio trabalho? Ou prefere desenvolver o que já foi criado?
- Precisa que o trabalho lhe dê segurança ou deseja simplesmente ocupar seu dia a dia?
- Acredita que o trabalho deve ter uma dimensão social, preencher seus ideais e ser politicamente correto? Ou para você tanto faz?

Como vê, todas as suas dúvidas e angústias são absolutamente normais, todas as suas perguntas têm respostas! Elas estão dentro de você. E, se você não conseguir responder a todas elas agora, aos poucos será capaz de fazê-lo.

Todas as escolhas que você fizer na vida serão úteis de alguma forma. Além disso, você tem todo o direito de errar. Se não acertar na primeira, de qualquer modo acumulará conhecimento e experiência que serão úteis quando finalmente chegar a um porto seguro e puder atracar seu navio, jogar sua âncora e construir ali sua existência.

Tudo que você tem é tempo. Lembre-se sempre disso. Mesmo que o mundo tente provar o contrário. Por isso, não se afobe. Investigue, pergunte, informe-se ao máximo sobre si mesmo e sobre o assunto. Seja objetivo. Levante suas dúvidas e tente responder a todas elas. Comece agora mesmo. E, se mesmo assim você continuar indeciso, vá mais fundo, pesquise, visite os locais que oferecem os cursos que deseja, tente conhecer alguém que exerça a mesma profissão, veja como é seu dia a dia de trabalho, quanto ganha, se é feliz.

Nosso objetivo com este manual é ajudá-lo a se conhecer melhor e a responder às suas perguntas, para que possa realizar sua escolha com alegria e segurança.

E por que a astrologia pode ajudar você na escolha profissional?

Em meados do século passado, um psicólogo francês chamado Michel Gauquelin, enciumado pelo sucesso que a astrologia estava fazendo na Europa, resolveu fazer uma pesquisa para provar sua ineficiência.

Casado com uma profissional de pesquisa de mercado, Gauquelin utilizou essa ferramenta para provar que a astrologia não funcionava e elegeu o tema das profissões para testá-la. Selecionou determinadas profissões e analisou 41 mil mapas astrológicos de pessoas que as exerciam. Ao final da pesquisa, Gauquelin (1974) constatou que:

- os mapas astrológicos daquelas pessoas já revelavam *a priori* as tais profissões;
- cada uma daquelas atividades tinha características astrológicas bem definidas;
- essas atividades simbolizavam inspirações e aspirações de seus portadores.

Em consequência, Gauquelin tornou-se, ele mesmo, um astrólogo, adotando a astrologia vocacional como sua área de atuação predileta.

Essa história serve para demonstrar o quanto a astrologia pode ajudá-lo na escolha profissional, já que sua vocação é uma extensão de quem você é. A astrologia é um instrumento de autoconhecimento: por meio da análise do mapa astrológico de nascimento você conhece sua natureza essencial, suas características de personalidade, seus talentos e suas habilidades, suas dificuldades e seus desafios. E mais: fica sabendo ainda em que áreas e assuntos de sua vida poderá experimentá-los.

O autoconhecimento faz que você descubra suas inspirações e aspirações, seus talentos e desejos naturais, além de suas necessidades e interesses. Conhecer a si próprio é uma condição para ser feliz e para integrar corpo, alma, coração e mente no trabalho e na vida.

Quando se tem 17 ou 18 anos, fazer uma escolha para o resto da vida pode ser muito difícil. Muitas vezes, optamos por uma profissão apenas pela imagem que fazemos dela, mas nem sempre essa imagem corresponde à realidade. Outras vezes, escolhemos algo que está na moda, mas não combina necessariamente com o que somos ou queremos da vida. Ou, ainda, optamos pelo que dará melhores resultados no futuro, mas no presente não faz sentido nenhum.

Por isso a astrologia pode ajudar você. Conhecendo-se mais, você será capaz de explorar melhor seus cantinhos claros e escuros e fazer escolhas profissionais com mais vontade, segurança e objetividade.

E então, vamos em frente?

Veja como interpretar seu perfil astrológico vocacional nos próximos capítulos.

Ciça Bueno

Como utilizar este manual — 1

INFORMAÇÕES PRÁTICAS

Este manual de astrologia é dirigido especificamente para a área vocacional. Com ele, você pode interpretar seu mapa astrológico vocacional sozinho.

Para tal, você terá acesso ao programa VOCACIONAL, que faz o cálculo de seu mapa astral de nascimento e permite que se imprima o gráfico. Abaixo do gráfico impresso há várias tabelas com as informações de que você precisa para ler os resultados específicos de seu perfil vocacional.

Fizemos este manual para ser utilizado tanto por estudantes e jovens em fase de decisão de carreira como por profissionais que estão insatisfeitos, questionando suas escolhas. No entanto, o texto tem a intenção de ir mais longe e também de ser útil como ferramenta de apoio aos profissionais das áreas de recursos humanos, educação e orientação vocacional. O programa de cálculo de mapa não tem qualquer limitação e pode ser usado indefinidamente.

Esta obra está dividida em capítulos, por assunto e por ordem de importância. Neste primeiro capítulo estão disponíveis instruções para prosseguir sua leitura. Do capítulo 2 ao capítulo 11 você encontrará os textos relativos aos planetas e aos pontos importantes do mapa, com as devidas descrições vocacionais que procura.

Para calcular seu mapa, basta visitar um dos endereços a seguir para ter acesso ao programa VOCACIONAL. (Caso tenha qualquer problema no acesso, escreva para cicabueno27@gmail.com.) Vamos lá?

https://cicabueno.com.br/programa-vocacional/
https://marciamattos.com/programa-vocacional/

Como calcular seu mapa astral

Ao iniciar o programa, você encontrará uma tela como a da figura 1:

Figura 1: Tela inicial do programa VOCACIONAL

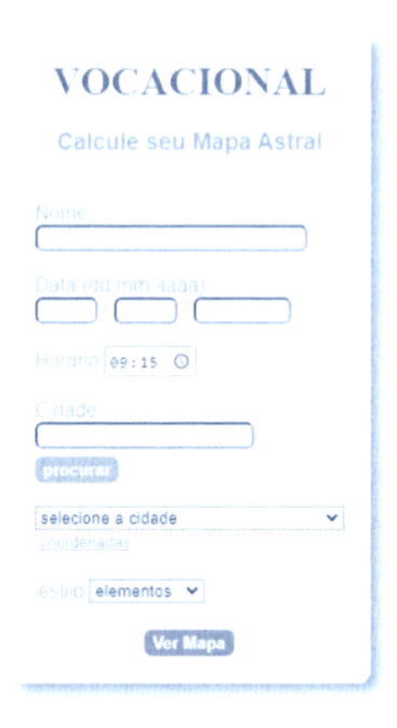

Agora, siga as seguintes instruções:

1. Preencha o formulário com seus dados de nascimento – dia, mês, ano, horário e local. Digite a cidade e clique em "procurar". Selecione a cidade e confirme-a.
2. Em seguida, clique em "ver mapa". Você então verá uma tela como a da figura 2.

Figura 2: O mapa astrológico

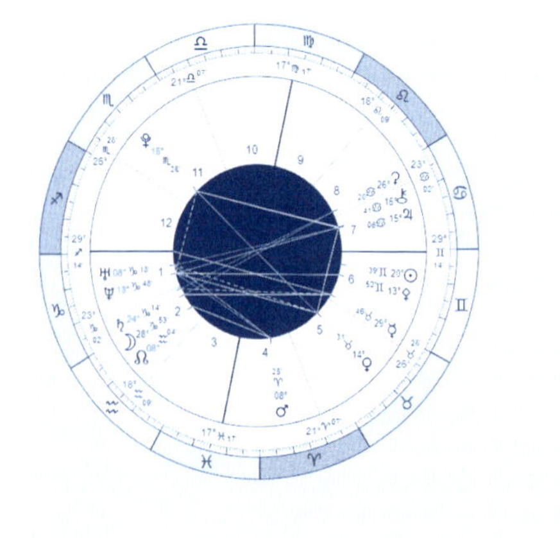

Planeta	Longitude	Casa	Pont
Asc	29°14' ♐ Sagitário	1	5
Lua	29°53' ♑ Capricórnio	2	15
Sol	20°39' ♊ Gêmeos	6	40
Mercúrio	29°46' ♉ Touro	6	10
Vênus	14°51' ♉ Touro	5	10
Marte	08°25' ♈ Áries	4	25
Júpiter	15°06' ♋ Câncer	7	28
Saturno	24°11' ♑ Capricórnio	2	33
Urano	08°19' ♑ Capricórnio	1	36
Netuno	13°48' ♑ Capricórnio	1	26
Plutão	15°28' ♏ Escorpião	11	1
Quíron	15°41' ♋ Câncer	7	26
Ceres	26°20' ♋ Câncer	8	6
Palas	13°52' ♊ Gêmeos	6	6
Nodo norte	03°04' ♒ Aquário	2	12

Casa	Longitude
1	29°14' ♐ Sagitário
2	23°02' ♑ Capricórnio
3	[illegible] ♒ Aquário
4	17°17' ♓ Peixes
5	21°07' ♈ Áries
6	[illegible] ♉ Touro
7	29°14' ♊ Gêmeos
8	23°02' ♋ Câncer
9	[illegible] ♌ Leão
10	17°17' ♍ Virgem
11	21°07' ♎ Libra
12	[illegible] ♏ Escorpião

Elementos	
Fogo	6
Terra	11
Ar	4
Água	3

Ritmos	
Cardinal	11
Fixo	5
Mutável	3

Hora Sideral: 17:16:17
Latitude: 23°31' S Longitude: 46°38' W
Sistema de casas: Placidus
Software desenvolvido para o manual "Vocação, Astros e Profissões"
VOCACIONAL

Versão para imprimir

3. Clique em "versão para imprimir" e você verá o seu gráfico vocacional completo, como o que aparece na figura 5 (página 17).

Você pode salvar o arquivo como PDF ou usar uma impressora convencional. Já de posse do seu mapa, leia o tópico "Informações fundamentais" (a seguir) e confira as dicas antes de começar a leitura do seu perfil propriamente dito.

INFORMAÇÕES FUNDAMENTAIS

Como interpretar o mapa astrológico vocacional

Você já ouviu falar de planetas, signos e casas? Os planetas descrevem as energias instintivas puras que compõem sua individualidade. Os signos descrevem a maneira como essas energias atuam em você e as casas apontam em que assuntos de sua vida esses elementos desempenharão papéis importantes e decisivos. Conheceremos todos eles de acordo com a necessidade, mas, para começar, vamos entender melhor o gráfico. Acompanhe.

O mapa é uma mandala dividida em doze partes, doze casas ou doze áreas de experiência da vida. O mapa também é cruzado por dois eixos perpendiculares. Veja a figura 3.

Figura 3: Mandala astrológica

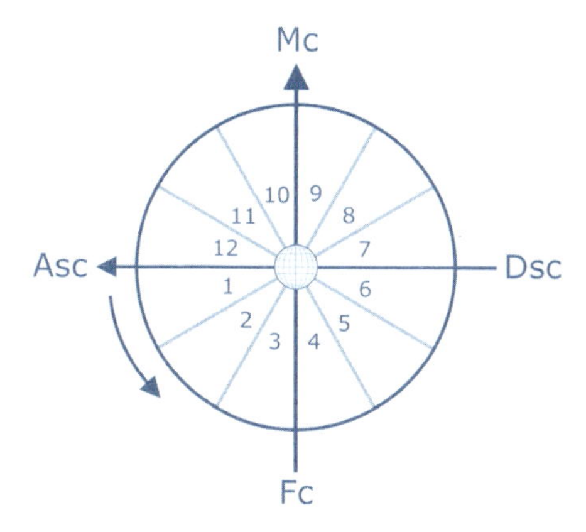

O eixo horizontal, ou o *eixo do espaço*, determina o início de duas casas:

- a *casa 1*, à esquerda, em cujo começo está o *ascendente* (*ASC*), determina o início do mapa, que gira em sentido anti-horário, conforme mostra a figura 3. Essa é a *casa do eu potencial*, que se desenvolverá através do resto do mapa;

- a *casa 7*, à direita, em cujo começo está o *descendente* (*DSC*), é a *casa do outro*, dos relacionamentos, parcerias, casamentos e associações.

O eixo vertical, ou o *eixo do tempo*, determina o início de outras duas casas:

- a *casa 4*, abaixo, em cujo começo está o *fundo do céu* (*FC*), é onde você tem seus pés plantados, a casa das origens, raízes, família e emoções profundas;
- a *casa 10*, acima, em cujo começo está o *meio do céu* (*MC*), é o cume da montanha aonde se quer chegar. Representa o mundo em que você desempenhará uma profissão, um papel social, e onde colherá uma *imagem social e profissional*.

Observação importante:
Esses quatro pontos, também chamados de ângulos do mapa, são de vital importância para sua leitura. Qualquer planeta ligado a um deles ou presente em uma dessas *casas angulares* é *determinante* de escolha profissional.

Outras casas do mapa são fundamentais para a escolha profissional. São elas as *casas 2*, *5* e *6*, além dos quatro ângulos. Veja na figura 4 o significado de cada uma das doze casas ou assuntos da vida.

Figura 4: O significado das doze casas

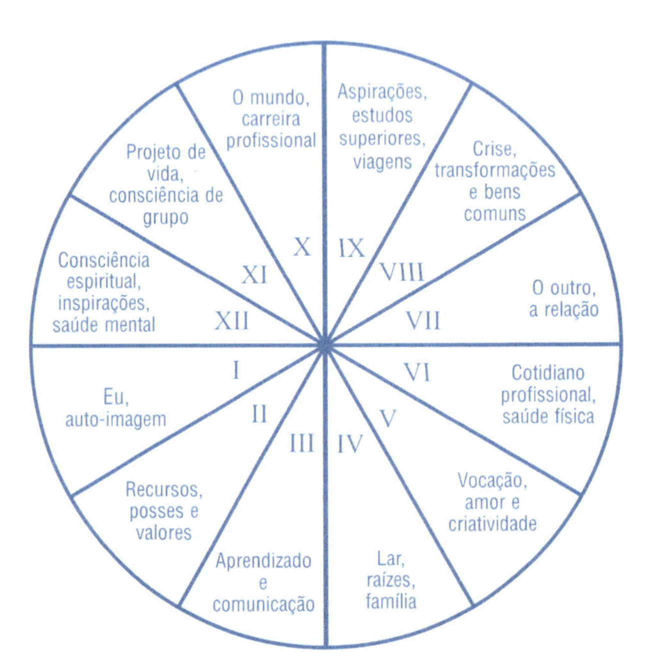

Agora veremos como as informações estão distribuídas no gráfico que você vai imprimir. Veja um exemplo de mapa no tópico "Reconhecendo o gráfico e aprendendo a ler as tabelas" e acompanhe passo a passo como deve proceder para realizar a leitura de seu perfil vocacional.

RECONHECENDO O GRÁFICO E APRENDENDO A LER AS TABELAS

Veja a seguir a reprodução de um gráfico similar ao que você imprimirá quando fizer seu mapa (figura 5). Observe que abaixo do mapa impresso há várias tabelas. Acompanhe passo a passo a análise desse gráfico para que possa fazer a leitura de seu perfil com clareza e exatidão.

Figura 5: Exemplo de um mapa astral de nascimento

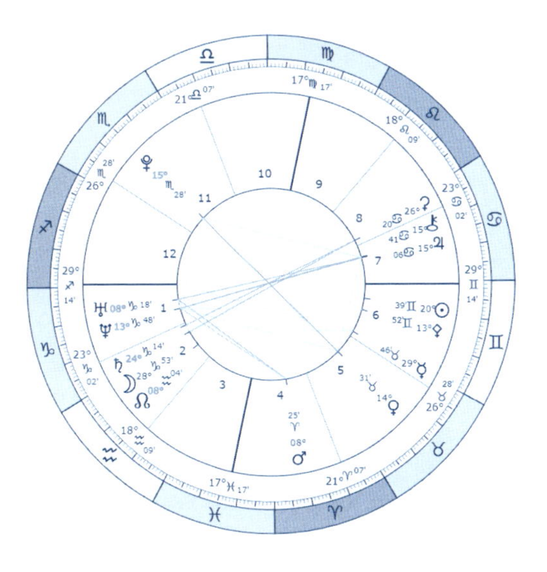

tabela 1

Planeta	Longitude	Casa	Pont
Asc	29°14' ♐ Sagitário	1	5
☽ Lua	28°53' ♑ Capricórnio	2	15
☉ Sol	20°39' ♊ Gêmeos	6	40
☿ Mercúrio	29°46' ♉ Touro	6	10
♀ Vênus	14°31' ♉ Touro	5	10
♂ Marte	08°25' ♈ áries	4	25
♃ Jupiter	15°06' ♋ Câncer	7	28
♄ Saturno	24°14' ♑ Capricórnio	2	33
♅ Urano	08°18' ♑ Capricórnio	1	36
♆ Netuno	13°48' ♑ Capricórnio	1	26
♇ Plutão	15°28' ♏ Escorpião	11	1
⚷ Quiron	15°41' ♋ Câncer	7	26
⚳ Ceres	26°20' ♋ Câncer	8	6
⚴ Palas	13°52' ♊ Gêmeos	6	6
☊ Nodo norte	08°04' ♒ Aquário	2	12

tabela 2

Casa	Longitude
1	29°14' ♐ Sagitário
2	23°02' ♑ Capricórnio
3	18°09' ♒ Aquário
4	17°17' ♓ Peixes
5	21°07' ♈ áries
6	26°28' ♉ Touro
7	29°14' ♊ Gêmeos
8	23°02' ♋ Câncer
9	18°09' ♌ Leão
10	17°17' ♍ Virgem
11	21°07' ♎ Libra
12	26°28' ♏ Escorpião

tabela 3

Elementos	
Fogo	6
Terra	11
Ar	4
Água	3

Ritmos	
Cardinal	11
Fixo	5
Mutável	8

Hora Sideral: 17:16:17
Latitude: 23°31' S Longitude: 46°38' W
Sistema de casas: Placidus

Software desenvolvido para o manual "Vocação, Astros e Profissões"

VOCACIONAL

Note que abaixo do gráfico existem as tabelas 1, 2 e 3.

- Na tabela 3, você encontrará a pontuação por elementos: fogo, terra ar e água. Veja a contagem de cada um deles, bem como a dos ritmos cardinal, fixo ou mutável, e vá à página 25 para ler os resultados.

Leia o texto conforme a pontuação: abaixo de 4 pontos, leia o texto com *pouca pontuação*; acima de 8 pontos, leia o texto com *muita pontuação*. Ele está dividido em *muito ou pouco fogo*, *muita ou pouca terra*, e assim por diante. O mesmo raciocínio é aplicado aos ritmos. Veja o exemplo a seguir (figura 6).

Figura 6: Tabela 3 – Elementos e ritmos

Tabela 3

Elementos	
Fogo	6
Terra	11
Ar	4
Água	3

Ritmos	
Cardinal	11
Fixo	5
Mutável	8

Nesse exemplo, devem-se ler os textos referentes a muita terra, pouca água, muito cardinal e pouco fixo.

- Na tabela 1, você encontra, na coluna à esquerda, os símbolos dos planetas seguidos por seus nomes. A coluna central da longitude indica a posição por graus e o signo de cada planeta. Só se interesse pelo nome dos signos. A coluna seguinte indica a casa onde cada um deles está localizado e, na última coluna da direita, está a pontuação correspondente a cada um deles. Acompanhe na figura 7.

Nosso exemplo tem o Sol no signo de Gêmeos, na casa 6, que recebeu 40 pontos. Tem ainda a Lua em Capricórnio, na casa 2, que recebeu 15 pontos.

Veja a seguir os outros planetas, o ascendente, o Nodo Lunar Norte (Nó) e os três asteroides, Quíron, Ceres e Pallas. Veja ainda a figura 7.

Figura 7: Tabela 1 – Planetas

Tabela 1

Planeta	Longitude	Casa	Pont.
Asc Asc	29°14' ♐ Sagitário	1	**5**
☾ Lua	28°53' ♑ Capricórnio	2	**15**
☉ Sol	20°39' ♊ Gêmeos	6	**40**
☿ Mercúrio	29°46' ♉ Touro	6	**10**
♀ Vênus	14°31' ♉ Touro	5	**10**
♂ Marte	08°25' ♈ Áries	4	**25**
♃ Júpiter	15°06' ♋ Câncer	7	**28**
♄ Saturno	24°14' ♑ Capricórnio	2	**33**
♅ Urano	08°18' ♑ Capricórnio	1	**36**
♆ Netuno	13°48' ♑ Capricórnio	1	**26**
♇ Plutão	15°28' ♏ Escorpião	11	**1**
⚷ Quíron	15°41' ♋ Câncer	7	**26**
⚳ Ceres	26°20' ♋ Câncer	8	**6**
⚴ Palas	13°52' ♊ Gêmeos	6	**6**
☊ Nodo norte	08°04' ♒ Aquário	2	**12**

▸ Na tabela 2, você encontrará o número da casa em algarismos arábicos, o grau e o signo em que começa cada casa do mapa. Nessa tabela, devem-se procurar os signos das seguintes casas: ASC (ou casa 1) e MC (ou casa 10), além das casas profissionais/vocacionais (casas 2, 5 e 6). (Veja a figura 8.)

Segundo nosso exemplo, os signos correspondentes a cada uma das casas são:

- Ascendente .... Sagitário
- Casa 2 .... Capricórnio
- Casa 5 .... Áries
- Casa 6 .... Touro
- MC .... Virgem

Agora, voltemos à tabela 1, onde o que realmente nos interessa é a pontuação dos planetas e pontos do mapa. Vamos às regras de leitura e interpretação.

Figura 8: Tabela 2 - Casas

Tabela 2

Casa	Longitude
1	29°14' ♐ Sagitário
2	23°02' ♑ Capricórnio
3	18°09' ♒ Aquário
4	17°17' ♓ Peixes
5	21°07' ♈ Áries
6	26°28' ♉ Touro
7	29°14' ♊ Gêmeos
8	23°02' ♋ Câncer
9	18°09' ♌ Leão
10	17°17' ♍ Virgem
11	21°07' ♎ Libra
12	26°28' ♏ Escorpião

Regras de leitura e interpretação

Assim como foi feito com o exemplo, levante os resultados que aparecem nas tabelas 1, 2 e 3 do seu mapa.

1. **Elementos e ritmos:** Primeiramente, leia o significado de cada elemento e ritmo na página 25. Depois, leia os resultados na página 26.

2. **Conceitos básicos:** Leia primeiro os conceitos básicos dos planetas, signos e casas nas páginas 30, 61, 71, respectivamente. A leitura dos conceitos básicos não é imprescindível, mas é recomendável para que você se familiarize com a linguagem astrológica.

3. **Planetas:** Localize na tabela 1 do seu mapa os planetas e suas pontuações. Todos os planetas com pontuação acima de 20 são *determinantes vocacionais*. Todos os textos relativos a eles devem ser lidos. Os planetas Sol, Lua, Mercúrio, Vênus e Marte têm mais dois textos para cada um: o significado por signo e por casa. Os outros, Júpiter, Saturno, Urano, Netuno e Plutão[1], só têm significado por casa porque são planetas de cunho social e geracional.

[1] No dia 24 de agosto de 2006, a XXVI Assembleia Geral da International Astronomical Union (IAN), em seu congresso anual em Praga, promoveu o "rebaixamento" de Plutão, que passou a ser classificado como um

O Sol, a *Lua* e as posições de *ascendente*, *meio do céu* e *Nodos Lunares* são fundamentais porque falam da sua essência e, portanto, devem ser lidos de qualquer modo. Se o Sol, a Lua ou os Nodos estiverem nas casas profissionais do mapa, ou seja, no MC e/ou nas casas 2, 5 e 6, serão *determinantes vocacionais* e, consequentemente, importantes em sua leitura.

Mercúrio, *Vênus*, *Marte*, *Júpiter*, *Urano*, *Netuno* e *Plutão* têm importância relativa, dependendo do lugar que ocupam no mapa. Sempre que um deles estiver ligado a um dos ângulos do mapa ou situado em uma das casas angulares ou profissionais, ganhará destaque e será determinante vocacional.

Quíron, *Ceres* e *Pallas* são asteroides e têm significado vocacional específico. Esses asteroides só têm pontuação elevada se estiverem ligados a um dos ângulos do mapa. Nesse caso, passam a ser determinantes vocacionais, e os textos relativos a eles podem ser encontrados nas páginas 82, 85 e 86.

Em nosso exemplo, os planetas com pontuação acima de 20 são Sol, Marte, Júpiter, Saturno, Urano, Netuno e Quíron. Você deve ler os textos de Sol, Lua e Marte por signo e casa e os outros só por casa. No caso de Urano, que tem pontuação alta, leia Urano em ângulo na página 83. Veja a seguir em que páginas você pode encontrar os textos dos planetas.

planeta anão. Essa nova classificação foi definida em função de novos critérios científicos estabelecidos a respeito de peso, medida e órbita dos demais planetas. No entanto, o rebaixamento astronômico de Plutão foi polêmico até mesmo entre os astrônomos. Essa polêmica não muda em nada o que Plutão significa para a astrologia, nem faz que ele perca nenhuma característica simbólica. A astrologia não trabalha com relações de causa e efeito, um critério científico e racionalista, e não considera o tamanho do corpo celeste relevante em sua eficácia simbólica. (Informações baseadas no prefácio de Tereza Kawall para o livro *Síndromes de Plutão e dos outros planetas exteriores*, de Ciça Bueno e Márcia Mattos.)

4. **Planetas em ângulo:** Quando qualquer planeta ou asteroide estiver num dos quatro ângulos do mapa – ou seja, ASC, MC, FC ou DSC –, receberá pontuação acima de 30 pontos. Nesse caso, além do texto referente a esse planeta por signo e casa (ou só por casa), leia o texto relativo à sua posição em ângulo, que se encontra na página 79.
Em nosso exemplo, são Sol, Saturno e Urano. Veja os planetas em ângulos nas páginas 79 a 86.

5. **Casas profissionais/vocacionais:** Localize, na tabela 3 de seu mapa, quais signos estão no início dessas casas e *devem ser lidos*. São elas: ASC (ou casa 1), MC (ou casa 10), casa 2, casa 5 e casa 6. Veja a seguir em que páginas estão os textos referentes a elas.

Ascendente 183
Meio do céu 137
Casa 2 96
Casa 5 108
Casa 6 124

Os planetas regentes do ascendente (ASC ou casa 1) e do meio do céu (MC ou casa 10) são importantes para a sua escolha profissional. Eles estarão sempre indicados no texto, para que você não se confunda. Recomenda-se ler também os textos relativos a eles e a suas posições por signo e casa.

6. **Saturno:** O planeta Saturno é muito importante para sua escolha porque rege a capacidade de concretizar objetivos profissionais. Os textos relativos a Saturno devem ser lidos de qualquer modo. Veja na tabela 3 em que casa ele se localiza e vá à página 87 ler o texto relativo à sua posição por casa.

7. **Nodos Lunares:** Leia os textos relacionados a eles de qualquer maneira. Veja na tabela 1 do seu mapa em que casa estão e vá à página 42 para ler o seu significado. Leia também o texto referente à posição do Nodo Lunar Norte por casa.

8. **Se você encontrar três ou mais planetas na mesma casa, dê muita importância a isso.** Esse fenômeno é chamado *stellium*. Se

houver um *stellium* em seu mapa ou, ainda, temas que se repetem, você deve prestar atenção a eles, pois esses fenômenos são *determinantes vocacionais*. De qualquer forma, não deixe de ler os textos relativos aos planetas que compõem o *stellium*.

9. **Dê preferência aos temas que estiverem repetidos em seu mapa:** Temas importantes aparecem sempre mais de uma vez para que você os leve em consideração na hora da escolha profissional.

Boa leitura!

Conceitos básicos

2

- Elementos e ritmos
- Planetas, ascendente, meio do céu e Nodos Lunares
- Signos
- Casas

ELEMENTOS E RITMOS

Elementos

Os elementos fogo, terra, ar e água descrevem funções básicas da personalidade: a *intuição*, a *sensação*, o *pensamento* e o *sentimento*.

△ *Fogo é intuição* ou a capacidade de antecipar o futuro por meio de imagens e *insights*. Entendimento, imediato ou não, de qualquer situação. *Os signos de fogo são Áries, Leão e Sagitário.*

+ *Terra é sensação* ou a capacidade de lidar com os aspectos materiais e concretos da vida e ainda de expressar sensações ou sentidos físicos. *Os signos de terra são Touro, Virgem e Capricórnio.*

≈ *Ar é pensamento* ou maior/menor capacidade intelectual, ordenação mental e aprendizado, maior/menor interesse em atividades intelectuais e capacidade de se relacionar. *Os signos de ar são Gêmeos, Libra e Aquário.*

▽ *Água é sentimento* ou maior/menor capacidade de expressar sentimentos e emoções, maior/menor capacidade de envolvimento com pessoas, ambientes e atividades. *Os signos de água são Câncer, Escorpião e Peixes.*

Ritmos

Existem também os ritmos de expressão que descrevem seu comportamento em relação ao mundo externo: *cardinal*, *fixo* e *mutável*.

Cardinais são os signos que modificam o mundo com seu comportamento. São eles: *Áries, Câncer, Libra* e *Capricórnio*.

Fixos são os signos modificados pelo mundo externo. São eles: *Touro*, *Leão*, *Escorpião* e *Aquário*.

Mutáveis são os signos que se adaptam às circunstâncias, modificando o mundo ou sendo modificados por ele, de acordo com o interesse ou a necessidade. São eles: *Gêmeos*, *Virgem*, *Sagitário* e *Peixes*.

Descrição de elementos e ritmos de acordo com a pontuação

Muito fogo: Com dominante no elemento fogo, você é muito *intuitivo* e tem grande expectativa em relação ao futuro, que se revela por meio de sua capacidade de *pressentir e imaginar novas possibilidades, tendências e potencialidades* não visíveis, mas farejáveis.

A nova possibilidade passa a ser então sua grande *motivação*, e você usará toda a *criatividade* para desenvolvê-la, contagiando as pessoas à sua volta com seu *entusiasmo*. Você é muito *criativo* e *independente* e tem forte tendência à *liderança.*

O fogo lhe fornece grande energia física para o trabalho, desde que você se sinta estimulado por determinado assunto – que deve desafiá-lo a continuar se interessando por ele. Atente para isso. Caso contrário, você farejará para onde deve ir, mas não terá paciência de esperar chegar o dia da colheita e acabará não se beneficiando dos resultados de sua intuição, deixando a colheita para os outros.

Dominante em fogo favorece homens de negócios e empresários que inventam, produzem e lançam novos produtos e serviços; corretores de valores e operadores de bolsa que farejam a tendência do mercado; descobridores de artistas e talentos que vislumbram o futuro desses profissionais; líderes sociais, políticos ou espirituais que estão sempre à frente de seu tempo conduzindo as massas, e mais os artistas, poetas, criativos, visionários e revolucionários.

Atente para a dificuldade que tem de concretizar suas ideias, pois, como acha que o mundo concreto só lhe impõe limites, não se debruça sobre ele para compreender seu funcionamento e conseguir os resultados que deseja. Em consequência, não percebe que seus julgamentos fantasiosos e imprecisos da realidade só o afastam de seus objetivos. Atente também para sua tendência ao egocentrismo.

Pouco fogo: Pouco elemento fogo pode indicar que você tem também pouco entusiasmo pelo novo e pouca resistência física para longos períodos de trabalho. Além disso, que você acredita muito pouco em sua intuição, foge de qualquer risco e não especula sobre as possibilidades que a realidade apresenta. Simplesmente a aceita como ela é, não criando novas oportunidades, não arriscando novos procedimentos nem tentando abrir novas portas. Faça uma autoanálise e veja se não é possível se envolver mais com os assuntos que realmente lhe interessam e lutar mais por seus objetivos.

Muita terra: Com dominante no elemento terra ou na função sensação, você se relaciona com a realidade, os fatos e os objetos externos de forma concreta e prática. Tem grande capacidade de observação de tudo e todos, tem visão utilitarista, é muito preciso e detalhista e só acredita no que pode vivenciar por meio de seus sentidos.

Em contrapartida, despreza sua intuição, que frequentemente poderia ajudá-lo a apreciar o contexto em que as situações estão inseridas, obtendo assim uma visão mais ampla da vida.

Dominante em terra também lhe confere grande capacidade produtiva e dirige seus interesses a atividades profissionais ligadas a posses, bens e valores materiais e concretos, como economia, matemática, finanças; a áreas ligadas à terra e à natureza, como agronomia, veterinária, ecologia; a profissões que envolvam os sentidos físicos, como produção ou fornecimento de alimentos, nutricionismo, degustação ou arquitetura, massagem, perfumaria; ou, ainda, a atividades que lidem com fabricação, produção, administração, desenvolvimento de produtos, empresas e serviços, como planejamento, gerenciamento de negócios, engenharias em geral.

Atente para sua tendência a lentidão, avareza, pessimismo, conservadorismo e teimosia. E use mais sua criatividade e ousadia, que, associadas à sua capacidade de produzir e concretizar, o conduzirão certamente aos resultados que almeja.

Pouca terra: Com pouco elemento terra, você tende a não dar atenção às questões práticas da vida e do cotidiano e a não valorizar os aspectos materiais de suas escolhas profissionais. Além disso, carece de persistência, concentração e resistência para trabalhos de longos períodos. Dê muita atenção a isso, pois o sucesso de sua colheita profissional depende muito de estabelecer um cotidiano produtivo, ordenado e sistemático que ofereça resultados materiais satisfatórios.

Muito ar: Você é do tipo pensativo e faz parte dos *organizadores* da vida e do mundo, pessoas que ocupam funções e cargos de decisão em empresas de comunicação e cultura, órgãos governamentais, sejam de leis ou de negócios, sejam de instituições sociais, educacionais e científicas, empresas de comunicação, estabelecendo a ordem, as ideias e os procedimentos da sociedade.

Tem muita inteligência, curiosidade e capacidade de estudo, o que lhe confere aprendizado rápido, acúmulo de conhecimento e informação, características que o conduzirão a concretizar seus objetivos.

Seu grande poder de comunicação, verbalização e escrita, além de sua mente privilegiada, facilita seus relacionamentos, fazendo de você um polo de contato, troca e negociação entre pessoas. Por isso mesmo, você precisa trabalhar em grupo e estar sempre estimulado intelectualmente.

Aprecia a diversidade de assuntos e de ambientes, e sua escolha profissional deve incluir mobilidade física e diferentes locais de trabalho.

Você crê na paz, na justiça e no progresso e tem ideais elevados. Pode parecer frio, impessoal e calculista, pois esconde seus sentimentos e não os vive no dia a dia. Justamente por isso, atente para seus rígidos julgamentos sobre os outros.

Por outro lado, você influencia muito as pessoas à sua volta, que seguirão suas ideias, seus passos, seus ideais e valores, mesmo que você não tenha consciência disso.

Entre os pensativos estão políticos, diplomatas, filósofos, pensadores, professores, cientistas, juízes, comunicadores, escritores, jornalistas, advogados e tantos outros.

Pouco ar: Com pouco elemento ar, você não privilegia as atividades intelectuais. Pode ter dificuldade de comunicação, de relacionamento, de se ajustar a situações, pessoas e ambientes novos, de buscar informação e atualização, o que, com o tempo, pode prejudicá-lo profissionalmente. Você prefere trabalhar com assuntos que possam deixá-lo mais quieto e/ou sozinho e não exijam muito deslocamento. Cuidado para não se isolar demais.

Muita água: Com dominante no elemento água, você capta o clima de qualquer ambiente, o astral das pessoas e das situações, e se adapta muito bem a eles, comportando-se adequadamente sempre. Por isso, não deve trabalhar onde ou com quem não goste ou não se sinta bem.

Precisará escolher uma profissão pela qual possa expressar sua preocupação e seus sentimentos pelas pessoas, além de seu bom senso para avaliar relações, objetos e situações, já que tem valores morais e materiais bem apropriados.

Você está entre aqueles considerados bem ajustados, adequados e adaptados, que espalham uma atmosfera agradável, suavizando os ambientes sociais. Mas cuidado para não ser o aspirador do mundo: você pode captar *tudo* e começar a ter pensamentos negativos.

Você prefere relações pessoais, em que cada caso é um caso, e deverá procurar profissões que exigirão sua sensibilidade e habilidade para cuidar dos outros, pois tipos como você sentem objetivamente as pessoas e por isso mesmo podem ajudá-las, traduzi-las, transformá-las, percebendo o que não está funcionando bem e o que deve ser feito para o retorno da normalidade.

Entre as pessoas que atuam dessa maneira estão médicos, terapeutas, assistentes sociais, curadores, mestres, mães de família; e também pessoas criativas: artistas, poetas, músicos.

Quanto ao seu ritmo de trabalho, é necessário que tenha repetidos intervalos de isolamento para repor suas energias. Cuidado com a tendência ao exagero de impressões, apreensões e insegurança.

Pouca água: Com pouco elemento água, você terá dificuldade em expressar seus sentimentos, em perceber as pessoas e situações à sua volta e em saber como fazer para se adaptar a elas. Em consequência, no âmbito profissional, você pode vir a ter dificuldades de relacionamento, pois sempre que as situações exigirem sensibilidade você não estará apto a lidar com elas, prejudicando assim sua capacidade de adaptação e de aceitação dos momentos de crise.

Muito cardinal: Com dominante em cardinal, você tem muito impulso e iniciativa para inventar ou gerar novos trabalhos, novas fontes de trabalho, enfrentar crises ou mobilizar pessoas a comprar seus projetos ou serviços. Você cria com facilidade, mas deve atentar para sua dificuldade em manter a energia até o final das atividades – costuma desistir no meio, passando a atividade a outros ou se desinteressando. Você entra no jogo com muita energia, mas gasta-a toda no primeiro tempo. Aprenda a armazená-la para o segundo tempo também ou a delegar funções, para que outros finalizem as tarefas por você.

Pouco cardinal: Com pouco ritmo cardinal, você também tem pouco impulso e iniciativa para inventar ou gerar novos trabalhos, novas fontes de trabalho, enfrentar crises ou mobilizar pessoas a comprar seus projetos ou serviços. Se alguém tiver a iniciativa, você seguirá, continuará, desenvolverá o que foi começado. Por isso, tente desenvolver sua criatividade para não perder tanto a autonomia.

Muito fixo: Com dominante em fixo, você tem muita capacidade de realização, execução e desenvolvimento de qualquer tarefa ou projeto profissional. Você é aquele que dá continuidade ao começado e, enquanto houver trabalho a ser realizado, o fará com concentração, energia e resistência ao longo de todo o tempo. Mas não é capaz de ousar, criar, arriscar o novo, se alguém não tiver a iniciativa de começar. Você é mesmo bastante produtivo.

Pouco fixo: Com pouco ritmo fixo, você tem baixa capacidade de realização, execução e desenvolvimento de qualquer tarefa ou projeto profissional. Precisa, portanto, se empenhar, ter mais persistência e sustentação da energia e do ritmo que empreende nas tarefas que executa, controlando sua ansiedade ou inconstância.

Muito mutável: Com dominante em mutável, você vai precisar que lhe deem trabalho para fazer, dependendo dos outros para realizar e criar novas fontes de produtividade. Por outro lado, você tem grande capacidade de adaptar-se, de finalizar tarefas, de refazer o que foi malfeito, de retomar o que está parado e de concluir o não resolvido. É capaz ainda de criar novas formas de fazer a mesma coisa.

Pouco mutável: Com pouco ritmo mutável, você sofre muita dependência do ambiente externo para achar ou criar novas fontes de trabalho. Também tem baixa capacidade de adaptar-se, de refazer o que foi malfeito, de retomar o que está parado e de concluir o não resolvido. Tem ainda resistência em tentar novas maneiras de fazer algo que está estagnado. Por isso, mexa-se.

PLANETAS E SUAS CARACTERÍSTICAS VOCACIONAIS

Sol

IDENTIDADE, NATUREZA ESSENCIAL, SATISFAÇÃO PESSOAL, LIDERANÇA

O Sol é o maior astro que podemos ver a olho nu quando contemplamos o céu. É uma grande esfera definida, que impõe presença e autoridade, emanando raios, mostrando vigor e iluminando nossa vida. O Sol é o centro do sistema solar e fonte emissora de energia do sistema.

Em seu mapa astral, ele também é o centro emissor de energia e o responsável pela inesgotável fonte de vida que há em você. Ele representa você como um todo único, individual, que emana luz, calor e vigor físico. Sua posição no mapa descreve sua natureza essencial, sua identidade ou sua maneira de ser.

No que diz respeito à vocação, é indicador de como você se expressa, como desenvolve sua individualidade, vontade, autonomia, independência, capacidade de realização e liderança.

O signo em que ele está demonstra suas qualidades e características de individualidade, energia, vigor físico, expressão e potência. A casa em que ele está indica os assuntos que estimularão sua busca de identidade, satisfação pessoal e reconhecimento, além de demonstrar seu sentido de eu, de propósito e de direção na vida.

Onde ele estiver é também a área em que você tem intuição, clareza e autoconfiança em sua capacidade de realização, além de criatividade e talento para desenvolver uma vocação.

Lua

NECESSIDADES EMOCIONAIS, CAPACIDADE DE GERAR E NUTRIR, VARIAÇÃO

A Lua não tem luz própria e reflete a luz solar. É o satélite da Terra e sua função é regular e intermediar a luz e a energia entre o Sol e a Terra. Ela simboliza sua satisfação emocional, conta quais são suas necessidades para se sentir seguro e confortável e de que maneira você se adapta em qualquer situação.

A Lua também onde e como você foi moldado pelos hábitos, expectativas, valores e padrões de sua cultura e família e de que maneira eles o influenciam. E mais: revela ainda como você regula suas emoções, flutuações, variações de humor e de estado de espírito.

É um planeta importante no que diz respeito à vocação, pois mostra em quais profissões e tipos de ambiente você se sentirá seguro e satisfeito para trabalhar, gerar, criar, crescer ou minguar. Ela rege seus processos e formas de criatividade, fertilidade, crescimento e nutrição. Também indica como se dá seu contato com o público, a que tipo de público você vai se dirigir profissionalmente e se tem jeito para cuidar de pessoas, assistindo-as, atendendo-as e nutrindo-as, principalmente mulheres e crianças.

O signo em que ela está descreve como você se adapta melhor às situações profissionais e de que maneira cria, multiplica e cresce. A casa onde está dirá quais assuntos alimentam suas necessidades emocionais, deixando-o seguro, satisfeito, confortável e nutrido.

Ascendente | ASC

Imagem de si mesmo e modo de se diferenciar no mundo

O ascendente é o começo do mapa astral, o começo da casa 1, e tem que ver com a hora de seu nascimento. Ele é exatamente o signo que estava no horizonte, ou melhor, ascendendo no horizonte, no momento em que você nasceu.

Ele descreve a maneira como você se diferencia dos outros, como se individualiza, como encara a vida, como começa qualquer atividade, como nasce e renasce a cada fase da vida, como se projeta no mundo, como se mostra às outras pessoas, o que valoriza em sua própria imagem e, ainda, como os outros o veem, que impressão você lhes causa.

O signo que está no ascendente demonstra também sua aparência física, sua imagem, a qualidade de energia de seu corpo físico e a qualidade de energia para estar no mundo e lidar pessoalmente com as situações.

Do ponto de vista vocacional, podemos imaginá-lo como uma espécie de máscara ou roupa que vestimos para enfrentar o mundo, e é por meio dele que sua personalidade se expressa. Portanto, sua escolha profissional depende do signo que aí está, pois as características de tal signo são as habilidades que tem para doar ao mundo, às pessoas, às situações e à profissão.

O signo que aí está descreve as qualidades e características de sua personalidade. Por isso, qualquer escolha profissional passa pelo crivo do ascendente, que é a porta de entrada e de saída de sua personalidade.

Quando, além do signo, há um planeta no ascendente, ele será determinante para a escolha vocacional, pois planetas simbolizam funções da personalidade e ter um deles no ascendente significa estar de posse de determinada função, identificar-se com ela e ter o poder de expressá-la com naturalidade.

Como a vocação é uma extensão do eu, planetas no ascendente são determinantes de sua personalidade, da imagem que você projeta, de habilidades que os outros veem em você e que podem influenciar muito na escolha profissional.

Meio do céu

A META, A POSIÇÃO SOCIAL E A COLHEITA PROFISSIONAL

O meio do céu é o ponto mais alto do mapa astral e também o início da décima casa. Em oposição, encontramos a quarta casa, onde estão origens, família, raízes, emoções mais profundas e inconsciente pessoal.

A décima casa, portanto, significa o mundo externo, onde se participa da sociedade por meio do desempenho de uma atividade social ou profissional que propicie, com o passar do tempo e com a maturidade, a colheita de uma meta, de uma imagem e de uma posição social, hoje em dia muito associadas à profissão.

A casa 10 é a continuação do meio do céu e é importante para a área vocacional, pois é aí que se colhem os frutos profissionais de toda uma vida. Na casa 10 você busca realização profissional, estabilidade, sucesso, prestígio, *status* e poder como meio de sentir-se seguro e reconhecido. É aí que você viverá o cume de sua vida e atingirá o mais alto grau de reconhecimento por sua competência em fazer algo melhor do que qualquer outra pessoa, tornando seu nome uma grife, emprestando prestígio e credibilidade aos locais onde atua profissionalmente.

Nessa casa, estamos sempre focados na obtenção de resultados práticos, preocupados com a carreira e com o futuro, quando não poderemos mais trabalhar e precisaremos desfrutar do que construímos.

Há também o desejo de ser popular e reconhecido profissionalmente como um especialista, uma autoridade no que faz, ocupando posição de poder, destaque ou de comando em instituições, empresas, áreas do governo ou universidades.

Na casa 10, a motivação é participar de elites, colher sucesso e reconhecimento da sociedade, utilizando suas habilidades e talentos. Essa casa nos ensina que, para alcançar nossos objetivos, devemos ser ambiciosos, determinados, disciplinados, pacientes, persistentes, realistas e pragmáticos.

O signo que estiver no começo dessa casa descreverá suas qualidades e habilidades que devem ser associadas às habilidades dessa casa para atividades de planejamento, empreendimento, administração e finanças, para áreas que envolvam precisão, pesquisa, técnica, perícia, controle de qualidade ou, ainda, pesquisas de mercado, científicas ou acadêmicas, como desenvolvimento de produtos ou serviços.

Na casa 10, trabalhar em equipe, mas há uma especial habilidade para exercer autoridade ou ocupar cargo de proeminência. Mas também se sabe escolher os melhores componentes para uma equipe e liderá-la com autoridade, eficiência e controle.

O meio do céu e a casa 10 são fundamentais para a escolha profissional e, se houver planetas nesses locais, eles são indicadores de sua ambição, do que você pode fazer de melhor que mereça destaque e reconhecimento. Portanto, são determinantes de vocação.

Mercúrio | ☿

Inteligência, comunicação, movimento e trocas

Mercúrio é o grande mensageiro do zodíaco. Por ser o planeta mais próximo do Sol, intermedeia tudo que circula entre sua essência e as outras áreas de sua personalidade, levando e trazendo informações por meio do pensamento, de conexões, contatos, associações, movimentos e trocas. Mercúrio está associado à maneira como funciona sua mente, como troca informações, como escreve, fala, aprende e ensina.

No que diz respeito à vocação, descreve sua mente lógica e analítica, seus processos intelectuais e associativos, sua percepção, capacidade de aprendizado e memória, entendimento, comunicação e compreensão de todos os elementos da vida. Mercúrio é um eterno curioso, sempre pronto a investigar, tocar todas as coisas, nomeá-las, relacioná-las, descobrir como funcionam, observando, analisando, detalhando, juntando pedaços, separando novamente, mudando de lugar, trocando de posição, adaptando, compreendendo, processando.

Mercúrio é o planeta que descreve sua sociabilidade, sua capacidade para fazer contatos, ligando-o às pessoas certas, negociando e trocando com elas suas mercadorias e habilidades. Representa também seu ritmo de funcionamento, agilidade, movimentação e deslocamento físico.

O signo em que ele está demonstra como você pensa, como adquire conhecimento, como se comunica, como se relaciona, como realiza trocas, como se desloca e como compreende a vida.

A casa em que ele está mostra os assuntos nos quais você pode empregar suas capacidades intelectuais, de comunicação, sociabilidade, habilidade de negociação, vendas, comércio e trocas em geral. Demonstra também onde poderá pôr em prática seus conhecimentos, desenvolver mais de uma atividade que dê rendimento, relacionar diversos aspectos da vida e utilizar suas habilidades manuais, já que Mercúrio é o grande habilidoso do sistema solar.

Vênus | ♀

AFETIVIDADE, PREFERÊNCIAS, ATRAÇÃO DE BENEFÍCIOS, ARTE E SENSO ESTÉTICO

Vênus atrai nossos olhos com sua beleza quando miramos o céu. Ela simboliza nosso anseio de união e de relacionamentos, regendo nossa capacidade de atrair pessoas, objetos e situações que desejamos.

Ela conta ao Sol sobre seus afetos, gostos, escolhas e preferências, descrevendo sua habilidade em conquistar, apreciar, valorizar, agradar, amar e ser amado, atraindo paz, equilíbrio, bem-estar e satisfação.

No que diz respeito à vocação, a "pequena benéfica", como é conhecida, é muito importante, pois revela como você se relaciona com o mundo concreto e dos sentidos e como atrairá pessoas, situações, objetos, sorte, bens e prazeres.

Sendo assim, rege sua maneira de gerar dinheiro, vantagens, benefícios e ganhos, bem como de vivenciar suas escolhas e relacionamentos, amenizando tudo, enfeitando e colorindo de prazer o que você faz.

Vênus também rege seu senso de beleza, estética e harmonia, buscando justiça e equilíbrio em tudo que o rodeia. O signo em que ela está lhe dirá quais qualidades você valoriza nas relações materiais e profissionais, além da qualidade de seu senso estético e de sua relação com a arte. A casa em que ela está aponta em quais assuntos você utilizará essas qualidades e vivenciará seus benévolos efeitos.

Marte | ♂

ENERGIA, AÇÕES, VONTADE, INICIATIVA E CORAGEM

Marte é o primeiro planeta exterior à Terra. É ele que vai ao mundo agir, atacar, interferir, lutar e defender suas vontades, escolhas, ideias, crenças e necessidades.

No que diz respeito à vocação, Marte é fundamental, pois é o executivo de seu mapa, sempre pronto a enfrentar as batalhas do cotidiano com mais ou menos vontade, vigor, iniciativa, coragem e criatividade. Ele é também indicador de sua atividade física, combatividade, ousadia, competitividade, capacidade de liderança, autonomia e independência.

O signo em que está aponta as qualidades de sua ousadia, as características de sua agressividade para enfrentar o dia a dia, interferir no mundo, agarrar as oportunidades que surgem, lidar com os problemas que aparecem e direcionar suas ações para a melhor realização dos projetos.

A casa em que ele está apontará quais assuntos o estimulam a usar essas qualidades e características para agir e a buscar sua diferenciação no mundo, reafirmando sua personalidade, demonstrando iniciativa, manifestando independência e autonomia, correndo riscos, ousando e atacando a vida com coragem.

Júpiter | ♃

EXPANSÃO, CONHECIMENTO, PROSPERIDADE, JUSTIÇA, FÉ E OTIMISMO

Júpiter é o maior e mais brilhante planeta do sistema solar depois do Sol. No mapa astral, significa sua capacidade de expansão e seu potencial de êxito, que você encontrará por meio da busca de conhecimentos teóricos que ampliem sua visão de mundo e facilitem seu desenvolvimento: estudos superiores, culturais, científicos, filosóficos, religiosos, morais e éticos.

Com respeito à vocação, quando Júpiter ocupa lugar de destaque no mapa, favorecer profissões decorrentes dos conhecimentos citados anteriormente, como carreiras universitárias ou relacionadas à educação, atividades ligadas a leis e justiça (advogado, juiz, procurador), a comunicação, marketing e propaganda ou, ainda, a filosofia, história, geografia, viagens e culturas estrangeiras, como turismo, importação e exportação ou arqueologia, por exemplo – ou mesmo a profissões esportivas, como atleta, treinador, *personal trainer*.

Júpiter é considerado o "grande benéfico" porque atrai oportunidades, sorte e prosperidade, emana simpatia e ajuda, amplia, expande, favorece, facilita, fertiliza, protege e enriquece.

A casa em que ele está revela em quais assuntos você pode expandir seus horizontes, ultrapassar seus limites, desenvolver atividades que exijam estudo e conhecimento teórico, e em que áreas encontrará portas abertas que lhe promovam crescimento.

Onde ele estiver é também a área em que você não gosta de rotina e monotonia, em que precisa de liberdade, em que quer experimentar mais, ir mais longe, buscar o sentido da vida. É também onde você encontra fé, otimismo e esperança de viver em um mundo melhor.

Por isso, quando porventura lhe faltar crença na vida, olhe para a área onde você tem Júpiter e ele renovará sua inspiração para continuar.

Saturno | ♄

CONCRETIZAÇÃO, RESPONSABILIDADES, LIMITES, REALIDADE, PERFECCIONISMO

Saturno é o último planeta do sistema solar visível a olho nu. Justamente por isso, significa o limite da realidade. Sua presença no mapa evidencia as áreas em que enfrentaremos limites, desafios e obstáculos inerentes a nosso crescimento pessoal e profissional, e nas quais, desde cedo, aprenderemos a lidar com as responsabilidades e as consequências de nossas ações.

Sua posição no mapa é fundamental para a questão vocacional, pois Saturno é o regente natural do meio do céu (MC), o ponto de culminância pessoal, social e profissional que almejamos atingir na sociedade e no mundo. Saturno está sempre ligado e voltado para o MC, preocupado com o futuro, com o momento em que não puder mais trabalhar e tiver de desfrutar do que construiu.

A casa onde ele está é determinante para sua escolha profissional, pois revela em quais assuntos da vida você teme insucessos, sente um incômodo senso de dever, receia o novo, não experimenta, não permite que seus impulsos criativos reinem livres.

Saturno nos controla e nos força a desenvolver qualidades ou características que, não fosse pela pressão que exerce, não desenvolveríamos. Ao contrário, com receio do desconhecido, acionamos a autocrítica e aniquilamos qualquer tentativa de inovação, com medo do julgamento e da crítica dos outros ou de nós mesmos.

Mas Saturno diz: "Do jeito que se semeia se colhe". Ou seja, na área em que se tem Saturno, você deve ser saturnino, debruçar-se sobre ela com afinco, enfrentar seus medos, imprimir tempo e dedicação, perseguir o desenvolvimento com disciplina, método, paciência, perseverança e persistência. Ouvindo o que ele tem a ensinar, você será recompensado e, cedo ou tarde, seu senso de inadequação se transformará em integração, solidez e valor próprio.

Como "deus do tempo", Saturno garante que com o passar dos anos você dominará os assuntos daquela área e se tornará um perito, um especialista, uma autoridade no que faz, amplamente reconhecido por seu trabalho e esforço. Ao encarar o desafio de Saturno, você se estruturará e colherá realização profissional, estabilidade, sucesso, prestígio, *status* e poder como meios de sentir-se seguro e reconhecido – tudo que mais queremos na casa onde Saturno habita.

Nessa área, suas escolhas podem se tornar exigências e passar por profissões nas quais possa expressar as habilidades saturninas, como: planejamento, capacidade empreendedora, administração e finanças, ou profissões que envolvam detalhe e precisão, pesquisa e ciências, perícia e técnica, qualidade, aprimoramento e aperfeiçoamento, como desenvolvimento de produtos e serviços, pesquisas acadêmica, científica ou de mercado.

Você pode trabalhar sozinho ou em equipe, mas precisa exercer autoridade ou ocupar cargo de comando, chefia, proeminência, *status* ou boa posição social. Saturno também sabe escolher os melhores componentes para integrar uma equipe e liderá-la com autoridade e eficiência. Cuide apenas para que seu perfeccionismo não se torne desmedido.

Quíron

SABEDORIA OU SAÚDE

Esse corpo celeste foi descoberto em 1977 e ainda está em observação.

Por ocupar a órbita entre Saturno (o último planeta visível do sistema solar) e Urano (o primeiro planeta dos domínios do inconsciente), Quíron faz a ponte entre esses dois mundos, o consciente e o inconsciente.

Por isso mesmo, significa a sabedoria em lidar com a realidade ou a capacidade de utilizar o conhecimento adquirido em benefício próprio e da sociedade. A sabedoria de Quíron aponta para dois caminhos distintos: o primeiro deles é a sabedoria da cura de doenças ou feridas, do conhecimento de ervas medicinais, da natureza humana, biológica ou psíquica, de terapias, e a vontade de ajudar, cuidar e entender as outras pessoas ou animais; o outro caminho é a sabedoria de ensinar e transmitir aos outros, principalmente aos jovens, vários tipos de conhecimento.

Do ponto de vista vocacional, Quíron ocupa lugar de destaque nos mapas de médicos, terapeutas e curadores ou filósofos, pensadores, professores, cientistas e disseminadores de conhecimento.

Urano

INOVAÇÃO, INTUIÇÃO, INVENTIVIDADE, ATUALIZAÇÃO PERMANENTE, RUPTURA COM O VELHO EM FAVOR DO NOVO

Urano é um dos planetas do sistema solar que não são vistos a olho nu, por isso o associamos à parte de nossa mente que não conhecemos, a mente inconsciente.

Urano simboliza seu mental ou inteligência superior e sua capacidade de se rebelar sempre que *intuir* que seu projeto de vida ou sua liberdade estão ameaçados. Ele rege sua criatividade, inventividade, autonomia, independência, capacidade de renovação, excentricidade e necessidade de atualização permanente. Urano rege sobretudo sua intuição e percepção mental acelerada, que se manifestam repentinamente por meio de *insights*, captações sobre o futuro, viradas bruscas de vida ou mudanças repentinas que o farão romper com velhos padrões, tradições e estruturas para deixar entrar o novo, o progresso, a evolução e a contemporaneidade.

Com respeito à vocação, Urano tem vários atributos. Por reger a intuição, tem grande visão de futuro e pode antecipar tudo que signifique novas tendências, ciências e tecnologias de ponta, sejam elas científicas, sociais, políticas, econômicas, culturais, sejam de comportamento, a ser utilizadas em projetos e planejamento futuro de empresas, governos ou instituições.

Urano rege também novas profissões, atividades da Nova Era, não convencionais, experimentais ou fora do comum, como astrologia, metafísica, antropologia, astrofísica, engenharia aeroespacial, física quântica, telecomunicações, computação, tecnologia da informação, mídias sociais e alternativas, como é o caso da internet.

Como significador de potência intelectual, pode se dirigir para qualquer área acadêmica ou científica, principalmente as sociais ou matemáticas, engenharias elétrica e eletrônica, além de atividades autônomas ou independentes, como as de consultor, assessor de empresas, representante de grupos e de atividades sistêmicas.

Sua posição no mapa indica em que áreas ou em quais assuntos você vivenciará seus efeitos, rompendo padrões, arriscando, inovando, experimentando o novo para preservar sua capacidade de ser único, diferente, original, revolucionário e não convencional, lutando contra o conformismo e a mesmice. Mas você deve atentar para sua rebeldia, indisciplina e transgressão a regras e limites, assim como para a tendência a não cumprir nenhuma formalidade e a não respeitar hierarquias ou autoridades, atitudes que podem vir a prejudicá-lo no desenvolvimento profissional.

Netuno

INSPIRAÇÃO, MEDIUNIDADE, HIPERSENSIBILIDADE, TRANSMUTAÇÃO, INTEGRAÇÃO

Netuno é um dos planetas do sistema solar que não são vistos a olho nu, por isso o associamos à parte de nossa mente que não conhecemos, a mente inconsciente.

Ele significa hiperpercepção e hipersensibilidade para captar os climas, o astral, a totalidade das situações e, principalmente, o que a realidade não está mostrando. É a percepção extra-sensorial que todos nós possuímos, uns mais, outros menos, e que pode nos conduzir a captações claras, sutis e precisas ou, ao contrário, nebulosas, difusas, confusas, como ilusões e fantasias.

Com respeito à vocação, tem inúmeros atributos. Uma de suas maiores habilidades é desmembrar e recombinar tudo em muitas variações sobre o mesmo tema.

Como representante de senso estético apurado e excelente noção de proporção, ritmo, cor e harmonia, possui muita sensibilidade, percepção, imaginação ativa e criativa, inspiração, captação de imagens e impressões, além de adaptabilidade e ecletismo. Por isso, pode indicar grande talento artístico para ser aplicado em profissões como as de artista plástico, fotógrafo, cineasta, músico, dançarino, poeta ou até mesmo redator publicitário, autor de novelas e de literatura.

Tem fortes habilidades psíquicas para ver o que não está escrito, ouvir o que não está sendo dito, perceber outras dimensões, captar a totalidade. Justamente por isso, é um dos indicadores de profissões ligadas ao inconsciente coletivo, como as das áreas de psicologia, psiquiatria, astrologia, tarologia, quiromancia, hipnose, terapia de vidas passadas, terapias sistêmicas, ioga, filosofia oriental, meditação, teologia, religiões, ocultismo e metafísica.

Netuno também pode influenciar a escolha pela área assistencial, pois tem empatia pela dor alheia e forte instinto para assistir, proteger e cuidar de doentes e incapacitados, características necessárias a médicos, enfermeiros, assistentes sociais, terapeutas, conselheiros, fisioterapeutas, profissionais de reabilitação, pessoas que praticam a caridade ou dirigem centros de bem-estar social ou hospitais.

Netuno tem ainda a capacidade de misturar, fundir, ou, até mesmo, promover a alquimia, dissolvendo assuntos, elementos, atividades e produzindo outros resultados inesperados, como é feito nas áreas de química, bioquímica e farmacologia, ou na de siderurgia, da própria alquimia, da alimentação, da combinação de vários produtos, objetos, bebidas, aromas, cosméticos, temperos etc.

Por possuir as capacidades visionárias já citadas, pode ver para onde vão as marés e antecipar tendências, características necessárias para planejamento, moda, literatura e ciências ocultas ou metafísicas.

Como tem visão de conjunto, compreende o todo e a interdependência dos elementos em jogo, pode vir a escolher uma atividade que beneficie a muitos, que leve em conta a sociedade como um todo ou considere uma multiplicidade de assuntos que se interdependem, como necessário, por exemplo, no comércio, na homeopatia, na antroposofia ou na terapia floral, em que fatores só se juntam com conhecimento e sensibilidade.

Netuno é o deus do mar, por isso rege atividades ligadas a ele, como oceanografia, pesca, biologia marinha, ecologia. E finalmente profissões que criem ilusões, como as de estilista, ator, produtor de espetáculos e filmes, maquiador, vendedor de produtos de beleza e cosmética, mágico, palhaço e ilusionista.

Sua posição no mapa indica um maior ou menor potencial para compreender a totalidade da vida, para inspirar-se por ela e expressar sensibilidade, força criativa, senso de integração, poder de síntese, visão de conjunto e todas as características anteriormente descritas.

Plutão | ♇

INCONSCIENTE COLETIVO, REABILITAÇÃO, TRANSFORMAÇÕES INEVITÁVEIS

Plutão é um dos planetas do sistema solar que não são vistos a olho nu, por isso o associamos à nossa mente que não conhecemos, a mente inconsciente.

Ele é o último planeta do sistema solar, por isso mesmo "controla" os limites externos do sistema, assim como o Sol controla o limite interno. Ou seja, o Sol é o condutor de nossa personalidade consciente e Plutão o condutor do inconsciente, que, mesmo invisível, tem intensa atividade e pode dirigir nossos passos em busca de nós mesmos, nos empurrando para o fundo, pressionando gradualmente para aprofundar nosso autoconhecimento, eliminando nossas camadas velhas, superficiais e ultrapassadas para que atinjamos nosso centro organizador e adquiramos maior consciência e domínio sobre nós mesmos, principalmente nas situações de crise, em que é preciso mudar para não morrer.

Com respeito à vocação, Plutão nos habilita a lidar com nossos parcos recursos nas épocas de crise, como por ocasião de morte ou perda, falência, litígio, fraude, roubo, traição, rapto etc., mostrando-nos que somos fortes, corajosos e habilidosos para transformar dor e sofrimento em novas possibilidades, novas energias, novas oportunidades de vida. Plutão reforma, recupera, restaura, reconstrói, reabilita e cura.

Plutão sabe lidar muito bem com recursos, sejam eles físicos, materiais, financeiros, econômicos, sejam intelectuais, emocionais ou psicológicos, como fazem os advogados, consultores, tributaristas, auditores fiscais, médicos, psicoterapeutas, reabilitadores e policiais.

A casa onde Plutão está sua escolha profissional deve abranger autossuficiência – audácia e determinação para gerar poder –, sua maior motivação. Seu poder ali é justamente o de saber lidar com a crise e a emergência, gerando cura, regeneração e transformação, como é feito na medicina, cirurgia em geral, psiquiatria, neurologia, genética, oncologia, sexologia, química, farmacologia, alquimia ou, ainda, nas áreas de energia, como na siderurgia ou na transformação de matérias-primas em energia, como petróleo em derivados.

Tem grande interesse pelo inconsciente, pelo desconhecido e profundo, característica necessária a pesquisadores, psicólogos, investigadores, ou ainda pelas áreas de engenharia genética, ciências ocultas e metafísica.

Na área em que Plutão está você poderá trabalhar bem sozinho, em parceria ou em grupo, mas sempre desejará exercer o comando e frequentemente terá de lidar com seu controle e autoritarismo. Nessa casa, você é cauteloso, estratégico, misterioso e sedutor e se autoprotege ao extremo para salvaguardar sua vulnerabilidade.

Plutão no mapa natal significa a necessidade de poder e controle e a capacidade de destruir para reconstruir, eliminar para regenerar e aprofundar para transformar.

Nodos Lunares

CAMINHO DE VIDA, EXPERIÊNCIA DE PLENITUDE, OBJETIVO DE NOSSA EXISTÊNCIA, DIREÇÃO A SEGUIR, REALIZAÇÃO

Os Nodos Lunares não são corpos celestes, mas sim o cruzamento da órbita da Lua com a órbita do Sol no instante de seu nascimento. No mapa astral de nascimento, são representados por um eixo que atravessa o gráfico e aponta uma direção a seguir: a Cabeça de Dragão, ou Nodo Norte. Na direção oposta está a Cauda de Dragão, ou Nodo Sul. Esse eixo é de grande importância no destino, porque indica o caminho de desenvolvimento existencial e espiritual. Indica ainda a relação com seus pais e todas as tendências herdadas, sejam elas físicas, psíquicas, genéticas, sejam espirituais. Tudo que se refere a esse eixo diz respeito a experiências e relacionamentos bastante significativos da vida, que tendem a modificar a existência.

O Nodo Norte, ou Cabeça de Dragão, representa o futuro ou a direção a seguir. Qualquer esforço nesse sentido lhe trará recompensas pessoais, sensação de plenitude e realização. O Nodo Norte é um ponto de elevação, de espiritualização e descobertas. Considera-se inaugural tudo que o ative por representar sempre uma experiência inédita. Apesar de nova, você a reconhece como sinalizadora de seu caminho de vida. Nesses momentos o ser se identifica com o existir. Esse é um ponto energético e renovador de seu mapa natal.

As qualidades do signo e da casa em que está o Nodo Norte serão desenvolvidas com o passar do tempo. Por isso, nas primeiras fases da vida é difícil e raro utilizá-las, porque estão em uma área de experiência ainda a ser vivenciada. O Nodo Norte é um ponto a ser desenvolvido, um ponto virgem, uma fonte de desenvolvimento e evolução. Quando alguma experiência envolver esse ponto, você estará em fase de crescimento e progresso, pois ele tem os mesmos significados do Sol: vontade, consciência, atividade. É a manifestação do divino em nós.

Do ponto de vista vocacional, o Nodo Norte, ou Cabeça de Dragão, é bem significativo por dizer respeito à sua natureza essencial. Se estiver envolvido na sua escolha profissional, você experimentará uma sensação de plenitude no exercício da profissão e sentirá que está cumprindo o objetivo da sua existência. Quando seguimos nosso caminho de vida – ou melhor, quando caminhamos na direção dos propósitos do Nodo Norte –, todas as portas se abrem, pessoas aparecem para nos ajudar e sentimos claramente o sabor de glória e de ascensão. A área ou a casa em que o Nodo Norte está é onde você pode dar um salto quântico.

O Nodo Sul, ou Cauda de Dragão, como o próprio nome sugere, é considerado um caminho já realizado, representado por padrões velhos e conhecidos que não só não lhe acrescentam qualquer benefício ou evolução, como também, em médio e longo prazos, passam a prejudicar porque levam a um esvaziamento físico, psíquico, energético e espiritual. Na Cauda de Dragão só há doação, não existe troca nem reabastecimento. Por ser um padrão conhecido e familiar, costumamos ficar fixados nele, tendendo a repeti-lo.

O Nodo Sul possui os mesmos significados que a Lua: emoção, encantamento e relacionamentos emocionais. Representa tudo aquilo a que você está apegado, acostumado, vinculado e onde se sente emocionalmente confortável. O Nodo Norte é voltado para o futuro. O passado se encontra no Nodo Sul. Por ser um ponto regressivo, a tendência é repetir o mesmo comportamento e a mesma atitude, pois ali se encontram as capacidades que você utiliza com maior facilidade.

Do ponto de vista vocacional, é comum o Nodo Sul estar envolvido nas escolhas dos primeiros passos da vida profissional por ser o caminho de mais fácil acesso. Ali temos habilidades que desempenhamos com naturalidade. Por isso mesmo, pode até ser adotado no começo da vida profissional ou durante um período em que se faz necessário ganhar a vida com maior facilidade e rapidez. Mas deve ser uma opção consciente, pois, mais cedo ou mais tarde, nos levará à exaustão e nossa vida começará a empacar e a dar errado. Se você escolher a Cauda de Dragão como meta para as suas atividades, optará pela estagnação, desviando-se do Nodo Norte por inércia e acomodação.

Com o passar do tempo, a Cauda de Dragão tende a cristalizar pessoas e situações que dificultarão seu caminho. O movimento para o Nodo Norte exige consciência, enquanto para o Nodo Sul é automático. Quando você estiver na dúvida ou na incerteza, quando não souber como agir, o que escolher ou para onde ir, escolha sempre a direção do Nodo Norte.

Ao contrário, se a vida parece não estar indo a lugar nenhum, sempre engasgando no mesmo dente da corrente, pode ter certeza: você está fixado nos padrões do Nodo Sul, que funcionam como uma armadilha. E preste bem atenção: sempre que estiver prestes a viver algo inaugural, especial, de ascensão ou de libertação, costumam aparecer pessoas e situações do padrão do Nodo Sul para desviá-lo desse novo caminho. Como um teste, nesses momentos não devemos ceder, mas abandonar o velho e seguir em frente.

Nodos Lunares nas casas

Nodo Norte na casa 1 / Nodo Sul na casa 7

A direção do caminho de vida é a da casa 1, e a área saturada, que deverá ser deixada para segundo plano, é a da casa 7. Esse eixo de casas rege a experiência do eu *versus* a dos relacionamentos, parcerias e associações. Os Nodos nessa posição informam a importância que as relações têm para você.

Com o Nodo Norte na casa 1, o desafio é buscar sua identidade, autoafirmação, liberdade de ação e autonomia, desvinculando-se do outro e defendendo seus próprios territórios. Você deve agir mais em seu próprio benefício e deixar a opinião dos outros um pouco de lado. O Nodo Norte nessa posição é um chamado para a criatividade, para experimentar suas potencialidades, fortalecer suas vontades. Desenvolva sua individualidade, reforce a autoconfiança e estimule-se sem esperar nada do externo. Invente, arrisque e crie seu próprio destino.

Como essa casa é relacionada ao corpo físico, você deve se cuidar por meio de exercícios e atividades físicas que o ponham em contato com a natureza. Cuide também da autoimagem e procure apresentar-se pessoalmente em qualquer situação. Demonstre sua singularidade. Use sempre seu próprio nome e evite se esconder atrás de alguém. Revele sua verdadeira identidade. Pergunte-se sempre o que quer, do que e de quem gosta. Tome suas próprias decisões, expanda seu livre-arbítrio, descubra quem você realmente é.

Essa experiência será inédita e difícil no começo, pois, com a Cauda de Dragão na casa 7, você está habituado a se misturar, se confundir, se apoiar em alguém e depender desse alguém para tudo. Tende sempre a se esconder, se proteger e não se diferenciar do outro. Esse padrão não é prejudicial por princípio. No entanto, em médio e longo prazos, não passará de uma doação que esvazia, frustrante e sem retribuição. Mesmo que pareça assustador ou egoísta no primeiro momento, buscar a si mesmo é a única possibilidade para que obtenha a plenitude e a realização que tanto busca e que a experiência de individualidade e singularidade pode lhe trazer.

Com respeito à vocação, o Nodo Norte na casa 1 favorece escolhas que envolvam chefia, comando e liderança ou propiciem liberdade e autonomia, capacidade empreendedora, administrativa e executiva; também facilita atividades em que precise ter coragem, correr riscos, enfrentar desafios, superar limites, ter iniciativa, criatividade e ousadia – características necessárias aos empreendedores, guerreiros, pioneiros, desbravadores, criativos, inventores, cientistas, artistas, autores, atletas, esportistas, corredores de automóvel, aviadores, formadores de opinião, vencedores.

Nodo Norte na casa 2 / Nodo Sul na casa 8

A direção do caminho de vida é a da casa 2, e a área saturada, que deverá ser deixada para segundo plano, é a da casa 8. Esse eixo de casas rege a experiência de diferenciar a matéria da energia, o material do imaterial, os valores pessoais dos valores do outro. Com o Nodo Norte na casa 2, o trabalho a ser realizado é o de aprender a lidar corretamente com a matéria, o mundo físico e o dinheiro, obter resultados práticos e concretos, expandir-se materialmente. Seu grande desafio é produzir e concretizar ideias usando recursos próprios, formar um patrimônio e tornar-se autossuficiente. Deve aprender a respeitar as leis da matéria e ter consciência de que, para as coisas acontecerem, serem produzidas e multiplicadas, existe um custo, um esforço e um tempo necessários.

A casa 2 é a área de experiência dos valores pessoais, sejam eles materiais, éticos ou morais. É preciso criar um sistema de valores próprio, coerente com o universo da matéria. Na casa 2, você usa seus talentos, empreende esforços, desempenha o serviço e recebe por ele. Por isso, deve desenvolver autoestima, avaliar-se corretamente e estabelecer quanto deve receber pelo serviço executado. Nessa área de experiência, não vale ser negligente, displicente ou incompetente. Devem-se evitar a inércia, a preguiça, o desperdício ou a atitude predatória com os bens, posses e relacionamentos.

Outro desafio do Nodo Norte na casa 2 é buscar o próprio sustento e depender o mínimo possível dos recursos dos outros. A Cauda de Dragão na casa 8 faz que você tenda a se apoiar na capacidade alheia, e não na sua, a depender energética ou financeiramente de alguém, a especular e aguardar por uma herança, a desejar um casamento que lhe garanta recursos.

Cedo ou tarde, entenderá que algo duradouro só pode vir de seus próprios esforços e que isso lhe trará a segurança, a plenitude e a realização que tanto deseja.

O Nodo Sul na casa 8 indica ainda certa tendência à clandestinidade e à marginalidade, manipulando assuntos como sexualidade ou dinheiro para obter o que deseja. O Nodo Norte na casa 2 indica que você deve desenvolver confiança e lealdade nos relacionamentos de qualquer tipo para que possa conquistar a segurança que tanto procura. Com o Nodo Norte nessa posição, você deve ser mais transparente, pois está habituado a fazer as coisas secretamente e não às claras.

Com respeito à vocação, o Nodo Norte na casa 2 favorece atividades que lidem com valores, finanças e números, como necessário nas engenharias em geral, na matemática, na estatística, nas ciências contábeis e atuariais, nos controles financeiros e nas atividades bancárias, de compras e de administração de empresas, de produção e meios de produção. Também favorece atividades que lidem com a matéria, a terra, a natureza, a sensorialidade e os alimentos, como nas áreas de arquitetura, agronomia, pecuária, zootecnia, paisagismo, ecologia, massagem, nutricionismo e gastronomia; e ainda facilita escolhas que lidem com a plástica, a arte e a beleza, como no caso da escultura, das artes plásticas, do *design* de joias e de moda, da tecelagem, da estética e da cosmetologia.

Nodo Norte na casa 3 / Nodo Sul na casa 9

A direção do caminho de vida é a da casa 3, e a área saturada, que deverá ser deixada para segundo plano, é a da casa 9. Esse é o eixo do conhecimento, da comunicação, das trocas e deslocamentos. Com o Nodo Norte na casa 3, seu desafio é aprender a simplificar, trocar em miúdos, tornar seu conhecimento acessível, fazendo-o chegar ao nível do outro, seja ele quem for. Você deve se comunicar de forma clara e simples, conviver com pessoas de seu meio ambiente mais imediato, fazer coisas prosaicas e até banais.

Com a Cabeça de Dragão na casa 3, você tem o poder da fala e da comunicação, de conhecer as pessoas certas e colocá-las em contato. Você é um mensageiro e deve escolher a quem deseja transmitir as informações que possui e de que forma serão mais bem compreendidas. Diversifique seus interesses e dedique sua atenção a todo tipo de assunto, já que, com a Cauda de Dragão na casa 9, você tende, no primeiro momento de sua vida, a buscar o conhecimento profundo, abstrato, teórico e acadêmico. Diversificar e interagir são seus grandes desafios.

Com o Nodo Norte na casa 3, você terá necessidade de se locomover e mudar de espaços com frequência. Deve aprender a se adaptar a diferentes lugares, pessoas e situações que encontrará pela vida afora. Terá de se relacionar com pessoas comuns e com o universo das pequenas coisas, o que pode ser difícil para você, que valoriza tanto a liberdade de percorrer longas distâncias sem dar satisfações a ninguém. Suas parcerias e amizades próximas e imediatas podem contribuir muito para que viva uma experiência enriquecedora.

No entanto, com o Nodo Sul na casa 9, você tende a ser arrogante com as pessoas comuns, a menosprezar assuntos corriqueiros, a considerar medíocre o que está nas redondezas e a se afastar de locais e relacionamentos próximos. A busca do significado da vida parece estar sempre distante, em lugares com os quais você sonha, mas parecem estar fora de seu alcance. Com o tempo, tais experiências e atitudes se mostrarão frustrantes e vazias. Mesmo que realize grandes viagens, serão as experiências simples como andar a pé e conversar com vizinhos que abrirão possibilidades desconhecidas e transformarão sua visão de mundo, apontando para seu caminho de vida e para a realização de seu verdadeiro ser.

Com respeito à vocação, o Nodo Norte na casa 3 favorece atividades que exijam aquisição, transmissão e troca de informação e conhecimento, como fazem o professor, o escritor, o redator, o jornalista, o advogado, o locutor e o bibliotecário; também favorece atividades que necessitem de comunicação, negociação e argumentação, como fazem os profissionais de marketing, vendas, telecomunicações, relações públicas, eventos, promoção, publicidade e propaganda, *design*, produção editorial e das áreas audiovisual, cultural, fonográfica, multimídia e comércio; e ainda facilita atividades que lidem com transportes, como automóveis e logística, ou exijam deslocamento, como repórter, piloto, palestrante, vendedor e agente de turismo.

Nodo Norte na casa 4 / Nodo Sul na casa 10

A direção do caminho de vida é a da casa 4, e a área saturada, que deverá ser deixada para segundo plano, é a da casa 10. Esse é o eixo da família, da infância e da base emocional, de um lado, *versus* o mundo, a sociedade e a carreira profissional, de outro. Com o Nodo Norte na casa 4, seu desafio é aprender a valorizar os laços íntimos e familiares, construir um mundo interno e uma base emocional mais estruturada.

A casa 4 é uma casa de fundamento, em que estão as raízes da personalidade que lhe darão sustentação para crescer no mundo social e profissional. É da criação de uma base emocional sólida na casa 4 que dependem o sucesso e a realização de qualquer indivíduo na casa 10. No entanto, no seu caso, a vida pública, a fama, o reconhecimento, a competência e a excelência profissional vêm em primeiro lugar. E esse velho padrão de comportamento deve ser abandonado em benefício de seu real caminho de vida. Só quando conseguir estabilizar a vida familiar e íntima é que se sentirá pleno e realizado.

Com a Cauda de Dragão na casa 10, sua vida profissional pode se desenvolver rapidamente no primeiro momento da vida, consequência inclusive de base familiar instável ou de infância carente, sem nenhum fundamento emocional. Pode ter havido problemas de relacionamento ou de saúde com um de seus pais, o que o levou precocemente a ganhar a vida. Em virtude disso, você tem grande ambição e a seguirá com determinação implacável na tentativa de buscar conforto emocional e material no mundo e na carreira. Com o passar do tempo, esse equívoco terá de ser corrigido, ou encontrará dificuldades se quiser subir na vida a qualquer custo.

Sua realização só será encontrada quando se reconciliar com suas origens e fizer as pazes com a família, que o apoiará quando necessitar, dando-lhe a segurança que tanto busca. Assim, poderá ajustar seus desejos de poder e fama, ou acabará sendo consumido pela própria sociedade em que tanto quis se destacar. Será preciso assentar bases sólidas para fincar suas raízes e crescer. Tente ser mais relaxado, estreite seus vínculos afetivos, procure amigos de infância, busque suas raízes, reúna-se à família em datas significativas. Desenvolva a arte de curar, cuidar e ajudar outros seres a crescer e a se sustentar. Com o Nodo Norte na casa 4, essa iluminação virá mais para o final da vida. Não vai ser fácil abandonar o padrão da Cauda de Dragão na casa 10 – e esse lugar que é tão solitário a médio e longo prazos trará um vazio de sentido e significado na própria vida. Troque as solicitações da vida pública pelo prazer da vida privada e descubra o sentido de sua existência.

Com respeito à vocação, o Nodo Norte na casa 4 favorece atividades que tenham contato com o passado, o solo e as origens, como na história, arqueologia, museologia, arquivologia, geologia, conservação e restauro; também favorece atividades que cuidem, nutram ou protejam pessoas, como nas áreas da medicina em geral, naturologia, homeopatia, enfermagem, psicologia, pedagogia, gastronomia e nutrologia; ou ainda assuntos ligados à casa, à segurança ou à habitação, como na arquitetura, decoração de interiores, movelaria, economia doméstica, engenharias civil, hídrica, de minas, de irrigação e drenagem, e nas atividades imobiliárias.

Nodo Norte na casa 5 / Nodo Sul na casa 11

A direção do caminho de vida é a da casa 5, e a área saturada, que deverá ser deixada para segundo plano, é a da casa 11. Esse é o eixo do amor, da autoexpressão, da criatividade, de um lado, *versus* a participação na sociedade e em grupos, de outro. A casa 5 é a casa do coração, do amor à vida e à arte de viver e de ser quem é. A casa 11 é uma área social, em que se vive a experiência dos grupos, em que um faz parte do todo. Abandonar esse padrão significa desenvolver expressividade e autoria, reforçar a identidade, ser criativo.

Com o Nodo Norte na casa 5, você deve desenvolver a criatividade e os próprios talentos, *exercitar o eu*, ser menos sensível a críticas, irradiar entusiasmo. Apresente-se com autoridade, cuide da aparência e de tudo que exalta a nobreza de ser quem é. Desenvolva uma consciência clara de si mesmo, de seus talentos e recursos. Deixe de ser mais um no grupo, confie no seu taco, desenvolva a autoestima e a admiração por si mesmo. Essa é a casa do palco e você deve ocupar esse espaço com presença e autenticidade. Seu desafio é ser especial e tornar especiais todos os seus afetos, assumir compromissos e ser fiel a eles, colocar seu coração em tudo, fazer as coisas por amor. Procure fazer diferença na vida das pessoas que ama e permita que façam diferença na sua.

No entanto, com a Cauda de Dragão na casa 11, o padrão a ser abandonado é o da impessoalidade e do descompromisso. Em decorrência disso, não há fidelidade em suas escolhas, seu afeto é indiferenciado e disperso por vários interesses e pessoas. Você tende a ter reservas quanto às relações íntimas e a evitar os contatos amorosos com todo tipo de desculpa. Aprenda a amar profunda e intensamente e se entregue às relações amorosas.

A casa 5 é a área em que se geram filhos e frutos. O Nodo Norte ali revela que você é extremamente criativo e deve desenvolver suas potencialidades, gerar vida, criar obras, filhos e frutos. É preciso que tenha a consciência de que o filho é fruto de um ato de amor, resultado da criação e de seu desejo.

Com a Cauda de Dragão na casa 11, a casa da esperança e dos projetos futuros, você não acredita na sua capacidade de realização, que pode estar sendo esvaziada pelos mil projetos que pretende fazer um dia, mas adia constantemente. Você procura em seus amigos a cumplicidade de que necessita para colocar no porvir a realização de seus sonhos e fantasias. O Nodo Sul na casa 11 dificulta abandonar o padrão da "tchurma" e assumir a alegria da criança que mora em você. Seu grande desafio é soltar o grupo e vir sozinho para a casa 5, a casa da doação, do amor, da expressão máxima de seu ser e de sua realização.

Com respeito à vocação, o Nodo Norte na casa 5 favorece a expressão artística e criativa necessária aos empreendedores, autores, atores, artistas e criadores que trabalham com arte, espetáculos, música, dança, teatro, cinema, televisão, circo, produção artística e eventos. Favorece também atividades nas áreas que lidem com crianças, como educação, pedagogia, pediatria, ginecologia e obstetrícia, lazer, entretenimento, jogos digitais e eletrônicos, parque de diversões, brinquedos; e ainda facilita profissões em que você seja o centro das atenções, como é o caso dos líderes empresariais, publicitários e esportistas.

Nodo Norte na casa 6 / Nodo Sul na casa 12

A direção do caminho de vida é a da casa 6, e a área saturada, que deverá ser deixada para segundo plano, é a da casa 12. A casa 6 é uma área de experiência material, que trata de tarefas e obrigações cotidianas. O grande trabalho a ser realizado aqui é sair da abstração da casa 12, do domínio do inconsciente, do isolamento e da autoproteção para o universo do dia a dia, das miudezas, dos hábitos, das rotinas e tarefas que devem ser feitas com capricho, eficiência e disciplina. Com o Nodo Sul na casa 12, há uma tendência natural a subestimar os assuntos cotidianos, minimizar sua importância e adotar uma atitude de retiro ou contemplação quando confrontado com a realidade. O Nodo Norte na casa 6 indica que se deve desenvolver a modéstia, exercitar e materializar os talentos da casa 5. Privar-se de fazer aquilo que se faz com talento é um desperdício e uma autossabotagem. Ficar demasiado tempo no universo da casa 12, exposto às fantasias e ilusões que ali transitam, pode gerar estresse e repercutir na saúde.

A casa 6 é ligada à saúde física, à alimentação, à nutrição, à limpeza e à higiene, que são questões básicas, cotidianas e simples. Por isso, outro desafio da casa 6 é cuidar do corpo e da saúde com hábitos alimentares adequados e rotinas saudáveis. Fazer tarefas pequenas e cotidianas pode parecer desinteressante e tedioso. No entanto, ao se predispor a fazê-las, você descobre uma inédita sensação de utilidade e produtividade. A casa 6 representa a cota diária que devemos dedicar à vida para que ela se desenvolva, obtendo em troca a gratificação que isso traz. Por isso, você deve ser metódico e organizado, funcionar bem no dia a dia e ter uma alimentação correta, pois, se algo estiver engasgado, a tendência é que seu corpo adoeça. Em compensação, quando segue com disciplina um tratamento, seu corpo responde rapidamente porque tem acesso direto às informações do inconsciente disponíveis na casa 12.

O Nodo Norte indica um canal aberto para atuar positivamente. Voltado para a casa 6, esse canal pode ser dirigido à cura, um dom natural que você tem e pode usar tanto a seu favor quanto para curar os outros. Enquanto o Nodo Norte voltado para a casa 6 não estiver ativado, pode inverter a energia e levá-lo a contrair doenças ou a ter um cotidiano em desacordo com seu ritmo de funcionamento. Ao contrário, quando conscientizado, você tem o poder de regenerar-se, de se curar e de curar os outros.

O Nodo Norte na casa 6, uma casa de serviços e não de regalias, indica que você deve abrir mão de benefícios pessoais em favor de terceiros e que as tarefas devem ser feitas com amor, ou não usufruirá da sensação de plenitude que elas trazem. Modéstia, humildade, predisposição para servir, ser solidário e prestativo são fundamentais para que identifique seu destino e obtenha plena realização de sua missão.

Com respeito à vocação, o Nodo Norte na casa 6 favorece atividades ligadas à saúde física de pessoas e animais, ritmos do corpo, nutrição e terapias, características de médicos, veterinários, terapeutas, homeopatas, naturólogos, acupunturistas, enfermeiros, biomédicos, nutricionistas, fisioterapeutas; também favorece atividades ligadas a natureza, biologia, ecologia, higiene, saúde pública e sanitária e meio ambiente. Facilita o interesse por rotinas de trabalho, sistemas, organizações e métodos, como necessário em análise de sistemas, processamento de dados, tecnologia e informática, automação, rede de computadores, engenharia mecatrônica e robótica; ou, ainda, facilita atividades de prestação de serviço público, treinamento de pessoal e recursos humanos, relação com colegas e empregados, gestão e administração pública e serviço social.

Nodo Norte na casa 7 / Nodo Sul na casa 1

A direção do caminho de vida é a da casa 7, e a área saturada, que deverá ser deixada para segundo plano, é a da casa 1. Esse é o eixo de relacionamentos, associações, sociedades, parcerias. É um eixo de fortes desafios, já que o trabalho a ser realizado é abandonar a individualidade autocentrada e desistir de interesses exclusivamente pessoais para formar parcerias em que os interesses do outro também contem. É preciso atuar no sentido de um pluralismo, e não de um individualismo egocêntrico, o padrão já desgastado do Nodo Sul.

Tudo que você já fez foi o *eu*, o um, ou seja, já se discriminou, se separou, cuidou da própria vida, foi independente, fez coisas sozinho, explorou seu ponto de vista, usou os próprios recursos. O trabalho do Nodo Norte nessa posição requer uma dedicação genuína ao outro, já que não poderá esperar dele mais do que esteja disposto a dar. Será por meio dos relacionamentos, dos encontros e das parcerias que terá a possibilidade de vivenciar experiências novas.

Você pode vir a casar tarde por preferir não se comprometer com a união e a convivência. Talvez suas primeiras relações sejam com pessoas de personalidade controladora. Você deverá buscar parceiros mais flexíveis, generosos e tolerantes, para que perceba como é possível se relacionar sem perder a própria identidade ou o próprio espaço. De qualquer maneira, essas experiências parciais de parceria são frustrantes e, com o passar do tempo, a sensação é de incompreensão e solidão.

Seu desafio é aprender a conviver e realizar a experiência da partilha tanto nas relações amorosas quanto nas fraternais e profissionais. O destino criará circunstâncias para colocar à prova sua capacidade de cooperar, ceder e fazer acordos. O movimento a ser feito é no sentido da casa 7, do outro, do compartilhar, do dividir, do somar, do juntar. A tarefa é tomar contato com o outro e criar um *nós*. O desenvolvimento pleno da sua personalidade virá da convivência a dois, essencial para que realize seu caminho de vida.

Com respeito à vocação, o Nodo Norte na casa 7 favorece qualquer atividade que lide com o outro e a ele preste serviço, como é o caso dos assessores, consultores ou prestadores de serviços em várias áreas, como os advogados, terapeutas, arquitetos, decoradores, assessores de imprensa, secretários, representantes; aqui também estão os profissionais da justiça, dos direitos humanos, da diplomacia. O Nodo aqui ainda facilita atividades ligadas à arte, à estética, ao equilíbrio e à harmonia, como fazem os decoradores, *marchands*, estilistas, diretores de arte e *promoters* de festas e eventos.

Nodo Norte na casa 8 / Nodo Sul na casa 2

A direção do caminho de vida é a da casa 8, e a área saturada, que deverá ser deixada para segundo plano, é a da casa 2. Esse é o eixo da matéria e da energia. Com o Nodo Norte na casa 8, seu desafio é procurar entender, aceitar e conviver com as mudanças do estado de matéria para o estado de energia. Em algum momento da vida, você terá de defrontar com a questão da morte e da transformação e precisará encontrar explicações e significados para os mistérios que envolvem essa passagem tanto nos planos físico e metafísico quanto no psicológico.

Com a Cauda de Dragão na casa 2, você é muito apegado às sensações e à materialidade e tende a utilizar exclusivamente referências materiais, palpáveis, visíveis, mensuráveis, prováveis e racionais. Terá de aprender a lidar com as modificações, alterações de forma e degeneração a que o universo das coisas e das pessoas está submetido. Cotidianamente, experimentamos pequenas mortes e pequenos fins, como a renovação das células de nosso corpo ou de nossas ideias, conceitos, valores, atitudes e relações. A essas mortes chamamos *transformação*.

A transformação é um processo com o qual se lida permanentemente. A matéria e a natureza têm de ser constantemente lapidadas e mexidas porque têm muita resistência: são duras, inflexíveis, rígidas e tendem a continuar sempre iguais. Transformar pode significar regeneração e cura. É preciso ter consciência de que transformar o corpo, as coisas, os materiais, as situações, os comportamentos e os relacionamentos desgastados tem um enorme poder regenerador tanto do campo físico quanto do energético e psíquico.

Com o Nodo Norte na casa 8, outro desafio a ser trabalhado é aprender a lidar com recursos comuns ou alheios, materiais ou não, cuidando para que sejam bem administrados, cresçam e se multipliquem. É preciso aprender a atrair recursos de maneira compartilhada, provenientes da soma de esforços, de associações, parcerias, relacionamentos, parentescos, ou de ganhos de participação. É preciso que haja uma interação entre suas posses e as do outro para se desapegar de sua identificação excessiva com a matéria, com as posses e os sentidos que representa o velho padrão da Cauda de Dragão na casa 2 – que deve ser abandonado.

Outro desafio do Nodo Norte nessa posição é compreender a sexualidade como fonte de recursos vitalizante e regeneradora. Aprofundar a experiência sexual colabora para o equilíbrio psíquico e energético. A má utilização desse recurso pode trazer adoecimento físico e psíquico.

A casa 8 é também uma área de crises pelas quais passamos frequentemente. É um universo de conteúdos inconscientes. Sempre que necessário, devemos mergulhar na profundidade da alma a fim de limpar sentimentos e pensamentos tóxicos que possam gerar perturbações psíquico-emocionais.

Ao conseguir entrar nesse mundo oculto e inconsciente da vida além da morte, do compartilhar recursos com terceiros e do poder regenerador da transformação e da sexualidade, você entrará em contato com a plenitude de seu ser e realizará seu caminho de vida.

Com respeito à vocação, o Nodo Norte na casa 8 favorece qualquer atividade que lide com recursos financeiros, bens, posses e valores do outro, como fazem o economista, o advogado tributarista, o banqueiro, o aplicador, o investidor, o fiscal, o atuarista e o consultor financeiro; também favorece atividades que lidem com captação de recursos, direitos autorais, atividades comissionadas, *franchising* e *royalties*. Favorece ainda profissões que lidem com crises e emergências, como inventariantes, conselheiros patrimoniais e médicos-legistas, ou que gerem reabilitação, regeneração, recuperação, cura e transformação, características necessárias em áreas da medicina como oncologia, terapia intensiva, genética, cirurgia plástica ou psiquiatria. Pode também estimular interesse pelo inconsciente e pelo desconhecido, característica necessária à pesquisa, ciência e investigação, além do ocultismo, da psicologia, das ciências e artes metafísicas. Finalmente encontramos aqui quem se interesse pela área de transformação de matérias-primas e energias, como é o caso dos profissionais que atuam em siderúrgicas, empresas petrolíferas, processos químicos e farmacêuticos, papel e celulose, produção de açúcar e álcool e de biocombustível.

Nodo Norte na casa 9 / Nodo Sul na casa 3

A direção do caminho de vida é a da casa 9, e a área saturada, que deverá ser deixada para segundo plano, é a da casa 3. Esse é o eixo do conhecimento superior e da filosofia de vida. Com o Nodo Norte na casa 9, você deve buscar o conhecimento de maneira profunda e fundamentada, estudar assuntos em que possa refletir sobre os princípios universais, a justiça, a verdade, a ética e a religião. O trabalho a ser realizado aqui é desenvolver um sistema de crenças abstrato e amplo que permita estabelecer parâmetros mais coletivos e compreender o sentido da vida de forma filosófica, espiritual e universal.

Com a Cauda de Dragão na casa 3, você costuma ficar no universo do cotidiano mais imediato, onde o que conta é a experiência subjetiva, a opinião pessoal, os conhecimentos superficiais e variados. Você permanece sempre onde há diversificação de interesses e dispersão de objetivos. Tende a cultivar certo descaso pelas questões éticas, pelas verdades, leis e crenças vigentes na sociedade e na cultura, como também a lidar com a verdade e a lei de forma relativa. Esse velho padrão de comportamento deve ser abandonado em benefício de seu real caminho de vida, pois em médio e longo prazos você se sentirá frustrado. Ao desistir do ponto de vista exclusivamente pessoal e aceitar estruturas de pensamentos mais coletivas, você desenvolverá princípios e comportamento ético.

Com o Nodo Norte na casa 9, seu desafio é transcender os problemas mesquinhos do dia a dia, expandir a mente e assimilar conhecimentos provenientes de outras culturas, lugares, sistemas de pensamento, filosofias e religiões. Por isso, as viagens para longe e para o desconhecido são estimulantes e necessárias. Você deve aprender a integrar o próximo e o distante, o conhecido e o desconhecido, buscar seu crescimento além das fronteiras subjetivas. Na prática, ampliar os horizontes, aprofundar os estudos, percorrer longas distâncias, buscar cursos especializados e elevados, visitar museus, frequentar livrarias e universidades favorecerá muito seu desenvolvimento. Muitos dos encontros mais importantes de sua vida se darão nas salas de aula, no saguão de embarque e nos trajetos de viagem.

No entanto, com o Nodo Sul na casa 3, você tende a buscar a informação, e não a compreensão. É preciso aprofundar, refletir e digerir o que está sendo informado. Você deve conhecer o mundo para aprender as verdadeiras lições da vida e navegar em águas mais profundas. A realização e o entendimento das grandes questões humanas que tanto busca só virão quando você se lançar com fé nessa aventura, que é seu verdadeiro caminho de vida.

Com respeito à vocação, o Nodo Norte na casa 9 favorece estudos superiores, filosóficos, culturais, sistemas de pensamento, códigos simbólicos e religiões, como história, geografia, antropologia, museologia, teologia, filosofia, literatura, astrologia, carreira acadêmica; favorece também atividades ligadas à justiça, às leis e à ética, como é o caso do advogado, juiz, parecerista, diplomata, embaixador, especialista em direito internacional ou concursado público.

Também estimula o interesse por divulgação e propagação de novas ideias, como nas áreas de publicidade e propaganda, editoração, marketing, promoção de eventos culturais e de viagens, além de contato com lugares distantes, povos e línguas estrangeiras, como fazem os profissionais das áreas de turismo, astronomia, tradução e interpretação, comércio exterior, arqueologia, hotelaria, aviação, exército, aeronáutica e marinha.

Nodo Norte na casa 10 / Nodo Sul na casa 4

A direção do caminho de vida é o da casa 10, e a área saturada, que deverá ser deixada para segundo plano, é a da casa 4. Esse eixo enfatiza a oposição entre o mundo, a sociedade e a carreira profissional, de um lado, e o setor familiar, o lar, a vida doméstica e privada, de outro. Com o Nodo Norte na casa 10, o desafio é buscar o desenvolvimento profissional, escolher e seguir uma vocação, competir no mercado de trabalho, se expor e ser produtivo, buscar reconhecimento e respeito públicos por sua competência e excelência.

Com a Cauda de Dragão na casa 4, você é muito sensível e mimado. É dependente da opinião de seus familiares e precisa de proteção e segurança emocional. No entanto, se deixar a vida familiar e doméstica para segundo plano e se lançar na direção da sua vocação, os caminhos se abrirão e você sentirá outra forma de plenitude, não mais a de ser importante para a família, mas a de ser importante para o mundo. Com a Cauda de Dragão na casa 4, você deve abandonar a fixação pelo mundo familiar e doméstico e fazer um esforço para desenvolver sua capacidade profissional e desempenhar um importante papel na sociedade.

A casa 10 é uma área de experiência concreta e objetiva, que exige independência. Muitas vezes as demandas familiares e íntimas atrapalharão a produtividade e o cumprimento de seus compromissos. Pode ser que na primeira fase de sua vida tenha de cumprir todo um ciclo na casa 4, ter filhos, esperar que cresçam e se tornem independentes, para só então se lançar na vida profissional. No entanto, se você dedicar tempo demais ao lar, ao passado, a seus entes queridos e íntimos, se frustrará e se afastará de sua realização. Quando conseguir estabelecer o equilíbrio entre o setor doméstico e o profissional, alcançará a credibilidade social e o *status* que tanto almeja.

Com o Nodo Norte na casa 10, você tem capacidade de exercer comando, autoridade e liderança. É dotado de grandeza e magnanimidade e é talhado para destacar-se nos mundos profissional e social. A casa 10 é uma área de isolamento, em que você está no pico da pirâmide e segura o bastão. Lá, você será o chefe e terá várias pessoas sob sua responsabilidade. Por isso, deve ser o primeiro em tudo que fizer, pois, na competitiva área de experiência da casa 10, será constantemente exigido, em estado de alerta e sob tensão. E pode ser que resista a assumir essa posição na primeira etapa de sua vida.

Quem nasce com o Nodo Norte na casa 10 só é reconhecido pelas pessoas de fora. Seus esforços devem ser dirigidos à sociedade em geral, e será por mérito próprio que receberá as devidas honras. Nesse momento, não só colherá o reconhecimento público por sua competência, como realizará seu caminho de vida.

Com respeito à vocação, o Nodo Norte na casa 10 favorece a busca de sucesso, prestígio, destaque, *status* e poder, atributos necessários aos executivos, políticos, funcionários públicos e pessoas que ocupam altos cargos em instituições, empresas, autarquias, governos, estados e universidades; também favorece posições de comando e autoridade, como é o caso dos administradores, líderes empresariais, gestores de áreas públicas, homens de segurança e defesa pública ou militar. Estimula o interesse por pesquisa e ciências, técnica e precisão, perícia, qualidade e aperfeiçoamento, como desenvolvimento de produtos e pesquisa de mercados, desenvolvimento e pesquisa científicos, matemática, física, estatística, gestão e controle de qualidade, segurança do trabalho, meteorologia, odontologia e peritagem em várias áreas.

Nodo Norte na casa 11 / Nodo Sul na casa 5

A direção do caminho de vida é o da casa 11, e a área saturada, que deverá ser deixada para segundo plano, é a da casa 5. Esse é o eixo da participação social e da consciência cidadã. O desafio aqui é tornar-se gregário, participar de grupos, doar suas ideias criativas, sua capacidade e seu entusiasmo em prol de um ideal comum ou de uma causa social, participar de projetos coletivos, integrar e colaborar com comunidades, mesmo que os benefícios não sejam para si mesmo, mas sim para o grupo. Você deve desenvolver uma visão pluralista, envolver-se e importar-se com questões sociais, ter um entendimento sociológico da vida e sair da posição autocentrada da casa 5, que costuma fazê-lo somente em causa própria.

Com o Nodo Norte na casa 11, você precisa aprender a arte da amizade e do desprendimento e expandir sua consciência para além de si e de seu ego. Seu desafio é aprender a conviver com pessoas de vários tipos, experimentar relações de natureza não convencional, buscar afetos variados e com diferentes amigos e grupos. Você deve diversificar seus interesses para poder se sentir "vários" ao mesmo tempo, e não se fixar em um afeto único, especial e conveniente apenas para alguém exclusivista.

No entanto, com o Nodo Sul na casa 5, o caminho mais fácil a seguir é o de tentar realizar apenas os próprios desejos, exagerar na importância de si mesmo, achar-se dono do mundo e centro do universo. Você tende a imaginar que seus filhos, criações e obras são extensões de você e existem só para ilustrar o quanto é especial. Ao contrário, você deve colocar sua criatividade a serviço do grupo, integrar seus talentos às necessidades da sociedade e agir de forma mais impessoal. Deve aprender que o coletivo é mais importante que seus interesses pessoais, sua classe ou sua raça. Deve se conscientizar de que, mesmo existindo sérias diferenças entre os componentes de um grupo, todos devem se apoiar e confiar uns nos outros.

Com o Nodo Norte na casa 11, você deve aprender o sentido da amizade e transmitir o amor em uma frequência mais universalista. Seu desenvolvimento será encontrado nos relacionamentos fraternais, depois de ter vencido o sentimento de orgulho, de superioridade e o preconceito que faz que só veja a vida segundo seus olhos e julgue segundo seus critérios. Seu desafio é pensar e agir de maneira ampla, ser um verdadeiro humanitário, desenvolver um espírito livre, ser independente e desprendido. Seu desafio consiste em ser o agente social de uma época, trabalhar em prol de mudanças sociais, ser um reformista.

Apesar de sua inclinação a ser solista e da enorme necessidade de ser amado, o destino lhe provará que tem condição de liderar pessoas e entidades em torno de questões menos favorecidas, que você é parte de um contexto universal e está a serviço da economia cósmica. Fazer parte de um grupo movido por um ideal comum, que tem preocupações coletivas e sociais e como missão melhorar o mundo, é o que lhe trará realização e plenitude e fará sua vida adquirir sentido.

Com respeito à vocação, o Nodo Norte na casa 11 favorece atividades que privilegiem a liberdade e a autonomia, características necessárias aos profissionais liberais, assessores e consultores; também favorece atividades que envolvam projeto, planejamento, antecipação de tendências ou atividades fora do comum, como arquitetura e urbanismo, planejamento estratégico, desenho industrial, ciência e tecnologia de ponta, telecomunicações, astrofísica, cosmologia e marketing político. Estimula o interesse por ciências exatas, sociais, intelectuais ou econômicas, como sociologia, economia, antropologia, filosofia, geografia, física e história; pode ainda dirigir seus interesses para áreas públicas, coletivas e de participação social, como fazem os profissionais do Poder Legislativo, do serviço público ou social, membros ou líderes de associações, sindicatos, cooperativas, ou, ainda, das áreas de idealismo e dimensão social, como política, ecologia, meio ambiente, consciência social, economia sustentável, energia e organizações não governamentais.

Nodo Norte na casa 12 / Nodo Sul na casa 6

A direção do caminho de vida é a da casa 12, e a área saturada, que deverá ser deixada para segundo plano, é a da casa 6. Nesse eixo de casas, temos de um lado a área de experiência do inconsciente coletivo, da espiritualidade e da humanidade, da casa 12. De outro lado, temos o universo da realidade, das tarefas, rotinas e obrigações cotidianas, da casa 6.

A casa 12 é muito ampla e lida com questões humanas de ordem metafísica e espiritual que extrapolam o corpo, a materialidade, o concreto e a natureza. Essa casa é uma área de abstração, de isolamento, de retiro e contemplação, necessários para que você possa desenvolver um mundo interno rico e pleno. Com o Nodo Norte na casa 12, você deve aprender que o sentido da vida nasce da criação de um espaço interno mais tranquilo, em que possa pensar sobre si mesmo e sobre a real importância da natureza humana.

A casa 6 é uma área de trabalho, de prestação de serviços concretos, de hábitos, métodos, rituais, tarefas e obrigações cotidianas que lidam com a realidade de maneira pragmática e objetiva. Com a Cauda de Dragão na casa 6, você tenderá a passar grande parte da vida extremamente entretido em afazeres, e lhe sobrará pouco tempo para sentir, entrar em contato com a alma, alimentar o espírito. Você terá uma vida metódica e sistematizada, em que não há espaço para o acaso, para a interferência da "providência" divina, para o contato com o universo do imponderável. No entanto, em algum momento da vida, você se sentirá frustrado e terá de refletir sobre o fato de estar sempre submetido ao corre-corre diário, sempre ocupado e entupido de pequenas tarefas que só lhe afastam de seu caminho. Só então estará pronto para ir em busca do sentido da vida e da direção maior de sua existência.

Uma das grandes provas pela qual deverá passar é enfrentar o natural isolamento da alma, quando puder apagar a luz, e não querer sair correndo. O isolamento pode ser assustador até que você tenha uma prática diária de meditação, de introspecção, de interiorização, que lhe permita ficar um domingo inteiro contemplando a chuva, sem precisar falar ao telefone. Permita-se abrir espaço para a fé e para a crença de que as coisas acontecem sem interferência ou controle de sua parte. Admita que há forças maiores atuando além de sua percepção e que perante elas somos todos impotentes.

A casa 6 é ligada à saúde física, à alimentação, à nutrição e à higiene, que são questões básicas e cotidianas. A casa 12 é ligada à saúde mental, à saúde pública, ao combate à fome, à distribuição de recursos energéticos, hídricos e elétricos, à consciência ecológica e à cura das vítimas da injustiça social. Ou seja, outra questão da casa 12 é desenvolver a compaixão. É nessa área que a sociedade, sempre em busca de perfeição, coloca os imperfeitos, os desafortunados, os rebeldes, os incompreendidos, os incapazes, os desajustados, marginalizando-os do convívio social e isolando-os em instituições que só sobrevivem da caridade, da misericórdia humana e da providência divina. Dessa área fazem parte os asilos, reformatórios, penitenciárias, hospícios, cemitérios e hospitais, principalmente suas alas de doentes terminais. A missão da casa 12 é muito ampla, porque é uma área de doação que aparentemente não gera nenhum ganho. Com o Nodo Norte na casa 12, um de seus desafios é desenvolver a consciência espiritual, a devoção, a compaixão e o amor incondicional, sentimentos fundamentais para que você possa se dedicar a esse setor tão rejeitado pela sociedade. Um dia esses marginalizados hão de tocar seus sentimentos e você despertará para a participação social, a doação incondicional, a prestação de serviços sociais e humanitários.

A casa 12 é onde o Sol nasce todas as manhãs, o que nos remete à ideia da iluminação que se colhe em consequência do exercício espiritual – refinar os sentimentos e ampliar a sensibilidade, abrindo-se para questões de natureza impalpável, imponderável, inconsciente, transcendente. Com o Nodo Norte na casa 12, a onipotência e o controle da casa 6 devem ceder lugar a uma atitude de entrega na casa 12, inclusive a ponto de se tornar veículo do inconsciente coletivo, que poderá se expressar por meio de você. Com o passar do tempo, você perceberá que tem tendências visionárias, habilidades psíquicas e acesso ao inconsciente coletivo. Pode prever para onde as massas se deslocam, antecipar tendências e vir a desempenhar um importante papel na coletividade com criações e descobertas que beneficiem muitos seres humanos. É essa atitude de contemplação e entrega que trará respostas às suas perguntas tão essenciais e lhe dará a plenitude e o sentido da própria vida.

Com respeito à vocação, o Nodo Norte na casa 12 favorece atividades que usem o instinto de proteger, cuidar, educar e nutrir pessoas, como fazem os médicos, terapeutas, psicólogos, pedagogos, fonoaudiólogos, naturólogos, homeopatas, assistentes sociais, educadores, enfermeiros, fisioterapeutas, reabilitadores, terapeutas ocupacionais, nutricionistas, acupunturistas; também favorece atividades que envolvam capacidade visionária, leitura do inconsciente coletivo e facilidade para antecipar tendências, como acontece na política, na economia, no comportamento ou nas pesquisas biológica e científica, na imunologia, na infectologia, na microbiologia, no desenvolvimento de medicamentos e práticas médicas alternativas, como terapia floral, antroposofia e cromoterapia, ou em buscas espirituais metafísicas ou humanas, como na teologia, nos estudos religiosos ou esotéricos, no espiritismo, nos conjuntos simbólicos, na filosofia. Favorece ainda antecipação de tendências em áreas artísticas e expressivas, como na música, no cinema, nas artes plásticas, nas artes performáticas ou em áreas que envolvam imaginação criativa e memória visual, como cenografia, iluminação, fotografia, literatura; ou, ainda, em áreas que envolvam *glamour* e ilusões, como moda, *design*, estilo, circo, magia, ilusionismo. Auxilia também atividades que envolvam mistura de elementos e poder de síntese, como acontece na química, alquimia, perfumaria, gastronomia, enologia; e pode gerar interesse por assuntos ligados à mente inconsciente e à alma, como psicanálise, parapsicologia, fenômenos paranormais. Finalmente, pode despertar interesse por assuntos ligados ao mar, como engenharia naval, de pesca ou de aquicultura, biologia marinha, pesquisa e oceanografia.

SIGNOS: SEUS CONCEITOS E HABILIDADES VOCACIONAIS

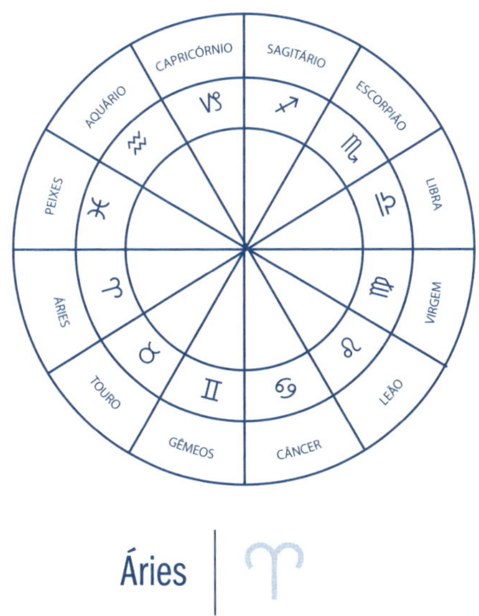

Áries | ♈

Áries é um signo de fogo que indica que você vai agir no mundo em busca de sua identidade, autoafirmação e liberdade de ação. Para tanto, você conta com muita criatividade, independência e autonomia. Tem bastante iniciativa, coragem, poder de liderança, competitividade, capacidade executiva e empreendedora, além de muito poder de decisão para se lançar e atuar profissionalmente. Pode trabalhar bem sozinho ou em qualquer atividade que exerça comando ou autonomia, como nas profissões liberais, de iniciativa privada, na produção ou em empreendimentos. Como tem muita energia física, pode se dar bem em atividades ligadas a esportes, expressão corporal ou atividades ao ar livre. Tem habilidades e interesse por mecânica e motores em geral e atração por atividades que utilizem ferramentas, armas ou instrumentos de corte, incisão, precisão, características comuns em cirurgiões, policiais ou dentistas. Gosta de correr riscos, enfrentar desafios e perigos e pode se sentir muito estimulado por cumprir metas em curto prazo.

Atividades profissionais favorecidas:

- Posição de comando ou liderança.
- Ligadas ao esporte ou realizadas ao ar livre.
- Que envolvam movimentos físicos e expressão corporal.
- Que lidem com armas, ferramentas ou instrumentos de corte ou precisão.
- Que envolvam riscos ou desafios.
- Cirurgia médica ou odontológica.
- Relacionadas à produção.

Touro

Touro é o signo das posses e dos valores. Por isso, você se identificará com profissões que remunerem bem, atendam às suas necessidades materiais e práticas e ofereçam estabilidade, segurança material e realização. Sua profissão terá de lhe oferecer resultados concretos. Para isso, você conta com bom senso para lidar com valores, com acentuada capacidade produtiva e com talento estético incomum. Visa à qualidade de vida, ao conforto, à beleza e aos prazeres sensoriais, como morar bem, ter boa aparência e rica alimentação. Seus interesses estarão voltados para profissões que lidem com valores, finanças ou números, com a terra e a natureza ou com a estética e as artes. Você é talentoso para lidar com a matéria, o dinheiro, a terra, os alimentos, a plástica, a arte, o concreto, a beleza, principalmente se esses elementos envolverem os sentidos físicos: arquitetura, agropecuária, ecologia, massagem, salão de beleza, escultura, restaurante. Prefere não enfrentar desafios e precisa equilibrar certa tendência à inércia e à acomodação. Pode trabalhar sozinho ou em grupo, mas prefere a segurança de estar empregado.

Atividades profissionais favorecidas:

- Que lidem com finanças ou números.
- Que envolvam artes ou ofícios.
- Que lidem com a terra ou produtos destinados a ela.
- Que lidem com os sentidos físicos, principalmente paladar e tato.
- Que trabalhem com estética ou beleza.
- Que lidem com as necessidades práticas e a realidade.

Gêmeos | ♊

Gêmeos é o grande mensageiro do zodíaco. Para cumprir tal função, você possui todas as habilidades necessárias: capacidade para adquirir, transmitir e trocar informações e conhecimento. Tem o poder da fala e da comunicação, de conhecer pessoas e colocá-las em contato, capacidade de negociação, além de muita habilidade com a voz e com as mãos, como necessário ao cantor, ao locutor e ao massagista. É muito ativo, ágil, rápido, eficiente, adaptável, versátil e curioso.

Precisa trabalhar com outras pessoas, pois a troca de informações ou de produtos e a comunicação têm de estar sendo praticadas com frequência, como acontece no comércio, nos meios de comunicação, no ensino e na imprensa. Precisa estar física e mentalmente ativo, em movimento físico ou mental, conviver com diversidade de assuntos e de espaços e se movimentar no trabalho. Pode desenvolver mais de uma atividade ao mesmo tempo e/ou atividade paralela para complementar a renda. Tem muita energia, mas pode gastá-la falando, andando, pensando ou dirigindo. Aprenda a lidar com sua tendência à inconstância, superficialidade, volubilidade e indecisão.

Atividades profissionais favorecidas:

- Que envolvam uso, acúmulo, transmissão ou distribuição de informações.
- Relacionadas ao uso da comunicação, da palavra e da linguagem.
- Que lidem com documentos, contratos e papéis.
- Que envolvam deslocamento físico ou meios de transportes.
- Ligadas ao uso das mãos e da voz.
- Relacionadas ao comércio.

Câncer | ♋

Câncer é um signo de água, dotado de grande sensibilidade tanto para captar suas percepções internas quanto as das circunstâncias e pessoas à sua volta. Para sentir-se seguro e integrado, precisa se identificar com a atividade, o local de trabalho e as pessoas ao redor. Por ser muito ligado ao passado e às origens, você pode sofrer influência da família na escolha profissional. Tem forte instinto assistencial para cuidar de pessoas ou protegê-las, principalmente mulheres e crianças, como acontece na medicina, na enfermagem ou no serviço social. É dotado muita criatividade, imaginação e capacidade de memória, além de bom senso de conservação, adaptabilidade e capacidade de integração. Seus interesses passam também por profissões que nutram as pessoas, como nutrição, que cuidem dos objetos, da casa ou da família, como decoração ou arquitetura, que desenvolvam intimidade, como psicologia, que investiguem ou conservem o passado, a história, as origens, e utilizem a imaginação ativa e criativa, como literatura. Cuide para que sua vida pessoal ou emocional não prejudique sua vida profissional.

Atividades profissionais favorecidas:

- Que sigam os passos ou negócios da família.
- Ligadas a lar, casa, construção e imóveis.
- Relacionadas a nutrição, alimentos ou água.
- Ligadas a crianças e mulheres.
- Que utilizem o instinto de cuidar de pessoas e prestar assistência.
- Que lidem com a imaginação ativa e criativa.
- Ligadas a passado, história, origens ou raízes.

Leão

Leão é um signo de fogo, regido pelo Sol, que reforça sua capacidade expressiva, sua espontaneidade e autoestima. Portanto, ser quem você é, ser autor, sentir-se especial, doar seu coração ao mundo e receber aplausos são suas grandes realizações. Para isso, você conta com criatividade, teatralidade e talento artístico acentuados para todo tipo de arte, espetáculos, música, dança, teatro, cinema. Tem muita autonomia, independência, exuberância, popularidade e magnetismo, características que lhe possibilitam ser o centro das atenções ou o ator principal em qualquer atividade, ter capacidade de liderança e gerenciamento de negócios. Pode trabalhar bem com quem ama ou com crianças, como no entretenimento, na educação, mas precisa de audiência. Gosta de trabalhar se divertindo e se não o fizer terá de suprir o trabalho por um *hobby* que o divirta. Tem grande poder de comunicação e aprecia desafios, improviso, riscos, especulação, jogos e esportes. Atente para sua tendência à centralização excessiva.

Atividades profissionais favorecidas:

- Que lidem com o uso da expressão artística ou pessoal.
- Que envolvam liderança e comando.
- Ligadas a formação, entretenimento ou educação de crianças.
- Relacionadas a jogos e especulação.
- Ligadas a esporte e educação física.
- Medicinas pediátrica, ginecológica, cardiológica, ortopédica ou oftalmológica.

Virgem ♍

Virgem é um signo de terra totalmente voltado para o trabalho. Uma de suas maiores motivações é servir aos outros: patrão, fregueses, clientes, alunos, pacientes, grupos ou empresa – que você espera assistir aconselhando, tornando-se confiável ou indispensável. Seu equilíbrio e autoestima giram em torno da ocupação e da necessidade de se sentir útil, indispensável por suas habilidades. Pode se sentir atraído também por todo tipo de desenvolvimento ou assistência à saúde de pessoas e animais doentes e incapacitados, como fazem os médicos, terapeutas, biomédicos e enfermeiros. Também tem interesse por natureza, biologia, ecologia, nutrição e higiene. Conta com uma mente privilegiada, analítica, atenta aos detalhes e com grande capacidade de organização, metodologia, análise de sistemas, desenvolvimento técnico e especializado, aplicação de técnicas na prática, características exigidas na engenharia ou na informática. Tem muita habilidade e destreza com as mãos e tem talento para práticas de escritório, secretaria, artes e ofícios, comércio, técnicas em geral, aptidão para análise e para detalhes, além de interesse pela recuperação de objetos. Atente ao perfeccionismo, à crítica e à autocrítica excessivas.

Atividades profissionais favorecidas:

- Que lidem com todo tipo de prestação de serviços.
- Que lidem com a distribuição de produtos, fatos ou informações.
- Que lidem com a análise de fatos, sistemas e números.
- Que sejam exercidas em escritório ou empresa.
- Relacionadas a assistência médica e saúde física ou veterinária.
- Que exijam atenção, detalhes ou destreza manual.
- Ligadas a terra, natureza, ecologia, biologia e biomédicas.
- Que exijam desenvolvimento e uso de técnicas, programações, métodos e sistemas em diversos setores da engenharia e da informática.

Libra

Libra é o signo de ar mais dado aos relacionamentos e à comunicação, além de ser muito focado na busca da identidade por meio das ligações com os outros ou da arte. Libra tem sempre dois caminhos e, no caso profissional, você pode escolher o caminho das artes, do senso estético incomum, do equilíbrio de ritmos e formas ou dos relacionamentos, das relações públicas, da diplomacia. Atua muito melhor em parceria, pois sua grande motivação é buscar companhia e complementaridade em suas atividades em geral. Por isso, tem forte aptidão para lidar com o público ou para conhecer, cuidar, atender e entender o outro, assim como nas profissões de aconselhamento, terapia, assessoria. Tem senso de justiça e de direitos humanos acima da média, como simboliza a própria balança, o que favorece profissões nas áreas da advocacia, da procuradoria e do judiciário. Busca harmonia e equilíbrio em tudo, aprecia o conforto e precisa viver cercado de beleza. Gosta de movimento, lugares públicos e atraentes. Tem muito charme, capacidade de sedução, amabilidade, boa aparência e refinamento natural. Deve ter cuidado com a indecisão e a tendência a não querer se comprometer.

Atividades profissionais favorecidas:

- Que lidem com o público, com o outro ou por meio do outro.
- Relacionadas a aconselhamento e atendimento.
- Que envolvam arte, estética, ritmos, formas, beleza.
- Que lidem com o charme, o *glamour* e o social.
- Consultores ou representantes de empresas, pessoas ou produtos.

Escorpião | ♏

Escorpião é um signo de água — embora não pareça, pois sua sensibilidade é controlada para não transparecer a ebulição interior. É orientado para a aquisição de segurança e recompensa financeira, que podem ser conquistadas por meio de sua habilidade em lidar com os recursos alheios, sejam eles físicos, materiais, econômicos, intelectuais, sejam eles emocionais ou psicológicos, como fazem o advogado tributarista e o psicólogo. Sua escolha profissional deve abranger autossuficiência, audácia e determinação para gerar poder – sua maior motivação. Seu poder é lidar com a crise e a emergência, gerando reabilitação, recuperação, restauração, regeneração, cura e transformação, como acontece na medicina, nas cirurgias em geral, na psiquiatria, na química, na farmacologia e na área da energia. Trabalha bem sozinho, em parceria ou em grupo, mas tem energia de comando e frequentemente terá de lidar com seu senso de autoridade/autoritarismo. Tem interesse pelo inconsciente, pelo desconhecido, pelo profundo, pela pesquisa e pelo ocultismo. É cauteloso, estratégico, misterioso, corajoso e se autoprotege ao extremo para salvaguardar sua vulnerabilidade.

Atividades profissionais favorecidas:

- Que lidem com o uso de autoridade, controle e comando.
- Que lidem com o dinheiro, recursos, energias e negócios alheios ou da sociedade.
- Que envolvam o interesse pelo desconhecido/oculto, por pesquisa e transformação.
- Nas áreas médica, de terapias, cura, regeneração, reabilitação e transformação.
- Que lidem com crise, recuperação, restauração, regeneração, seja de pessoas, seja de empresas, estruturas ou objetos.

Sagitário

Sagitário é um signo de fogo que busca realização ampliando seus horizontes intelectuais para compreender a natureza humana e o significado da vida. Para tanto, tem forte capacidade intelectual, expressão verbal e visão de longo alcance para compreender assuntos filosóficos, sistemas de pensamento, códigos simbólicos, religiões, leis, ética e justiça, como fazem os advogados, juízes, cientistas, sacerdotes e filósofos. Tem talento e capacidade de divulgação, comunicação e propagação de novas ideias, como os profissionais das áreas de publicidade e propaganda, marketing e editoração. Sua escolha profissional deve abranger a disseminação e aplicação de seu conhecimento em atividades como educação, ensino superior, estudos elevados, filosóficos, carreira universitária; proporcionar aventuras, práticas esportivas, educação física ou viagens, contato com lugares distantes, povos e culturas estrangeiras, como aviação, pilotagem, turismo, exportação e importação, arqueologia e diplomacia; ou ainda oferecer potencial de crescimento ou de viver seus ideais e perspectivas de vida. Precisa de expansão, fama e prestígio. Acredita na prosperidade, tem fé, esperança e otimismo. Precisa tomar decisões, ser independente e agir com liberdade no trabalho. Deve ter cuidado com a autoindulgência e a necessidade de sucesso, que podem torná-lo improdutivo.

Atividades profissionais favorecidas:

- Disseminadoras de conhecimento, filosofias, ideologias, ciência, religiões e sistemas de pensamento, leis e justiça.
- Que envolvam estudos superiores, profissões acadêmicas e carreira universitária.
- Que despertem o interesse por viagens longas, países, povos e culturas estrangeiras ou distantes.
- Que lidem com produtos estrangeiros, importação e exportação.
- Promotoras de aventura, esportes e educação física.
- Geradoras de fama, prestígio, notoriedade ou prosperidade.
- Que lidem com divulgação, comunicação ou propagação de novas ideias, produtos, pessoas, empresas.

Capricórnio | ♑

Para Capricórnio, um signo de terra, a expressão da carreira é fundamental, assim como ser adulto e responsável, participar do mundo e da sociedade, ter sucesso e ser reconhecido por seu esforço e trabalho. É motivado pela necessidade de ter resultados concretos e recompensas materiais, segurança, estabilidade, *status* e realização. É focado e preocupado com o futuro, quando não precisar mais trabalhar e puder desfrutar do que construiu. Acredita que o mundo só vai respeitá-lo por sua competência e especialidade profissionais. Para alcançar seus objetivos, aprendeu a lidar bem com limites, é paciente, persistente, realista, pragmático, concentrado, preciso, determinado e disciplinado. É orientado para profissões nas quais possa expressar suas habilidades econômicas, administrativas ou que envolvam o detalhe e a precisão, a pesquisa e as ciências, a perícia e a técnica, a qualidade e o aperfeiçoamento. Pode trabalhar sozinho ou em equipe, mas precisa exercer autoridade, ter negócio próprio ou ocupar cargo de proeminência. Sabe escolher os melhores componentes para uma equipe e liderá-la com mãos de ferro, autoridade e controle.

Atividades profissionais favorecidas:

- Que valorizem o *status* e a posição social.
- Que envolvam posições de autoridade, comando, chefia ou poder.
- Que valorizem as habilidades técnicas, científicas ou de precisão.
- Que envolvam a especialidade e a perícia.
- Que concretizem pesquisas, ciências e tecnologia.
- Ligadas a administração, economia ou planejamento em empresas, governos, instituições, universidades e negócios.

Aquário

Aquário é um signo de ar que enfatiza a capacidade intelectual, a sociabilidade e os relacionamentos em grupo. Para tal, tem superioridade intelectual, muita criatividade e intuição para ciências humanas, sociais, econômicas e políticas. Busca profissões pelas quais possa se diferenciar, ocupações fora do comum, sem cartão de ponto, em horários não usuais. Tem facilidade em adquirir *know-how* técnico e em desenvolver sistema de pensamento ou teoria, especialização, como nas áreas de física, eletrônica, ciência e tecnologia. Por ser intuitivo, é voltado para o futuro, o que lhe dá grande capacidade de planejamento, desenvolvimento, modernização e inovação de processos, antecipação de tendências e tecnologias, como globalização, mídias eletrônicas, telecomunicações e era digital. É inovador, inventivo, original, excitado mentalmente e dado a mudanças repentinas. Deve atentar para sua rebeldia, indisciplina e transgressão a regras e limites. É bom nos relacionamentos, valoriza os colegas e busca o reconhecimento deles, mas prefere sentir independência, autonomia e liberdade. É raro, mas podem existir tipos mais rotineiros.

Atividades profissionais favorecidas:

- Consultores ou representantes de companhia ou grupo/autônomos.
- Que envolvam ciências humanas, econômicas, sociais, políticas ou intelectuais.
- Que gerem desenvolvimento de tecnologias de ponta, antecipação de tendências, ciência e tecnologia, elétrica e eletrônica.
- Ligadas aos movimentos da Nova Era, surgimento de nova consciência.
- Que sejam fora do comum ou não convencionais.
- Relacionadas a recursos humanos, planejamento, novos projetos, desenvolvimento de produtos em empresas.
- Ligadas à comunicação.
- Que envolvam inventividade.

Peixes | ♓

Peixes é, de todos os signos de água, o mais sensível e perceptivo. E é justamente aí que residem sua força e diferenciação: na capacidade de captar as energias externas em sua totalidade e adequá-las às mais diversas leituras: intelectual, emocional, sensorial, artística, psíquica ou acadêmica. Você é motivado pelas crenças e inspirações e qualquer profissão que escolha tem de satisfazê-lo intimamente e fazer sentido. Para tanto, você conta com as já citadas sensibilidade e percepção, com imaginação ativa e intuitiva, adaptabilidade e ecletismo. Tem senso estético incomum, talento artístico, noção de proporção, imagem, memória visual, ritmo e harmonia, que pode aplicar em artes plásticas, cinema, música, fotografia, cenografia, produção, iluminação. Sua mente conta com senso de integração, visão de conjunto e poder de síntese, entendimento do macrocosmo comparado ao microcosmo, além de compreensão de mundos paralelos e linguagens simbólicas, como acontece na homeopatia, na pesquisa e na ecologia. Com forte instinto assistencial, pode proteger, nutrir e cuidar de outras pessoas, como os médicos, enfermeiros e terapeutas. Tem tendências visionárias, habilidades psíquicas e leitura do inconsciente coletivo. Por isso, vê para onde as massas se deslocam e pode antecipar tendências em profissões, como na moda, no *design*, na psicologia. Revela habilidades para alquimia, mistura de elementos, alimentos, aromas, bebidas e interesse por assuntos ligados ao mar. Quando consegue conjugar seus sonhos com esforço e competência, realiza tudo que quer. Se estiver bem equilibrado emocionalmente, tem capacidades quase ilimitadas. Pode ser muito influenciado pelo ambiente de trabalho e precisar de isolamento para se refazer. Cuide para não trocar de atividade com frequência e para não se envolver com muitos assuntos ao mesmo tempo sem desenvolvê-los. Atente para sua necessidade de relacionamentos, que pode conduzi-lo à abdicação de si mesmo e ao excesso de devoção aos outros.

Atividades profissionais favorecidas:

- Que usem instinto de proteger, nutrir e cuidar da saúde física ou mental.
- Que envolvam expressão artística, música, artes performáticas, artes plásticas, imaginação criativa ou produção.
- Que usem imagem e memória visual.
- Que promovam *glamour* e ilusões.
- Que envolvam buscas, crenças ou ideais metafísicos.
- Que usem a mente inconsciente, habilidades psíquicas.
- Que envolvam longa distância física ou mental.
- Ligadas a mar, biologia marinha, ecologia ou animais marinhos.
- Ligadas a bebidas, perfumaria, aromas ou alimentos.
- Relacionadas aos pés.
- Que envolvam antecipação de tendências.

CASAS E SUAS CARACTERÍSTICAS VOCACIONAIS

ASCENDENTE

CASA 1: BUSCA DE IDENTIDADE, AUTOAFIRMAÇÃO E DIFERENCIAÇÃO

A casa 1 é a casa da *personalidade*, que se desenvolverá ao longo de todo o mapa. É também a casa da *imagem que você tem de si mesmo* e de *como os outros o veem*, de como você procura *se diferenciar e se autoafirmar* por meio de suas potencialidades. É ainda a casa da energia física e da vitalidade.

Resumo:

- *eu*, autoimagem, projeção no mundo, diferenciação, autoafirmação;
- corpo físico, energia física, vitalidade, *persona*.

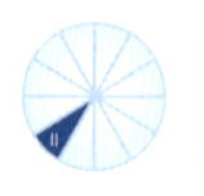

CASA 2: PRODUTIVIDADE, RECURSOS E HABILIDADES PROFISSIONAIS, RESULTADOS CONCRETOS

A casa 2 é muito importante para a área vocacional porque rege sua capacidade produtiva e revela os recursos, habilidades e ferramentas que você tem disponíveis para produzir, obter resultados concretos, ganhar dinheiro e se expandir materialmente, além de descrever como você lida com o mundo concreto e material.

Resumo:

- recursos, habilidades, ferramentas;
- meios de produção e capacidade produtiva;
- relação com dinheiro e bens materiais;
- habilidades sensoriais.

CASA 3: BUSCA DE CONHECIMENTO, COMUNICAÇÃO, TROCA DE INFORMAÇÃO E MOVIMENTO

A casa 3 descreve seu tipo de inteligência e capacidade de aprendizado, raciocínio, associação e memória, sua relação com irmãos ou vizinhos e sua habilidade com a palavra, com a voz e com as mãos. Essa casa refere-se a atividades como comércio, ensino, transportes e deslocamento físico, trânsito e meios de comunicação, além de documentos, papéis e contratos, habilidades de negociação, intermediação, articulação e contato com pessoas.

Resumo:

- tipo de inteligência e mente;
- ensino e aprendizado;
- comunicação e imprensa;
- comércio e trocas;
- trânsito, transportes, deslocamento físico;
- documentos, papéis e contratos;
- negociação, articulação, contatos;
- uso da palavra, da voz e das mãos.

CASA 4: BUSCA DE SEGURANÇA EMOCIONAL, SATISFAÇÃO PESSOAL E SENSO DE ENVOLVIMENTO E INTEGRAÇÃO

É a casa das origens, das raízes, da família. Descreve sua relação com casa, imóveis e propriedades, além do tipo de segurança emocional necessária para melhor adaptação e senso de integração no trabalho. Também descreve suas relações com a família, o desenvolvimento da intimidade, a leitura da alma e o sentir-se bem com o que faz porque criou intimidade com o assunto. Fala ainda da capacidade de cuidar, nutrir e proteger pessoas.

Resumo:

- cuidar, nutrir e proteger pessoas;
- relações com família, casa, imóveis, terra e propriedades;
- senso de envolvimento, intimidade, integração e pertencimento.

CASA 5: BUSCA DE EXPRESSÃO, SATISFAÇÃO PESSOAL E RECONHECIMENTO

É a casa da expressão natural da personalidade, dos talentos gerais e artísticos, da criatividade, da vocação, do ser ator e autor. É também a casa referente a amor, sexo, filhos, obras, criações e relação com jovens, crianças e sua educação. Descreve sua capacidade de ser especial, centro das atenções, comandante e líder. Fala também do interesse por esportes, *hobbies*, entretenimento, jogos e especulação.

Resumo:

- expressão natural, talentos gerais e artísticos;
- amor, sexo, prazer, filhos e obras;
- relação e cuidado com jovens, crianças e sua educação;
- comando e liderança natural;
- entretenimento, *hobbies*, jogos, esportes, especulação.

CASA 6: ASSUNTOS PROFISSIONAIS, RITMOS E ROTINA DE TRABALHO, RELAÇÃO COM COLEGAS, BUSCA DE OCUPAÇÃO, PRESTAÇÃO DE SERVIÇO, SAÚDE E NATUREZA

A casa 6 é importante para a área vocacional pois revela o(s) assunto(s) profissional(is) de seu interesse, fala da rotina de trabalho que lhe agradará, da relação que você terá com colegas de trabalho e clientes, sejam pessoas, empresas, patrões ou empregados.

Rege assuntos como saúde de pessoas e animais, prestação de serviços em geral, serviços técnicos e sua aplicação prática, ritmos da natureza, ecologia, biologia, nutrição, higiene, capacidade de lidar com sistemas, organizações e métodos.

Resumo:

- assunto(s) de interesse profissional;
- dia a dia da profissão, rotina de trabalho, trabalhos que envolvam rotina e repetição;
- serviços técnicos e sua aplicação na prática;
- prestação de serviços em geral;
- treinamento, RH, relação com colegas, patrões e empregados;
- saúde física de pessoas e animais, ritmos do corpo e terapias em geral;
- ritmos da natureza, ecologia, biologia, nutrição e higiene;
- sistemas, organizações e métodos.

CASA 7: BUSCA DE COMPLEMENTAÇÃO, HARMONIA E EQUILÍBRIO POR MEIO DAS RELAÇÕES

É a casa das parcerias, dos relacionamentos interpessoais, das sociedades, dos casamentos, contratos, compromissos com o outro e de como você os desenvolve por meio de assessoria, cuidados e consultorias para o outro. É a casa da necessidade de buscar equilíbrio, harmonia, beleza e complementação; é também a casa dos acordos, da justiça, das leis e dos direitos humanos.

Resumo:

- parcerias, relacionamentos, casamentos e sociedades;
- assessorias, terapias, consultorias em geral;
- diplomacia, acordos, justiça e direitos humanos;
- eventos, festas, estar em sociedade e *glamour*.

CASA 8: BUSCA DE PODER E CONTROLE, DESAFIOS E RECOMPENSA FINANCEIRA

Nesta casa se busca poder e controle. É a casa onde se lida com recursos alheios, como: bens, valores e energia. É a casa dos recursos do parceiro ou com o parceiro, como: lucros, renda conjunta, investimentos comuns, bens e recursos com o outro, captação de recursos, soma financeira, *factoring*, *leasing*, taxas e tributos, fiscalização, falência e litígio. É também a casa do aprofundamento de relações e de assuntos. Ela fala de crises agudas, emergências, morte e transformação de pessoas, objetos e situações. Fala ainda do interesse pelo desconhecido, misterioso, inconsciente e oculto. Forma de ganho comissionada, participativa, *royalties*, direito autoral e funcionalismo público.

Resumo:

- aprofundamento das relações;
- recursos alheios, do outro ou da sociedade;
- crises, emergências e necessidade de reciclagem e transformação de pessoas, empresas, objetos e situações;
- desconhecido, oculto e misterioso.

CASA 9: BUSCA DE ASPIRAÇÕES, IDEALISMO, SATISFAÇÃO INTELECTUAL E FILOSOFIA DE VIDA

É a casa da filosofia de vida, dos ideais e aspirações. Por isso fala da aquisição e disseminação de conhecimento e de estudos superiores que ampliam a visão de mundo, como: sistemas de leis, de pensamento, de ética, de justiça, educação teórica, arte, cultura, filosofia e religião, viagens longas, interesse pelo estrangeiro e distante, exportação e importação. Rege ainda propaganda, editoração, publicações, promoção cultural; atividades acadêmicas, concursadas ou de estudo permanente.

Resumo:

- busca de ideais e filosofia de vida;
- estudos superiores, filosóficos, sistemas de pensamento, cultura, religiões;
- ética, justiça, leis e princípios;
- viagens longas, interesse pelo estrangeiro, por povos e culturas distantes, exportação e importação;
- propaganda, comunicação, publicação, editoração e promoção cultural;
- carreiras universitárias, acadêmicas e concursadas;
- aventuras e esportes.

MEIO DO CÉU
CASA 10: META, POSIÇÃO SOCIAL E COLHEITA PROFISSIONAL; BUSCA DE REALIZAÇÃO PROFISSIONAL, ESTABILIDADE, SUCESSO, PRESTÍGIO, RECONHECIMENTO, *STATUS* E PODER

O meio do céu é o ponto mais alto do mapa astral e também o início da décima casa. A décima casa significa o mundo externo, onde se participa da sociedade por meio do desempenho de uma atividade social ou profissional que propicie, com o passar do tempo e com a maturidade, a colheita de uma meta, de uma imagem e de uma posição social, hoje em dia muito associadas à profissão. Na casa 10, você busca realização profissional, estabilidade, sucesso, prestígio, *status* e poder como meio de se sentir seguro e reconhecido socialmente.

Resumo:

- culminância do eu;
- vocação e expressão profissional;
- *status* social, posições elevadas, carreira;

- emprestar prestígio, usar nome como grife, assinatura e marca de qualidade;
- credibilidade e reputação;
- área de governo, setor público, estado, empresas e instituições;
- autoridade, comando, chefia e elite;
- competência para fazer algo da melhor maneira possível.

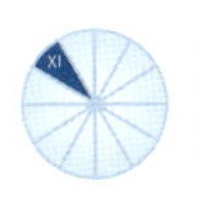

CASA 11: BUSCA DE ATIVIDADES COM DIMENSÃO SOCIAL, IDEALISMO, SATISFAÇÃO EM CONTRIBUIR, PROJETOS DE VIDA, PLANEJAMENTO E ANTECIPAÇÃO DE TENDÊNCIAS

É a casa do interesse pelo sociocoletivo, da participação na sociedade, grupos, da liderança social e da atuação que gere benefícios à comunidade, projetos de dimensão social ou expressão intelectual. É também a casa do projeto de vida e do planejamento, do projeto e da antecipação de tendências para o coletivo segundo a visão de conjunto e de futuro, cenário macro, distribuição de tarefas e equipes. Fala de áreas públicas, políticas, organizações não governamentais e instituições sociais.

Resumo:

- dimensão social, idealismo e participação na coletividade;
- projeto, planejamento e antecipação de tendências;
- áreas públicas, políticas e coletivas;
- interesse por ciências intelectuais, sociais, políticas e econômicas;
- liderança de grupos e equipes.

CASA 12: BUSCA DE SI MESMO, REALIZAÇÃO ÍNTIMA E SATISFAÇÃO PESSOAL; BUSCA DE INTEGRAÇÃO NA TOTALIDADE; BUSCA DO SENTIDO DA VIDA

É a casa da vocação para a realização íntima, das inspirações, crenças e busca de sentido. É também uma casa de interesse pela coletividade, pelas potencialidades abrangentes, pela visão de conjunto, de totalidade e de integração. Fala de atividades que beneficiem muitos, cuidem de muitos, gerem e produzam para muitos, pensem em muitos, de sensibilidade para compreender a sociedade como um todo. Fala da habilidade para leitura do inconsciente coletivo e antecipação de tendências e ainda de atividades que exijam discrição, sigilo, isolamento, introspecção e silêncio.

Resumo:

- vocação e satisfação íntima e busca de sentido;
- senso de integração, visão de conjunto, poder de síntese e totalidade;
- atividades que beneficiem muitos;
- inconsciente coletivo, antecipação de tendências e artes;
- isolamento, introspecção, sigilo, discrição e silêncio.

Vedetes vocacionais

- Planetas em ângulos
- Saturno
- Casa 2 - Casa 5 - Casa 6 – Casa 10

3

PLANETAS EM ÂNGULOS

Quando um planeta ocupa um ângulo do mapa astrológico, ele é determinante vocacional, principalmente se ocupar o ângulo do ascendente ou do meio do céu. Mas, mesmo que esteja no ângulo da casa 4 ou da casa 7, também exercerá forte influência em sua escolha profissional.

Sol em ângulo

Ter o Sol em um dos ângulos do mapa significa que você é um Sol, um pai, um centro, um líder, uma referência, um emissor de energia, de luz, de vida, de consciência, um doador, um iluminador de caminho. Significa também que qualquer escolha profissional é uma extensão sua e que você usará suas características pessoais para desempenhar essa profissão.

Não importa a profissão que escolher, você já tem garantia de sucesso e realização.

Você tem à sua disposição grande criatividade, potência, capacidade de liderança, autonomia, além da oportunidade de poder se expressar. Reúne ainda muita intuição, autoconfiança, vontade, clareza de quem é e do que busca.

Sua maior motivação é poder se realizar, obter satisfação pessoal e reconhecimento de seus talentos. E você conseguirá o que quer porque tem sorte, poderá ser quem é, expressar sua identidade, suas qualidades e características não apenas no âmbito pessoal, mas também no exercício profissional. Veja mais detalhes nos textos sobre a posição do Sol por signo e casa.

Lua em ângulo ☾

Ter a Lua em um dos ângulos do mapa significa que você é uma Lua, uma mãe, alguém que protege, gera, cria, cuida, nutre, dá forma, fertiliza e faz crescer tudo aquilo a que se dispuser fazer.

Você é também uma grande antena, capaz de captar tudo e todos à sua volta e suprir suas necessidades. Tem à disposição muita sensibilidade, percepção, imaginação ativa e criativa, capacidade de envolvimento, conservação e intermediação para utilizar não apenas atendendo às suas necessidades, mas também às dos outros.

Você sabe intermediar, alimentar e regular emoções, flutuações, humores e estados de espírito nos relacionamentos entre as pessoas. Sua maior motivação é buscar segurança, satisfação emocional, popularidade e reconhecimento de suas potencialidades.

E você tem sorte porque poderá oferecê-las ao mundo não apenas no âmbito pessoal, mas também no exercício profissional. Veja mais detalhes nos textos sobre a posição da Lua por signo e casa.

Mercúrio em ângulo ☿

Ter Mercúrio em um dos ângulos do mapa significa que você é Mercúrio, o grande mensageiro do zodíaco, aquele que comunica, aquele que leva e traz informações, faz associações, conexões, negociações e trocas.

Você tem à disposição muita inteligência, capacidade de aprendizado, associação, memória, entendimento e compreensão de tudo e de todos, além de grande poder de comunicação, transmissão de conhecimento e de ideias, e ainda muita habilidade para negociações, trocas e comercialização.

Dispõe de muita agilidade, atividade, energia física e mental, habilidade com as mãos, talentos com a palavra e a voz, além de aparência jovial. Você é um grande comunicador, professor, comerciante, articulador, negociador, pensador ou tradutor – entre tantas outras possibilidades.

E você tem sorte porque poderá oferecer toda a sua versatilidade ao mundo não apenas no âmbito pessoal, mas também no exercício profissional. Veja mais detalhes nos textos sobre a posição de Mercúrio por signo e casa.

Vênus em ângulo | ♀

Ter Vênus em um dos ângulos do mapa significa que você é Vênus, a "pequena benéfica" do zodíaco, que atrai para si – mas também gera ou irradia para o mundo e para os outros – afetos, gostos, bens, prazeres, vantagens, benefícios e ganhos.

Você tem à disposição bastante sorte, charme, magnetismo, sedução, uma imensa habilidade social e capacidade para se relacionar com o público, além de um senso estético incomum para produzir qualquer tipo de expressão, arte ou atividade ligadas a beleza, cor, proporção, ritmo e estética. Com esses talentos, você pode oferecer ao mundo afetividade, receptividade, arte, beleza e harmonia. E, como você é uma pessoa de sorte, pode vivenciar tudo isso não apenas no âmbito pessoal, mas também no exercício profissional. Veja mais detalhes nos textos sobre a posição de Vênus por signo e casa.

Marte em ângulo | ♂

Ter Marte em um dos ângulos do mapa significa que você é Marte, o grande herói do zodíaco, aquele que age, luta, ataca e defende vontades, escolhas, ideias, ideais, causas, crenças ou necessidades, sejam elas suas ou de outras pessoas, de empresas, governos, instituições etc.

Você é um executivo, um lutador, um desbravador, um pioneiro. Ou, ainda, um líder, um comandante, um orientador, um criativo, um inventor, um buscador. Você é um bravo!

Tem à disposição bastante vontade, energia, vigor físico, coragem, ousadia, iniciativa, criatividade, inventividade, capacidade de luta, além de muita combatividade, competitividade, capacidade de liderança, autonomia e independência.

Sua maior motivação será poder se destacar, se diferenciar, se autoafirmar e interferir no mundo com suas qualidades e habilidades. E você tem sorte, pois poderá experimentar e usar todas as competências não apenas no âmbito pessoal, mas também no exercício profissional. Veja mais detalhes nos textos sobre a posição de Marte por signo e casa.

Júpiter em ângulo | ♃

Ter Júpiter em um dos ângulos do mapa significa que você é Júpiter, o "grande benéfico" do zodíaco, um grande pai, um grande doador, provedor, protetor, fertilizador, facilitador, expansor, gerador de sorte e abridor de caminhos.

Você tem à disposição muita capacidade de estudo, aquisição e atração de conhecimentos, viagens, oportunidades e aventuras que ampliarão sua visão de mundo, sua filosofia de vida, sua busca de justiça, fazendo que se desenvolva e proporcione expansão a tudo com o que se relacionar ou a que se dedicar.

Sua grande motivação é poder ser livre para superar limites e recordes e para explorar todas as oportunidades que apareçam e lhe ofereçam expansão e conhecimentos para buscar o sentido da vida. E, como uma pessoa de sorte, você pode vivenciar tudo isso não apenas no âmbito pessoal, mas também no exercício profissional. Veja mais detalhes nos textos sobre a posição de Júpiter por signo e casa.

Saturno em ângulo | ♄

Ter Saturno em um dos ângulos do mapa significa que você é Saturno, aquele que sabe aonde quer chegar e, para tanto, age como um grande planejador, estruturador, criador de alicerces, construtor, produtor e muito trabalhador, porque quer atingir suas metas e ter uma colheita farta.

Você tem à disposição muito talento para lidar com economia de recursos, uma grande capacidade produtiva e de organização para estabelecer metas, prioridades, cronogramas, além de bastante disciplina, persistência, paciência e consciência de que precisará imprimir tempo, esforço e dedicação para alcançar seus objetivos de criar benefícios que permaneçam para sempre.

Dispõe ainda de muita capacidade de planejamento, empreendimento, administração, pesquisa, desenvolvimento, aperfeiçoamento e aprimoramento, seja de produtos ou serviços, além de poder de chefia, supervisão ou comando de pessoas, empresas, governos, instituições e universidades.

Sua grande motivação é obter realização profissional, estabilidade, sucesso, prestígio, *status*, poder e reconhecimento por sua competência, perícia e especialidade. E você obterá, porque ter Saturno em um ângulo é garantia de sucesso profissional. Você tem sorte, pois pode utilizar toda a sua competência não apenas no âmbito pessoal, mas também no exercício profissional. Veja mais detalhes nos textos sobre a posição de Saturno por signo e casa.

Quíron em ângulo | ⚷

Ter Quíron em um dos ângulos do mapa significa que você é Quíron, um grande curador, terapeuta ou professor. Tem à disposição uma capacidade inata para estudar e conhecer a natureza, tornando-se um sábio em suas ervas e propriedades medicinais, para aplicar nas terapias em geral, praticar a cura, tratar feridas, transformar doença em saúde, seja física ou mental.

Tem também disponível uma capacidade inata para apreender o conhecimento de modo abrangente por meio de ciências, como filosofia, história, antropologia, medicina, astronomia, e transmiti-lo aos mais jovens, na qualidade de mestre, professor, orientador.

Portanto, você tem muita sorte, uma vez que poderá utilizar sua sabedoria não apenas no âmbito pessoal, mas também no exercício profissional, trazendo benefícios à sociedade da qual faz parte. Veja mais detalhes nos textos sobre a posição de Quíron por signo e casa.

Urano em ângulo | ♅

Ter Urano em um dos ângulos do mapa significa que você é Urano, um grande transformador, revolucionário, rebelde, inovador, antecipador de tendências. Você tem à disposição bastante criatividade, intuição, inteligência superior, inventividade, inquietação física e mental, percepção rápida e acelerada de tudo, além de muita independência, autonomia e liberdade para experimentá-las.

Dispõe ainda de uma tremenda coragem e ousadia para romper com o velho em nome do novo, da evolução, do porvir, envolvendo-se sempre com profissões que lidam com a atualidade. Tem visão de longo alcance, intuições sobre o futuro, capacidade de inovação, inconvencionalidade e irreverência suficientes para transgredir regras, rompendo padrões em nome do progresso e da contemporaneidade.

E tem muita sorte, pois, além de poder usar suas habilidades no âmbito pessoal, revolucionando sua vida de tempos em tempos, poderá utilizá-las também no exercício profissional, trazendo benefícios e evolução à sociedade da qual faz parte. Veja mais detalhes nos textos sobre a posição de Urano por signo e casa.

Netuno em ângulo | ♆

Ter Netuno em um dos ângulos do mapa significa que você é Netuno, um grande integrador, inspirador, alquimista, salvador, cuidador ou artista. Você é uma grande antena, tem uma enorme percepção e capta climas, pessoas, elementos e situações, reintegrando-os à totalidade, à sociedade, à vida.

Tem à disposição muita sensibilidade, percepção extrassensorial, sutileza, habilidades psíquicas, visão de conjunto, poder de síntese, capacidades visionárias para antecipar tendências, para ver o que não está escrito, ouvir o que não está sendo dito, perceber por meio de outras dimensões, captar a totalidade.

Reúne ainda um diferenciado senso estético, uma excelente noção de proporção, ritmo, cor e harmonia, imaginação ativa e criativa, inspiração, captação de imagens, fisionomias e impressões, além de muita força criativa, que resultam em um tremendo talento artístico.

Conta ainda com um especial instinto assistencial para cuidar, assistir e proteger os outros, atraindo todo tipo de pessoas com grande empatia e compaixão para com os fracos e oprimidos, doentes e incapacitados. Mostra também capacidade de misturar, fundir, alquimizar ou, ainda, dissolver assuntos, elementos, atividades e produzir com eles resultados criativos e inesperados.

Revela especial capacidade de envolvimento, adaptação e ecletismo, muito charme, sedução e *glamour*, além de percepção do macrocosmo e do microcosmo, potencial para compreender a totalidade da vida, inspirar-se por ela e beneficiar muitos com sua atuação pessoal e profissional.

E tem muita sorte, pois, além de poder usar suas habilidades no âmbito pessoal, espalhando arte, inspiração, harmonia ou sensibilidade ao seu redor, poderá utilizá-las também no exercício profissional, trazendo compaixão e benefícios à sociedade da qual faz parte. Veja mais detalhes nos textos sobre a posição de Netuno por signo e casa.

Plutão em ângulo

Ter Plutão em um dos ângulos do mapa significa que você é Plutão, um grande transformador, reformador, recuperador, reabilitador, reciclador, reconstrutor, regenerador, curador.

Tem à disposição o grande poder de lidar com a crise e a emergência, uma incomparável capacidade de transformar dor e sofrimento em novas possibilidades, novas energias e oportunidades de vida, gerando cura, regeneração ou reabilitação.

Você dispõe também de uma incrível habilidade para lidar com recursos, sejam eles físicos, materiais, financeiros, econômicos, intelectuais, emocionais ou psicológicos, e, é claro, transformá-los para melhor, além de, muitas vezes, multiplicá-los. É intenso, profundo, corajoso, audacioso, determinado, autossuficiente, dominador, sedutor, misterioso, estratégico e tem imensa capacidade para gerar poder e controle.

E tem muita sorte, pois, além de poder usar suas habilidades no âmbito pessoal, transformando-se durante toda a vida para tornar-se um indivíduo melhor, poderá utilizá-las também no exercício profissional, trazendo transformação, cura e regeneração à sociedade da qual faz parte. Veja mais detalhes nos textos sobre a posição de Plutão por signo e casa.

Ceres em ângulo

Ceres é um dos quatro asteroides mais importantes que orbitam no cinturão de asteroides entre Marte e Júpiter. Não tem a magnitude astronômica nem astrológica de um planeta, mas quando ocupa um ângulo do mapa astrológico é determinante vocacional.

Ceres é a grande mãe natureza, responsável pelas sementes da terra, bem como pelo plantio e cultivo. Ter Ceres em um dos ângulos do mapa astrológico significa que você é Ceres, ou seja, tem habilidades para lidar com assuntos ligados à terra e à natureza por meio do cultivo, da proteção ou da preservação.

Você tem à disposição a sabedoria inata dos ritmos e fluxos da natureza, do quando e como semear, plantar, regar, cultivar e colher seus frutos. Por amar a terra, sabe protegê-la, preservá-la e nutri-la para que ela continue fértil, generosa e produtiva.

Dispõe também de uma incrível habilidade para lidar com ela e com os recursos que ela produz, seja por meio da agronomia, plantando e colhendo, seja pela engenharia de alimentos, transformando suas sementes e frutos em alimentos mediante processos de fabricação, seja no agronegócio, pesquisando e fabricando adubos, defensivos ou produtos que cuidem e nutram a própria terra. Pode também querer conhecê-la melhor por meio da biologia, pesquisando-a ou pesquisando os seres que nela habitam, ou ainda por meio da agroecologia, zelando por ela, pela exploração racional de seus recursos ou pela recuperação de seus solos deteriorados, suas águas contaminadas, suas florestas devastadas. Enfim, há uma infinidade de profissões que se dedicam à terra, à natureza, à alimentação, à nutrição, à biologia, à ecologia diretamente, ou mesmo indiretamente, como na topografia, geografia, zootecnia, pecuária, agrometeorologia, engenharia rural, engenharia agrícola, economia agrícola, mecanização rural e tantas outras.

E você tem muita sorte, pois, além de poder usar suas habilidades no âmbito pessoal, aplicando sua sabedoria inata na própria alimentação e nos cuidados com o corpo e com a terra da qual faz parte, você poderá utilizá-la também no exercício profissional, cuidando, semeando, plantando, cultivando e colhendo frutos para alimentar e nutrir a sociedade; ou ainda defendendo ou protegendo a natureza da ação predadora do homem e, com isso, preservando nosso planeta.

Pallas em ângulo 

Pallas é um dos quatro asteroides mais importantes que orbitam no cinturão de asteroides entre Marte e Júpiter. Não tem a magnitude astronômica nem astrológica de um planeta, mas quando ocupa um ângulo do mapa astrológico é determinante vocacional.

Pallas é a deusa da estratégia e da justiça, conhecida também como a deusa da guerra, embora detestasse sangue e só guerreasse quando o adversário não compreendesse o significado da razão e da ética.

Ter Pallas em um dos ângulos do mapa astrológico significa que você é Pallas, a própria justiça, que se manifesta sempre por meio da sabedoria da estratégia e da razão, do uso da valentia e da coragem, da consciência do equilíbrio e da ética. Foi também a deusa da inteligência, do espírito criativo, da paz e das artes. E transmitia aos jovens sua sabedoria e seus ensinamentos.

Você tem à disposição a sabedoria inata da estratégia e do equilíbrio, o talento dos éticos e justos, a bravura dos valentes e corajosos para defender os injustiçados, enfrentar os antiéticos, utilizar a estratégia para derrotar os arrogantes, fazer a justiça.

Reúne também a inteligência, o espírito criativo e a razão para aprender, transmitir e ensinar a paz, as artes, a música, a literatura, a filosofia, a arquitetura e a harmonia das formas aos mais jovens, promovendo assim um mundo mais belo, mais justo e mais equilibrado.

E você tem muita sorte, pois, além de poder utilizar suas habilidades no âmbito pessoal, poderá usar sua sabedoria inata no exercício profissional, em atividades ligadas à justiça, à ética ou às artes, às letras, à música, à arquitetura; ou ainda à filosofia e à paz, contribuindo assim para a construção de uma sociedade melhor.

SATURNO E SUAS CARACTERÍSTICAS VOCACIONAIS POR CASA

Saturno na casa 1

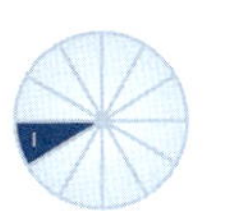

Qualquer planeta na casa 1 tem seu efeito ampliado. A casa 1 é a casa da personalidade que vai se desenvolver em todo o mapa. É também a casa da imagem que você tem de si mesmo e de como os outros o veem, de como você deseja se diferenciar e se autoafirmar por meio de suas potencialidades.

Com Saturno na casa 1, esse desejo de autoafirmação e diferenciação só acontecerá se enfrentar limites, obstáculos, pressões, autoridades e desafios na busca de sua identidade, independência, autonomia e excelência profissional. Para tal, você utilizará suas qualidades e especialidades saturninas para imprimir sua marca pessoal em tudo que faz, o que é necessário aos empresários ou profissionais liberais, por exemplo.

Você poderá escolher atividades que exijam sua presença física, tendo de se apresentar sempre pessoalmente em todas as situações, o que será um desafio para você no começo. Todavia, com o tempo e empenho em trabalhar sua autoestima, poderá superar essa dificuldade. Esse é o caso de profissões que exigem comando e liderança, que possam provar sua competência, demonstrar sua capacidade de trabalho, que lhe exijam especialização, estruturação, criação de alicerces sólidos, administração de poucos recursos, como é o caso dos arquitetos, construtores, engenheiros, administradores, acadêmicos, cientistas e pesquisadores, por exemplo.

Tais atividades devem desafiá-lo para que possa provar sua determinação e paciência para desenvolver atividades que só obtêm sucesso com o tempo, caso dos médicos e, especificamente, dos ortopedistas, ortodontistas, dermatologistas, gerontologistas, já que Saturno rege ossos, dentes e pele, além de estar relacionado a pessoas idosas.

Nessa posição, Saturno pode despertar interesse por atividades esportivas, corporais ou ao ar livre, característica encontrada em atletas, treinadores esportivos, educadores físicos ou, ainda, reabilitadores físicos, fisioterapeutas, profissionais de RPG e quiropatas.

Também pode acentuar sua habilidade para atividades técnicas e mecânicas, ou que exijam o uso de instrumentos de precisão, como acontece com o cirurgião, dentista ou instrumentador, por exemplo.

Qualquer atividade profissional que você escolha será um desafio pessoal e demandará muita dedicação de sua parte para que um dia seja reconhecido como um especialista, um perito, um *expert* no que faz, e para que seu nome se torne uma grife. Mas atente para o excesso de perfeccionismo. Conjugue as habilidades da casa 1 com as de Saturno e você descobrirá suas aptidões.

Saturno na casa 2

A casa 2 é muito importante para a área vocacional, porque rege sua capacidade produtiva ao mesmo tempo em que revela os recursos com os quais você conta para produzir, obter resultados, ganhar dinheiro e desenvolver-se materialmente.

Nessa posição, você conta com Saturno, que exigirá escolhas profissionais que gerem segurança material e resultados práticos, sólidos, duradouros e concretos, como é o caso dos funcionários públicos, acadêmicos ou profissionais de carreira, que optam por uma empresa, um órgão estatal ou uma universidade pela segurança de um salário no final do mês.

Sua escolha profissional pode envolver atividades em que possa se tornar um especialista em acumular, somar ou agregar bens, posses ou valores. Para tanto, você já conta com a habilidade para lidar com ciências contábeis e econômicas, finanças e números, característica comum nos economistas, gerentes financeiros, bancários ou, ainda, na área de ciências exatas, como física, química, matemática.

Você é muito objetivo, tem visão prática e utilitarista da vida, sabe como as coisas funcionam, como fazê-las acontecer, como produzi-las, multiplicá-las, fazê-las crescer, o que é necessário nas engenharias em geral, na construção civil, na fabricação de produtos e bens de consumo, nos processos produtivos, técnicos e industriais, nos empreendimentos. Ou seja, você sabe cuidar, criar e multiplicar a matéria, o dinheiro, o concreto, a plástica, a forma.

Pode vir a optar por profissões ligadas à terra, natureza, ecologia e biologia, como agronomia, pecuária, nutrição e alimentação.

Você ainda tem capacidade produtiva incomum e muita habilidade para profissões que lidem com os sentidos físicos: empreendedores ou administradores de restaurante, empresas da área alimentícia e cosmética ou mesmo escultores, desenhistas industriais, arquitetos. Conjugue as habilidades da casa 2 com as de Saturno e você descobrirá suas aptidões.

Saturno na casa 3

Saturno na casa 3 exigirá que você escolha atividades nas quais possa estar em permanente troca de conhecimento ou informações, demonstrando inteligência, capacidade de aprendizado e memória, além de sua aptidão para fazer negociações e de trocar suas habilidades saturninas com outras pessoas.

Sua escolha profissional deve passar por atividades nas quais possa se tornar um especialista, buscando ou difundindo ensinamentos, conhecimentos, trocando informações, como fazem os jornalistas, repórteres, professores e educadores.

Pode passar também pelas áreas de marketing e comunicação, como publicidade, pensamento estratégico, planejamento de comunicação, assessoria de imprensa, *design*, ou ainda por áreas que lidem com documentos, contratos e papéis, como advocacia, auditoria, contabilidade, biblioteconomia e arquivologia.

Pode também exigir que você se envolva com comércio ou atividades que lidem com meios de transporte, trânsito ou deslocamento físico, como engenharia mecânica, de tráfego ou de transportes. Você poderá vir a trabalhar com irmãos ou colegas.

Tem muito potencial para negociações, intermediação de negócios, comércio, para conhecer as pessoas certas e colocá-las em contato, porque sabe muito bem o que elas têm a oferecer e quem pode se interessar por isso. Você sabe fazer conexões e aproveitar tudo e todos sem desperdícios.

Você ainda pode se dirigir para atividades nas quais utilize a palavra aplicada na prática ou na técnica, como fazem os autores de manuais de áreas técnicas ou guias, catálogos e dicionários. Conjugue as habilidades da casa 3 com as de Saturno e você descobrirá suas aptidões.

Saturno na casa 4

Na casa das origens, raízes e relações familiares, Saturno exigirá que você escolha atividades nas quais possa se sentir seguro e satisfeito. Profissionalmente, você busca segurança emocional e integração no trabalho.

Profissões que possa exercer em casa, com familiares ou nos negócios de família, ou que lhe permitam participar de um projeto desde o início podem estar entre suas opções para se sentir seguro.

Pode ser que você queira se especializar em assuntos ligados à casa, ao lar, a imóveis e propriedades, como arquitetura, construção, engenharia civil e administração imobiliária. Ou pode vir a optar pelas áreas ligadas a terra, natureza ou solos, como agronomia, pecuária, administração rural, engenharia agrícola, economia agrícola e geologia.

Outra área de escolha possível pode ser a assistencial, em que possa cuidar, proteger ou nutrir pessoas, principalmente idosos, como em medicina, assistência social, enfermaria, fisioterapia, nutrição ou, ainda, psicologia, já que pode ajudar muito as pessoas a se estruturar emocionalmente.

E, finalmente, você também pode ter de enfrentar desafios em assuntos que lidem com a imaginação ativa e criativa, cultura e tradições, como história, arqueologia, museologia e genealogia. Mas, em qualquer escolha profissional, você terá de conjugar suas qualidades e habilidades saturninas com as da casa 4 para obter satisfação pessoal, segurança e integração no trabalho.

Saturno na casa 5

A casa 5 é a casa da expressão natural da personalidade, da satisfação de ser quem é, dos talentos pessoais, artísticos, vocacionais e de criatividade. Saturno na casa 5 exigirá que você escolha atividades nas quais tenha de se expressar, ser autor, estar em evidência, sentir-se especial e o centro das atenções, reverenciado e reconhecido pelo que naturalmente é e pelo que naturalmente sabe fazer, características comuns aos profissionais de criação, por exemplo. Mas você terá de superar sua timidez, trabalhar emocionalmente sua autoestima e relativizar seu perfeccionismo para que a expressividade seja possível.

É também a casa do amor, da capacidade de amar, gerar filhos, criações e obras como se fossem uma extensão de você, assim como fazem o empreendedor ou o educador. Com Saturno nessa posição, você vai precisar demonstrar seus talentos e habilidades saturninos.

Você gosta de trabalhar e esse será seu maior divertimento. Ou pode ser que venha a se dedicar à área de entretenimento como administrador de parque de diversões ou de empreendimentos de lazer.

Você tem poder de comunicação, habilidade para planejamento, administração e marketing, características muito úteis no gerenciamento de negócios. Também conta com muita capacidade para enfrentar desafios, jogos e atividades corporais e esportivas, como os atletas, técnicos esportistas, treinadores e professores de educação física.

Pode trabalhar bem com quem ama ou com crianças, como professor, educador, orientador pedagógico ou vocacional, ou mesmo administrando e orientando creches e asilos. Mas terá de estar sempre no comando ou no centro das atividades. Atente à tendência ao perfeccionismo. Conjugue as habilidades da casa 5 com as de Saturno e você descobrirá suas aptidões.

Saturno na casa 6

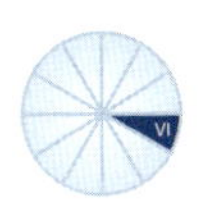

A casa 6 é importante para a área profissional, pois revela os assuntos de seu interesse, fala da rotina de trabalho que mais lhe agradará, da relação que você terá com colegas de trabalho, patrões ou empregados.

Saturno nessa posição exigirá que você escolha atividades profissionais nas quais possa se sentir ocupado, produtivo e seguro, ou atividades que demonstrem sua competência, capacidade, especialidade, como: técnico, administrador ou prestador de serviços de áreas essenciais, como correio, entrega de jornais, telefonia, energia elétrica e saneamento básico.

Como essa casa rege fluxos e ritmos, sejam físicos ou da natureza, pode direcionar suas escolhas para as áreas de biologia, ecologia, agropecuária, agronomia, alimentação, nutrição, dietas, ou pode sugerir atividades que envolvam rotina ou repetição, como prestação de serviços em geral.

Essa casa rege a saúde de pessoas e animais e você pode ser atraído por áreas de assistência a doentes e incapacitados, como fazem os médicos, veterinários, fisioterapeutas, assistentes sociais; ou por áreas de prestação de serviços em geral, como treinamento ou, ainda, recrutamento e seleção de recursos humanos.

Você precisa se sentir útil, ocupado e indispensável por suas qualidades e habilidades saturninas. Tem ainda grande capacidade de organização, implantação de métodos e sistemas, desenvolvimento técnico e especializado, aplicação de técnicas e mecânicas na prática, controle de qualidade, características necessárias nas áreas de informática, normatização e qualidade, engenharia da computação ou análise de sistemas.

Tem ainda grande interesse por atividades de escritório, secretaria executiva, artes e ofícios, comércio, técnicas em geral, aptidão para detalhes, recuperação de objetos, como automação de escritórios, restauração e carpintaria.

Saturno na casa 6 favorece o trabalho empreendedor, em posição de comando ou autoridade. Atente para sua superexigência e crítica em relação aos colegas ou empregados, que podem prejudicá-lo no ambiente profissional. Conjugue as inúmeras habilidades da casa 6 com as de Saturno e você descobrirá suas muitas aptidões.

Saturno na casa 7

Saturno na casa 7 exigirá que você busque profissões ligadas aos relacionamentos ou à justiça.

Você procurará atividades nas quais suas qualidades e habilidades saturninas possam ser direcionadas ao público, como fazem os consultores, assessores, representantes ou profissionais de aconselhamento como terapeutas em geral, que têm o dom de estruturar outras pessoas.

Como tem senso de justiça acima da média, pode se dirigir para advocacia, promotoria ou para profissões que lidem com a justiça de modo geral.

Saturno na casa 7 exigirá que se comprometa nos relacionamentos, buscando parcerias, associações, sociedades ou contratos com pessoas que complementem suas deficiências, pois nessa casa o maior aprendizado é o da cooperação.

Nessa posição, Saturno aponta para sua necessidade de comando, pois na casa 7 moram também o companheirismo, a solidariedade, a harmonia e o equilíbrio que as relações a dois devem proporcionar. Conjugue as habilidades da casa 7 com as de Saturno e você descobrirá suas aptidões.

Saturno na casa 8

Na casa 8, Saturno exigirá que você escolha atividades que lhe proporcionem poder, controle, segurança e/ou recompensa financeira.

Para tal, você utilizará suas capacidades saturninas conjugadas com a habilidade da casa 8 em lidar com recursos alheios, sejam eles físicos, materiais, econômicos, emocionais ou psicológicos, como é o caso dos advogados tributaristas, de heranças, pecúlios ou testamentos, profissionais de seguros, fiscais, auditores, por exemplo; ou dos que lidam com finanças, captação de recursos, especulação, *factoring*, *leasing* ou, ainda, com atividade comissionada, participativa, *franchising*, direitos autorais e *royalties*.

Sua escolha profissional tem de permitir que você demonstre sua competência e determinação para gerar poder – sua maior motivação. Seu poder está na habilidade que tem em lidar com a crise, a emergência, o desafio, o limite, gerando cura, reabilitação, regeneração e transformação, característica necessária em psiquiatria, química, farmacologia, fisioterapia, ortopedia, ortodontia, dermatologia, geriatria ou gerontologia, já que Saturno rege os ossos, os dentes e a pele, além das relações com pessoas idosas.

Tem interesse pelo desconhecido, pelo profundo, pela pesquisa, pelo ocultismo e pelo inconsciente, como os psicólogos, pesquisadores e investigadores. Também é talentoso para reformar, restaurar, reconstruir objetos, prédios, situações e psiques.

Você trabalha bem sozinho ou em grupo, mas terá sempre de estar no comando das situações ou em posição de destaque. Por isso, frequentemente terá de lidar com sua tendência ao autoritarismo.

É cauteloso, estratégico, misterioso, corajoso e se autoprotege ao máximo para salvaguardar suas vulnerabilidades. Deve estar atento à tendência a obsessividade, desconfiança, vingança, destrutividade, pessimismo, possessividade e cólera. Deve aprender a lidar com a vida de maneira mais relativa e menos absoluta.

Saturno na casa 9 | ♄

Na casa 9, Saturno exigirá que você busque atividades que ampliem seus horizontes de conhecimento e sua compreensão do significado da existência humana. Para tanto, conta com forte tendência intelectual, expressão verbal e visão de longo alcance e pode querer se tornar um especialista em assuntos filosóficos, sistemas de pensamento, códigos simbólicos, religiões, leis, ética e justiça, como é o caso de advogados, juízes, concursados públicos, cientistas, sacerdotes, filósofos e escritores. Você pode vir a se tornar um especialista em sua área e atuar como perito, consultor ou parecerista, por exemplo.

Poderá ter de desenvolver sua capacidade de divulgação e propagação de novas ideias, o que é necessário em publicidade e propaganda, marketing editoração e eventos culturais. Profissionalmente, terá de disseminar e aplicar seus conhecimentos teóricos em atividades dirigidas a educação, ensino acadêmico ou científico, carreira universitária ou estudos permanentes.

Sua profissão deverá, ainda, lhe proporcionar viagens, contato com lugares distantes, povos e culturas estrangeiras, como nas áreas de história, geografia, aeronáutica, marinha ou exército, turismo, exportação e importação, arqueologia e direito internacional.

E, em qualquer que seja a área escolhida, você utilizará suas qualidades e habilidades saturninas conjugadas com as da casa 9 para obter prestígio e satisfação intelectual.

Saturno na casa 10

Regida naturalmente por Saturno, a casa 10 é crucial para a área vocacional, pois é aí que se colhem os frutos profissionais de toda uma vida. Saturno na casa 10 exigirá uma busca de realização profissional, estabilidade, sucesso, prestígio, *status* e poder como meios de se sentir seguro e reconhecido.

É aí que o indivíduo vive o ápice da vida e atinge o mais alto grau de reconhecimento por sua competência em fazer algo melhor do que qualquer outra pessoa, tornando seu nome uma grife, emprestando prestígio e credibilidade aos locais em que atua profissionalmente. Saturno nessa posição exigirá a obtenção de resultados concretos aos quais estará focado.

Saturno na casa 10 exige popularidade e reconhecimento profissional e enfatizará sua busca de ser um especialista, uma autoridade no que faz, além de buscar posição de poder, destaque ou comando em instituições, empresas, áreas do governo, Estado ou universidades, como executivo ou político.

Com Saturno nessa posição, você almeja participar de elites, colher sucesso e reconhecimento da sociedade, utilizando suas habilidades e seus talentos saturninos. Para alcançar seus objetivos, aprendeu a lidar bem com limites e é paciente, persistente, realista, pragmático, preciso, determinado, disciplinado e perfeccionista.

Saturno nessa posição reforçará muito suas habilidades para planejamento, administração e finanças, como economista, planejador econômico, administrador de empresas, de grupos ou de instituições. Você pode ainda se voltar para áreas que exijam detalhe, precisão, perícia e qualidade, como em pesquisas e ciências, ou para profissões técnicas e de controle de qualidade e aperfeiçoamento, como nas engenharias em geral ou no desenvolvimento de empresas, mercados e produtos.

Pode vir a trabalhar em equipe, mas procurará sempre exercer comando, autoridade, proeminência. Lembre-se de que você sabe selecionar os melhores componentes para uma equipe e liderá-la com mãos de ferro, autoridade, eficiência e controle. Mas deve dominar sua ambição e permitir que os outros também se desenvolvam, o que o ajudará a obter o reconhecimento que procura e merece depois de tanto esforço, tempo e dedicação à carreira.

Saturno na casa 11

Saturno na casa 11 exigirá que você busque profissões nas quais possa ter participação efetiva na sociedade – profissional, política ou socialmente. Você ambiciona se sentir atuante, participar de atividades que tenham dimensão social, trabalhar em áreas públicas, empresariais ou técnicas, fazer diferença com sua participação.

Para isso, conta, além das habilidades saturninas, com visão de conjunto e de futuro, que, somada à intuição, lhe confere capacidade para ciências sociais, exatas ou matemáticas ou para antecipar tendências, sejam elas econômicas, políticas, científicas, tecnológicas ou de comportamento, características comuns em pesquisadores, planejadores, cientistas sociais, antropólogos, ambientalistas e meteorologistas.

Com essas qualidades você procurará atividades que produzam benefícios a grupos, minorias, empresas, cidades, governos e instituições, seja inventando, pesquisando, planejando e distribuindo tarefas, seja liderando equipes na projeção do futuro, como é o caso dos urbanistas, planejadores econômicos, administradores de serviços públicos, engenheiros elétricos ou eletrônicos de usinas, siderúrgicas e empresas estatais.

Você preferirá trabalhar como autônomo, consultor, assessor ou, ainda, como líder de grupos ou equipes. Conjugue as habilidades da casa 11 com as de Saturno e você descobrirá suas aptidões.

Saturno na casa 12

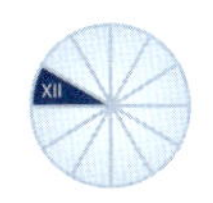

Saturno na casa 12 exigirá que você se dirija para atividades voltadas à busca de sua verdadeira vocação como forma de obter satisfação pessoal. Qualquer escolha profissional terá de fazer sentido para você e levar em consideração suas crenças e inspirações, conjugadas com suas qualidades e habilidades saturninas.

Para tanto, você conta com sensibilidade, percepção, imaginação ativa e criativa, além de capacidade de adaptação e ecletismo. Conta ainda com boa noção de proporção, equilíbrio e harmonia, além de senso de integração, visão de conjunto e poder de síntese, que podem ser aplicados para estruturar empreendimentos, construções ou obras que beneficiem comunidades ou sociedades inteiras.

Você tem tendência assistencial e poderá proteger, nutrir, ou cuidar de outras pessoas, como fazem os terapeutas, assistentes sociais, enfermeiros, fisioterapeutas ou ortopedistas, ortodontistas, dermatologistas, gerontologistas, já que Saturno rege os ossos, os dentes e a pele, além das relações com pessoas idosas.

Você ainda tem capacidades visionárias, percebendo para onde as massas se deslocam e antecipando tendências, características necessárias a buscas científicas, sociais e humanas ou à literatura. Pode vir a desenvolver atividades que exijam sigilo, discrição, isolamento ou silêncio, como as relacionadas à psicanálise ou as científicas, por exemplo.

Pode vir ainda a desenvolver uma atividade que leve em consideração a sociedade como um todo, que considere uma multiplicidade de assuntos que se interdependem ou, ainda, que relacione mundos paralelos, linguagens simbólicas, percepção e entendimento do macrocosmo comparado ao microcosmo, como nas áreas de comércio, saúde ou ciência, em que conexões só são feitas com conhecimento e sensibilidade.

Pode ser muito influenciado pelo ambiente de trabalho e precisar de isolamento para se refazer. Cuide de sua necessidade de relacionamentos, que pode conduzi-lo a abdicar-se de si mesmo ou ao excesso de devoção aos outros. Atente também para sua dificuldade em lidar com limites, pois sua realização profissional depende de persistência, determinação e tempo.

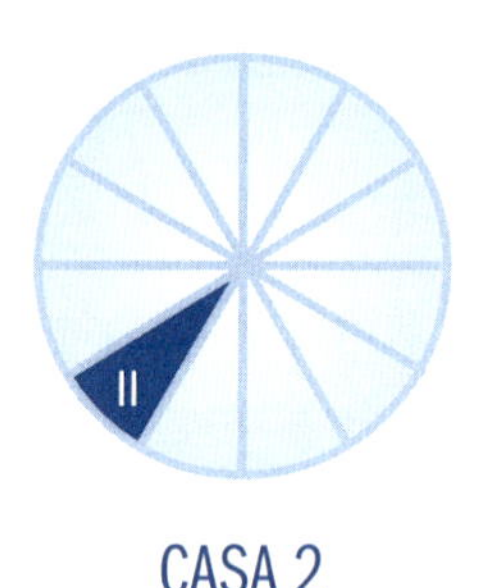

CASA 2

Produtividade, recursos e habilidades profissionais, resultados concretos

A casa 2 é muito importante para a área vocacional porque rege sua capacidade produtiva e revela os recursos, habilidades e ferramentas que você tem disponíveis para produzir, obter resultados concretos, ganhar dinheiro e se expandir materialmente, além de descrever como você lida com os mundos concreto e material.

Essa também é a casa em que se aprende a fazer as coisas acontecerem, a produzi-las, multiplicá-las, fazê-las crescer. Ou seja, é a casa dos meios de produção, dos processos produtivos, de como você lida com eles e o que significam para você. O ideal é atrair para si bens, pessoas, situações, objetos, benefícios e vantagens que você deseja, porque sabe utilizar os recursos disponíveis.

Esses recursos podem ser de natureza física, mental, intelectual, material, emocional, sensorial, técnica etc., dependendo do signo e/ou dos planetas que você tiver nessa casa. Portanto, é nela que você fará o inventário dos recursos com os quais conta para realizar sua busca de segurança material e resultados concretos.

Para que as exigências dessa casa sejam bem atendidas, sua escolha profissional deve passar por atividades em que possa acumular, somar ou agregar bens, posses e valores. Para tanto, você tem qualidades e habilidades do signo que estiver na cúspide, ou no começo dessa casa, somadas às habilidades da própria casa 2:

- lidar bem com finanças e números, característica necessária às atividades contábeis, financeiras ou econômicas, como é o caso dos bancários, banqueiros, caixas, economistas, aplicadores ou agentes de mercado financeiro, gerentes de banco ou de crédito, *controllers,* compradores de grandes empresas, só para citar alguns exemplos;
- a casa 2 também rege os assuntos ligados aos sentidos físicos, principalmente paladar e tato, importantes em profissões como nutricionista, engenheiro de alimentos, cozinheiro, vendedor ou dono de bufê, restaurante, loja de conveniência ou de bebidas finas, *gourmet* e, ainda, perfumistas, massagistas, ceramistas;
- como é a casa dos meios de produção, estão nela os profissionais envolvidos com processos de fabricação, industrialização, construção, produção ou fornecimento de produtos e seus processos produtivos, como os de todos os tipos de engenharias, automatização ou normatização e qualidade industrial etc.

Ou seja, você pode se desenvolver muito materialmente se conjugar as habilidades do signo que nessa casa estiver com os assuntos anteriormente citados, pois é nela que há mais ou menos potencial para cuidar, criar e multiplicar a matéria, o dinheiro, o concreto, a plástica, a forma e para atrair para si benefícios e desenvolvimento.

Casa 2 em ÁRIES  

Veja a posição do planeta regente, MARTE 

Áries é um signo de fogo que indica que você agirá no mundo em busca de sua identidade, autoafirmação e liberdade de ação. Para tanto, você conta com muita criatividade, independência e autonomia.

Tem muita iniciativa, coragem, capacidade de liderança, competitividade, aptidão executiva e empreendedora, além de muito poder de decisão para se lançar e atuar profissionalmente. Pode trabalhar bem sozinho ou em qualquer atividade que exerça comando ou autonomia, como profissional liberal, com empreendimentos ou produção nas áreas de alimentos, têxtil, naval ou ambiental.

Como Áries conta com muita energia física, você pode vir a se dar muito bem em atividades ligadas ao esporte, à expressão corporal ou ao ar livre, como atleta, treinador, dançarino, bailarino clássico ou praticante de artes marciais, e ainda na ecologia e no meio ambiente.

Tem habilidades e interesse por mecânica e motores em geral, além de atração por atividades que utilizem ferramentas, armas ou instrumentos de corte, incisão, precisão, como os médicos cirurgiões ou os cirurgiões dentistas, engenheiros mecânicos e mecatrônicos ou industriais, além dos policiais ou mecânicos de precisão e até mesmo os profissionais de artes e ofícios. Você gosta de correr riscos, enfrentar desafios e perigos e pode se sentir muito estimulado em ter de cumprir metas em curto prazo.

Com Áries na casa 2, você tem muita criatividade, capacidade de ação e iniciativa para produzir e obter resultados concretos. Você se sentirá motivado a ganhar dinheiro, mas deve estar atento à impulsividade, que pode fazê-lo ganhar dinheiro rapidamente, mas também gastá-lo tão rápido quanto ganhou.

Você também é muito criativo, inventivo e gosta de fazer as coisas do seu jeito, de forma independente ou autônoma. Conjugue as habilidades da casa 2 com as qualidades de Áries e você obterá os resultados que deseja. Leia sobre o regente Marte, que lhe dará mais algumas dicas.

Casa 2 em TOURO

Veja a posição do planeta regente, VÊNUS

Touro é o signo das posses e dos valores, natural morador da casa 2, o que reforça as habilidades dessa casa e os assuntos aos quais ela se refere. Por isso, você se identificará com profissões que remunerem bem, atendam às suas necessidades materiais e práticas e ofereçam estabilidade, segurança material e realização. Sua profissão terá de lhe oferecer resultados concretos. E você tem tudo para que isso se concretize, porque tem disposição, ideias, é realista e sabe fazer as coisas acontecerem.

Para isso, você conta com bom senso para lidar com valores, com acentuada capacidade produtiva e com talento estético incomum. Você visa a qualidade de vida, conforto, beleza e prazeres sensoriais, como morar bem, ter boa aparência e rica alimentação, além de priorizar a qualidade em tudo que faz.

Seus interesses podem estar voltados a profissões que lidem com valores e finanças, como as profissões já citadas anteriormente, com a terra e a natureza, como agronomia, agropecuária, administração rural, veterinária, zootecnia, ou com a estética e as artes, como perfumaria, beleza e cosmética, massagem, joias, artes e ofícios, ou mesmo desenho industrial.

Você é muito talentoso para lidar com a matéria, o dinheiro, a terra, os alimentos, a plástica, a arte, o concreto, a beleza, principalmente se esses elementos envolverem os sentidos físicos, como arquitetura, indústria alimentícia, bufê e restaurante, doceria, loja de conveniência, além de engenharias em geral, processos de produção, fabricação e fornecimento em geral – que com Touro na casa 2 ficam reforçados.

Pode trabalhar sozinho ou em grupo, ou até preferir a segurança de estar empregado. Com Touro na casa 2, você pode estar certo de que conseguirá os resultados concretos que tanto almeja. Leia sobre o regente Vênus, que lhe dará mais algumas dicas.

Casa 2 em GÊMEOS

Veja a posição do planeta regente, MERCÚRIO

Gêmeos é o grande mensageiro do zodíaco. Para cumprir tal função e produzir os resultados concretos almejados pela casa 2, você conta com todas as habilidades necessárias: capacidade para adquirir, transmitir e trocar informações, conhecimento, produtos ou objetos.

Você é inteligente, tem o poder da fala e da comunicação, de conhecer pessoas certas e colocá-las em contato, além da capacidade de negociação e de muita habilidade com a palavra, com a voz e com as mãos, qualidades necessárias a cantores, locutores, escritores, redatores publicitários, massagistas, atividades de marketing e comunicação, representação ou vendas.

Sua mente é muito prática, ativa, ágil, eficiente, adaptável, versátil e curiosa, além de rápida com os números, característica excelente para as áreas de economia, finanças, custos, orçamentos, auditoria, contabilidade e comércio.

Precisa trabalhar com outras pessoas, pois a troca de informações ou produtos e a comunicação têm de estar sendo praticadas com frequência, como no comércio ou nos meios de comunicação, nas relações públicas, na assessoria de imprensa, no ensino ou no jornalismo.

Pode ainda vir a escolher profissões ligadas a papéis, livros, contratos e documentos como biblioteconomista, advogado, gráfico, escritor. Tem também muita habilidade manual, o que pode encaminhá-lo para áreas como escultura, cerâmica e artes plásticas.

Precisa estar física e mentalmente ativo, em movimento físico ou mental, conviver com diversidade de assuntos e espaços e se movimentar no trabalho, como acontece no comércio. Pode desenvolver mais de uma atividade ao mesmo tempo e/ou atividade paralela para complementar sua renda. Tem muita energia, mas pode gastá-la falando, andando, pensando ou dirigindo.

Aprenda a lidar com sua tendência à inconstância, superficialidade, volubilidade e indecisão. Conjugue as habilidades da casa 2 com as de Gêmeos e você obterá os resultados que deseja. Leia sobre o regente Mercúrio, que lhe dará mais algumas dicas.

Casa 2 em CÂNCER

Veja a posição do planeta regente, LUA

Câncer é um signo de água, dotado de grande sensibilidade tanto para captar as próprias percepções internas quanto as das circunstâncias e pessoas à sua volta. Para sentir-se seguro e integrado, precisa se identificar com a atividade, o local de trabalho e as pessoas ao redor. E, por ser muito ligado ao passado e às origens, pode tocar bens ou negócios herdados.

Você valoriza pessoas e sentimentos, por isso evite trabalhar com ciências exatas ou tudo que implique precisão, já que para você matéria é um assunto subjetivo.

Você tem forte instinto assistencial para cuidar ou proteger pessoas, principalmente mulheres e crianças, como necessário em medicina, ginecologia, pediatria, enfermagem, fisioterapia, RPG ou assistência social.

Seus interesses e habilidades passam também por profissões que nutram as pessoas, como nutricionismo, comércio de alimentos, bebidas e doces, ou que cuidem da casa, dos objetos do lar, das propriedades ou da família, como arquitetura, construção, decoração, paisagismo, movelaria, hotelaria e administração imobiliária.

Tem muita criatividade, imaginação ativa e criativa, além de memória, para atividades como poesia, literatura, letras de música e criação de novelas, ou mesmo bom senso de conservação, adaptabilidade e capacidade de integração, que podem ser aplicados em restauração e antiquários. Tem ainda interesse por profissões que investiguem o passado, as tradições e culturas, como historiadores, arqueólogos, genealogistas, ou que desenvolvam intimidade, como psicólogos, massagistas e terapeutas em geral.

Com Câncer nessa posição, cuide para não misturar a vida prática à pessoal ou emocional para que não prejudique seu lado profissional. Conjugue as habilidades da casa 2 com as de Câncer e você obterá os resultados que deseja. Leia sobre a regente Lua, que lhe dará mais algumas dicas.

Casa 2 em LEÃO

Veja a posição do planeta regente, SOL

Leão é um signo de fogo que, por ser regido pelo Sol, reforça sua capacidade expressiva, sua espontaneidade e autoestima. Portanto, ser quem você é, ser autor, sentir-se especial, doar seu coração ao mundo e receber aplausos são suas grandes realizações.

Com Leão na casa 2, você tem expectativas de ser bem remunerado. Por isso deve colocar seu coração e muito entusiasmo nas atividades profissionais às quais se dedicar, para que seu esforço seja bem recompensado.

Você conta com criatividade, teatralidade e talento artístico acentuados para aplicar em todo tipo de arte, espetáculos, música, dança, teatro e cinema.

Leão tem muita autonomia, independência, exuberância, popularidade e magnetismo, o que lhe possibilita ser o centro das atenções ou o ator principal em qualquer atividade. Tem capacidade de liderança, comando de equipes e gerenciamento de negócios, características necessárias às pessoas de marketing, aos produtores, empreendedores, proprietários, administradores ou diretores de empresas e agências de propaganda.

Pode trabalhar bem com quem ama ou com crianças em atividades ligadas a entretenimento, educação e lazer, como professor, diretor de escola ou orientador pedagógico, diretor de parque de diversão ou aquático, produtor de eventos, teatro ou cinema, ou até mesmo em medicina, nas especialidades de pediatria, ginecologia e obstetrícia, oftalmologia ou ortopedia, já que Leão também rege a coluna vertebral, o coração e a visão.

Tem grande poder de comunicação e aprecia desafios, improvisos, riscos, especulação, jogos e esportes.

Você deverá sempre estar no centro das atividades que desenvolver, pois precisa de audiência e aplausos constantes. Mas deve atentar para sua tendência à centralização excessiva. Conjugue as habilidades da casa 2 com as de Leão e você obterá os resultados que deseja. Leia sobre o regente Sol, que lhe dará mais algumas dicas.

Casa 2 em VIRGEM

Veja a posição do planeta regente, MERCÚRIO

Virgem é um signo de terra totalmente voltado ao trabalho, o que na casa 2 é muito bom. Uma de suas maiores motivações é servir aos outros: patrão, fregueses, clientes, alunos, pacientes, grupos ou empresas, para quem você espera atuar assistindo, aconselhando, atendendo, secretariando, tornando-se confiável. Seu equilíbrio e autoestima giram em torno da ocupação que tiver e da necessidade de se sentir útil, indispensável por suas habilidades, que são muitas. A começar por sua inteligência, que é muito prática, eficiente, versátil, curiosa e rápida com os números, excelente para as áreas de economia, finanças, custos, orçamentos, auditoria, contabilidade e comércio.

Você pode se sentir atraído por todo tipo de desenvolvimento ou assistência à saúde, seja de pessoas, seja de animais doentes e incapacitados, como médico, veterinário, terapeuta, biomédico, enfermeiro, fisioterapeuta ou reabilitador.

Tem também muito interesse por terra, natureza, nutrição e higiene, como necessário aos profissionais de agronomia e pecuária, biologia, ecologia, naturologia ou aos nutricionistas, dietistas e sanitaristas.

Um de seus grandes atributos é possuir uma mente privilegiada, analítica, atenta aos detalhes e com muita capacidade de organização, de estabelecimento de métodos, de análise de sistemas, de desenvolvimento técnico e especializado, aplicação de técnicas na prática, características necessárias nas engenharias em geral, na matemática, na física, na química ou em quaisquer atividades ligadas à informática.

Você é criativo, tem muita habilidade e destreza com as mãos e demonstra interesse pelas práticas de escritório, secretaria executiva, artes e ofícios, técnicas em geral, bem como pela recuperação de objetos.

Com Virgem na casa 2, sua capacidade de trabalho fica muito potencializada. Atente apenas ao perfeccionismo, à crítica e à autocrítica excessivos. Conjugue as habilidades da casa 2 com as de Virgem e você obterá os resultados que deseja. Leia sobre o regente Mercúrio, que lhe dará mais algumas dicas.

Casa 2 em LIBRA

Veja a posição do planeta regente, VÊNUS

Libra é o signo de ar mais dado aos relacionamentos e à comunicação, além de ser muito focado na busca de sua identidade por meio das relações com os outros, da arte, ou ainda por meio da justiça e dos direitos humanos.

Você pode escolher o caminho das artes porque tem interesse e talento estético incomum, além de equilíbrio de cores, ritmos e formas para aplicar em profissões como artista plástico, escultor, bailarino, *designer*, artesão, comerciante de arte ou dono de galeria, *marchand* ou leiloeiro.

Pode também escolher o caminho dos relacionamentos, das relações públicas, da diplomacia, já que funciona muito melhor em parceria, sendo sua grande motivação a busca de companhia e complementaridade nas atividades em geral. Por isso, tem forte aptidão para lidar com o público ou para conhecer, cuidar, atender, entender ou representar o outro, como é necessário nas profissões de aconselhamento, nas terapias e assessorias em geral, além de representação e vendas.

Tem senso de justiça e de direitos humanos acima da média, como simboliza a própria balança, o que favorece profissões como a advocacia, a procuradoria, a promotoria ou as ligadas ao Poder Judiciário.

Você busca harmonia e equilíbrio em tudo, aprecia o conforto e precisa viver cercado de beleza. Por isso não economiza na área material, visando sempre à qualidade, mas busca proporção entre os ganhos e as despesas. Por isso pode se dedicar às áreas específicas da casa 2, que lidam com números, finanças, produção, técnicas ou mesmo informática.

Gosta de movimento, *glamour*, lugares públicos e atraentes, o que pode aplicar em atividades como organizador de eventos especiais, *promoter* ou decorador de festas, cerimoniais, casamentos, desfiles de moda, exposições, *vernissages*.

Tem muito charme, capacidade de sedução, amabilidade, boa aparência e refinamento naturais para ser ou treinar modelos, ser maquiador, coreógrafo. Cuidado com a indecisão e a tendência a não querer se comprometer. Conjugue as habilidades da casa 2 com as de Libra e você obterá os resultados que deseja. Leia sobre o regente Vênus, que lhe dará mais algumas dicas.

Casa 2 em ESCORPIÃO

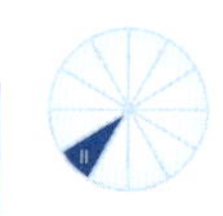

Veja a posição do planeta regente, PLUTÃO

Escorpião é um signo de água orientado para aquisição de poder, segurança e recompensa financeira, atributos que podem ser conquistados por meio de sua habilidade em lidar com recursos alheios, sejam eles físicos, materiais, econômicos, sejam intelectuais, emocionais e políticos, como é o caso dos advogados, tributaristas e psicoterapeutas.

Tem também habilidades para as atividades financeiras, econômicas, atuariais, de captação de recursos, especulação e mercado de capitais.

Mostra muita aptidão para todas as áreas humanas, profundas, que envolvam o inconsciente, o desconhecido, como psicologia, profissões de aconselhamento, pesquisa, investigação, ciências metafísicas ou ocultismo.

Você é muito determinado e audacioso para lidar com a matéria e sua grande motivação é o acúmulo de poder, pois sabe lidar com esparsos recursos e transformá-los, reciclá-los, regenerá-los, reformá-los, recuperá-los, como necessário em várias especialidades da medicina, psiquiatria, farmácia, química, ou mesmo em empresas de captação ou transformação de matérias-primas em energia, produtos, arte ou objetos.

Você pode trabalhar bem sozinho, em parceria ou em grupo, mas nessa área prefere posições de comando. É cauteloso, estratégico e misterioso. Conjugue as habilidades da casa 2 com as de Escorpião e você obterá os resultados que deseja. Leia sobre o regente Plutão, que lhe dará mais algumas dicas.

Casa 2 em SAGITÁRIO

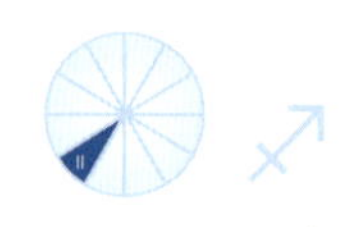

Veja a posição do planeta regente, JÚPITER

Sagitário é um signo de fogo que busca ampliar seus horizontes para compreender a natureza humana e o significado da vida. Para tanto, tem forte capacidade intelectual, expressão verbal e visão de longo alcance para lidar e produzir recursos com assuntos filosóficos, sistemas de pensamento, códigos simbólicos, religiões, leis, ética e justiça, como necessário aos advogados, juízes, cientistas, sacerdotes e filósofos.

Você tem talento para divulgação, comunicação e propagação de novas ideias, característica indispensável às áreas de publicidade e propaganda, marketing e editoração. Sua escolha profissional deve abranger a disseminação e aplicação de seu conhecimento em atividades das áreas de educação, ensino superior, medicina, política ou que requeiram estudo permanente.

Pode ser ainda que você opte por atividades que envolvam práticas esportivas, atletismo, educação física ou viagens, contato com lugares distantes, povos e culturas estrangeiras, como aviação, turismo, comércio exterior, arqueologia ou geografia. Ou talvez opte por aventuras, riscos, especulação, mercado financeiro ou mercado de ações.

Você precisa de expansão, fama, prestígio e satisfação intelectual. Precisa tomar decisões, ser independente e agir com liberdade no trabalho. Mas deve estar atento à mania de grandeza, pois em matéria de dinheiro você quer muito e deve aprender a reciclar, reformar, reaproveitar, recuperar materiais e recursos. Conjugue as habilidades da casa 2 com as de Sagitário e você obterá os resultados que deseja. Leia sobre o regente Júpiter, que lhe dará mais algumas dicas.

Casa 2 em CAPRICÓRNIO

Veja a posição do planeta regente, SATURNO

Capricórnio é um signo de terra cuja expressão da carreira é fundamental, assim como ser adulto e responsável, participar do mundo e da sociedade, ter sucesso e ser reconhecido por seu esforço e trabalho.

Por tudo isso, Capricórnio nessa posição é garantia de que seus objetivos serão alcançados, pois você é motivado pela necessidade de ter resultados concretos e recompensas materiais, assim como a casa 2, além de buscar *status* e realização.

Você é focado e preocupado com o futuro, quando não puder mais trabalhar e tiver de desfrutar do que construiu. E acredita que o mundo só vai respeitá-lo por sua competência e especialidade profissionais. Para atingir suas metas materiais, deve aprender a lidar com o tempo e com os limites concretos, ser paciente, persistente, realista, pragmático, concentrado, preciso, determinado e disciplinado. Você sonha alto e deve aprender que coisas grandiosas acontecem com o tempo e que é preciso paciência, investimento de tempo, recursos e energia, administração desses recursos e aperfeiçoamento para obter o que deseja.

Tem recursos pessoais para profissões nas quais possa expressar suas habilidades técnicas, como medicina, cirurgia ou odontologia, ou suas habilidades financeiras e econômicas, como nas profissões já citadas na casa 2 ou nas de planejamento e administração de pessoas, grupos e empresas privadas ou do governo.

Também pode optar por profissões que envolvam pesquisa, ciência, técnica, qualidade e aperfeiçoamento, como desenvolvimento de produtos, pesquisas acadêmicas, científicas e de mercado, ou ainda planejamento e marketing de produtos, instrumentos e serviços.

Pode ainda se interessar por atividades que lidem com a terra e a natureza, como agronomia, agropecuária, administração rural, veterinária e zootecnia.

Trabalha bem sozinho ou em equipe, mas precisa exercer autoridade ou ocupar cargo de comando, chefia, proeminência, *status* ou posição social. Sabe escolher os melhores componentes para uma equipe e liderá-la com autoridade e controle.

Com Capricórnio na casa 2, sua capacidade produtiva e de concretização ficará mais potencializada ao longo do tempo. Conjugue as habilidades da casa 2 com as de Capricórnio e você obterá os resultados que deseja. Leia sobre o regente Saturno, que lhe dará mais algumas dicas.

Casa 2 em AQUÁRIO

Veja a posição do planeta regente, URANO

Aquário é um signo de ar que enfatiza a capacidade intelectual, a sociabilidade e os relacionamentos em grupo. Para tal, tem superioridade intelectual, muita criatividade e intuição para estudo, aplicação e pesquisa de ciências sociais, econômicas ou políticas, como sociologia, antropologia e economia.

Tem facilidade em adquirir *know-how* técnico e em desenvolver um sistema de pensamento, teoria ou especialização, como é necessário em áreas como matemática, estatística, engenharia elétrica e eletrônica, ciência e tecnologia, telecomunicações e computação.

Por ser intuitivo, é voltado para o futuro, o que lhe dá grande capacidade de planejamento, desenvolvimento, modernização e inovação de processos, antecipação de tendências e tecnologias, como necessário para comunicação, globalização e ecologia.

Na casa 2, Aquário é brilhante porque tem muita inteligência para lidar com a matéria. Mesmo que não disponha dos recursos necessários, ele cria meios alternativos de produzir o que deseja, soluções inteligentes, minimalistas, renovadoras, promovendo independência e autossuficiência material. Por isso, todas as áreas da casa 2 estão favorecidas pela presença desse signo.

Pode buscar profissões pelas quais se diferencie, ocupações fora do comum, sem cartão de ponto, com horários não usuais, ou, ainda, muito criativas, como é o caso da astrofísica, da engenharia aeroespacial, das ciências aeronáuticas, da meteorologia, das mídias alternativas, da era digital.

É bom nas relações humanas, o que o habilita a lidar com recursos humanos, treinamentos, liderança de equipes. No entanto, prefere sentir independência, autonomia e liberdade, prestando assessoria e consultoria, ou sendo representante de grupos, instituições ou empresas.

Conjugue as habilidades da casa 2 com as de Aquário e você obterá os resultados que deseja. Leia sobre o regente Urano, que lhe dará mais algumas dicas.

Casa 2 em PEIXES

Veja a posição do planeta regente, NETUNO

De todos os signos de água, Peixes é o mais sensível e perceptivo. E é justamente aí que residem sua força e diferenciação: na capacidade de captar as energias externas em sua totalidade e adequá-las às mais diversas leituras: intelectual, emocional, sensorial, artística, psíquica ou acadêmica.

Além disso, é muito motivado pelas crenças e inspirações e qualquer profissão que escolha tem de satisfazê-lo intimamente e fazer sentido. Mas, com relação a questões materiais, deve escolher profissões ligadas às áreas sociais e humanas, pois a matéria e seus limites concretos são muito subjetivos para você.

Pode ser que você venha a escolher ciências exatas, como matemática, ou engenharias elétrica e eletrônica, ou estatística, mas futuramente terá de perseguir uma carreira acadêmica ou, ainda, pública, para que possa obter os recursos necessários à vida cotidiana.

Você valoriza pessoas e relações e, com seu forte instinto assistencial, pode proteger, nutrir e cuidar de outras pessoas, como os médicos, enfermeiros, terapeutas, naturologistas ou mesmo nutricionistas e dietistas, donos de restaurante, bufê ou loja de conveniência.

Você tem tendências visionárias, habilidades psíquicas, visão de conjunto e leitura do inconsciente coletivo. Por isso, pode antecipar tendências em profissões relacionadas a moda, *design* e estilo, ciências metafísicas ou ciências ocultas, simbologia e semiologia.

Pode conjugar fatores de modo muito criativo e inventar atividades que beneficiem muitos, se interdependam ou, ainda, relacionem mundos paralelos, linguagens simbólicas, percepção do macrocosmo em relação ao microcosmo, como homeopatia, terapia floral, comércio ou produção de produtos e medicamentos alternativos, ecologia, meio ambiente, biologia marinha, oceanografia.

Tem senso estético, talento artístico, noção de proporção, imagem, memória visual, ritmo e harmonia, atributos que, juntamente com as habilidades sensoriais da casa 2, podem ser aplicados em cinema, música, fotografia, dança, iluminação ou, ainda, em produção, cenografia, coreografia de espetáculos e eventos.

Quando conjuga seus sonhos com esforço e competência, pode realizar o que quiser. Cuide para não trocar de atividade com frequência, para não se envolver em muitos assuntos ao mesmo tempo e não desenvolver nenhum. Conjugue as habilidades da casa 2 com as de Peixes e você obterá os resultados que deseja. Leia sobre o regente Netuno, que lhe dará mais algumas dicas.

CASA 5

Expressão natural, satisfação pessoal, talentos, criatividade, vocação

A casa 5 é muito significativa para a área vocacional porque rege sua capacidade de expressar talentos, dons e aptidões da maneira mais natural possível. É considerada a casa da vocação, pois é nessa área de experiência da vida que você demonstra ser quem é sem qualquer dificuldade, treinamento ou elaboração.

Nessa área podemos aferir seu grau de criatividade, sua capacidade de ser autor de si mesmo, de comandar e liderar a própria vida. Essa casa revela suas potencialidades a serem desenvolvidas, sua capacidade de ser especial, seu carisma e magnetismo para atrair atenções. Aqui, você pode ocupar o palco da vida, dar seu *show*, demonstrar sua especialidade, abrir seu coração e ainda ter direito a aplausos. Essa casa é fundamental para quem tem dotes artísticos ou criativos, independentemente da área: artes plásticas, cinema, teatro, música, poesia, literatura, fotografia, cenografia e outras.

A casa 5 é também a casa do amor, da paixão e da atratividade natural que você exerce no sexo oposto. É a casa dos filhos, obras e criações, que, ao virem ao mundo, revelam sua natureza, seu coração e sua capacidade de dar à luz a vida que jorra de você. Essa casa é a área em que se geram filhos e frutos, porque eles são uma extensão de você, resultado de um ato de amor e de um desejo seu. Por isso, seus filhos, obras e criações demonstram quem você é.

É nessa área também que você mostra seu grau de interesse e envolvimento com lazer, esportes, *hobbies*, entretenimento, jogos e especulação. Essa é a casa da eterna juventude, da criança que mora em você e de como você se diverte. Nela também podemos perceber de que maneira você estabelece relação com jovens e crianças, pois essa é a casa da educação.

O signo que estiver na cúspide dessa casa demonstra como você se relaciona com essa área da vida. Conjugue as qualidades do signo que aí está com as habilidades da casa 5 e descubra suas tendências vocacionais. Se você se dedicar a essa área de experiência da vida criando, brincando e se expressando vida afora, perpetuará alegria, juventude e satisfação de ser quem é.

Resumo das tendências vocacionais da casa:

- expressão natural, talentos, aptidões, arte e criatividade;
- amor, prazer, filhos, criações e obras;
- educação e relação com jovens e crianças;
- comando e liderança natural;
- lazer, entretenimento, *hobbies*, jogos, esportes e especulação.

Casa 5 em ÁRIES ♈

Veja a posição do planeta regente, MARTE ♂

Áries sempre age em busca de identidade, autoafirmação e liberdade de ação. Para que atinja seus objetivos, você é dotado de muita criatividade, independência, autonomia e vontade de se diferenciar.

Tem iniciativa, coragem, capacidade de liderança, competitividade, aptidão executiva e empreendedora, além de muito poder de decisão, para lutar pelo que quer e atuar profissionalmente. Pode trabalhar bem sozinho ou em qualquer atividade que exerça comando ou autonomia, característica necessária aos líderes empresariais, administradores, gestores, profissionais liberais, criativos, empreendedores, pioneiros, produtores independentes, formadores de tendências, inovadores e inventores em várias áreas da expressão humana.

Por ser um signo de fogo, Áries pode se ligar em preservar e defender a vida, como é o caso dos médicos, administradores de instituições médicas e hospitalares, laboratórios de análise, profissionais da área de segurança e militares.

Como você tem muita energia física, pode se dar muito bem em atividades ligadas a esporte, expressão corporal ou realizadas ao ar livre, como atleta, corredor e recordista, engenheiro ambiental ou florestal. Também pode dedicar essa energia à educação física de jovens e crianças, ao treinamento e condicionamento físico de pequenos atletas, a empresariar ou fazer marketing esportivo para esportistas em geral.

Você tem grande habilidade e interesse por mecânica e motores em geral, como é necessário nas engenharias mecânica, metalúrgica, industrial, automobilística, de produção, de energia e de transportes. Sente atração também por atividades que utilizem ferramentas, armas ou instrumentos de corte, incisão e precisão, como é o caso dos cirurgiões, dos dentistas, dos mecânicos, do policial ou do profissional de esgrima.

Você gosta de correr riscos, enfrentar desafios e perigos e pode se sentir muito estimulado em cumprir metas em curto prazo, como é o caso de pilotos de automóvel, desbravadores e alpinistas.

Resumo das tendências vocacionais do signo:

- exercer comando, liderança ou ser o número um;
- realizar atividades ligadas ao esporte praticado ao ar livre ou que envolvam movimentos físicos e expressão corporal;
- exercer atividades que envolvam o uso de armas, ferramentas, instrumentos de corte ou precisão;
- desempenhar tarefas que envolvam riscos ou desafios;
- exercer atividades que necessitem de criatividade, inventividade e diferenciação.

Casa 5 em TOURO

Veja a posição do planeta regente, VÊNUS

Touro é o signo das posses e dos valores. Por isso, você se identificará com profissões que propiciem boa remuneração, atendam às suas necessidades materiais e ofereçam estabilidade, segurança e realização. Sua profissão terá de lhe oferecer resultados concretos.

Para isso, você conta com bom senso para lidar com valores, finanças e números, como é o caso dos engenheiros em geral, dos matemáticos, estatísticos, bancários, banqueiros, *controllers*, economistas, contabilistas, empresários, aplicadores ou agentes de mercado financeiro.

Touro é também o signo dos prazeres, das sensações, dotado de senso estético incomum. Visa à qualidade de vida, ao conforto, à beleza e aos prazeres sensoriais, como morar bem, ter boa aparência e rica alimentação. Seus interesses podem estar voltados a profissões que lidem com a natureza, com a estética e com as artes.

Você é talentoso para lidar com a matéria, a terra, os alimentos, a plástica, a arte, o concreto e a beleza, como é o caso dos agrônomos, pecuaristas, engenheiros, arquitetos, gastrônomos, *restaurateurs*, ecologistas, escultores, ceramistas, massagistas, ourives, joalheiros, estilistas, artesãos, esteticistas e cosmetologistas.

Prefere não enfrentar desafios e precisa equilibrar certa tendência à inércia e à acomodação. Pode trabalhar sozinho ou em grupo, mas privilegia a segurança de estar empregado e de contar com um salário certo no final do mês.

Resumo das tendências vocacionais do signo:

- exercer atividades que lidem com valores, finanças ou números;
- praticar atividades que lidem com artes e ofícios;
- exercer atividades que lidem com a terra, a natureza, os alimentos ou o concreto;
- realizar atividades que lidem com os sentidos físicos, principalmente paladar e tato;
- exercer atividades que lidem com estética ou beleza;
- desempenhar tarefas que lidem com necessidades práticas e com a realidade.

Casa 5 em GÊMEOS

Veja a posição do planeta regente, MERCÚRIO

Gêmeos é o signo da comunicação e do conhecimento. É considerado o mensageiro do zodíaco. Com esse signo na casa 5, você conta com habilidades para adquirir, transmitir e trocar informações e conhecimento, características necessárias aos professores, educadores, orientadores pedagógicos, jornalistas, editores, escritores, redatores e publicitários.

Tem o poder da fala e da comunicação, de conhecer pessoas e colocá-las em contato, o que lhe dá especial capacidade de negociação, articulação, intermediação de situações e negócios, como é o caso das pessoas de marketing, mídia, rádio e TV, relações públicas, assessoria de imprensa e comunicação, tradutores e intérpretes, linguistas, semiólogos, lobistas, articulistas, comerciantes e profissionais de vendas.

Você possui habilidade com a voz e com as mãos, necessária ao advogado, cantor, locutor, massagista, desenhista, *designer*, ator, profissional de circo, malabarista. É muito ativo, ágil, rápido, eficiente, adaptável, versátil e curioso.

Necessita de movimento físico e/ou mental e precisa conviver com diversidade de assuntos e espaços. Pode desenvolver mais de uma atividade ao mesmo tempo e/ou funções paralelas para complementar sua renda.

Você tem muita energia, mas, como é muito dispersivo, inconstante, volúvel e indeciso, pode vir a desperdiçá-la falando, andando, pensando ou dirigindo sem rumo nem objetividade.

Resumo das tendências vocacionais do signo:

- exercer atividades que envolvam uso, acúmulo, transmissão ou distribuição de informações;
- praticar atividades que lidem com a palavra, a comunicação ou a linguagem;
- exercer funções que lidem com documentos, contratos e papéis;
- realizar atividades que necessitem de deslocamento físico ou meios de transporte;
- desempenhar tarefas que utilizem a voz ou as mãos;
- exercer atividades comerciais.

Casa 5 em CÂNCER ♋

Veja a posição do planeta regente, LUA ☾

Câncer é o signo que representa a água da vida, onde tudo nasce. É dotado de grande sensibilidade tanto para captar suas percepções internas quanto as das circunstâncias e pessoas à sua volta. Isso lhe dá grande fertilidade e capacidade de criar, gerar novas sementes e gestar novos frutos. Por isso, esse signo está sempre ligado aos artistas, que precisam de um universo interno bem rico e fecundo, de onde suas ideias, palavras, formas ou imagens criativas possam brotar. Entre eles estão os escritores, poetas, artistas plásticos, cineastas, músicos, fotógrafos, atores e autores teatrais.

Precisa sentir-se seguro, protegido e integrado e deve se identificar com a atividade, o local de trabalho e as pessoas ao redor para obter o conforto emocional de que necessita. Por ser muito ligado ao lar, ao passado e às origens, tende a escolher uma profissão que possa praticar em casa, a sofrer influência da família na escolha profissional, a trabalhar em negócios da família ou ainda a seguir a carreira dos pais, como fazem os herdeiros, por exemplo.

Você tem forte instinto assistencial para cuidar de pessoas ou protegê-las, principalmente mulheres e crianças, característica necessária em áreas da medicina, como pediatria, ginecologia e obstetrícia, endocrinologia, nutrologia e mastologia ou, ainda, em educação, pedagogia, enfermagem, nutricionismo, gastronomia, serviço social ou comunicação assistiva.

Conta com muita criatividade, imaginação e memória, além de bom senso de conservação, adaptabilidade e capacidade de integração, características necessárias às áreas de ciências sociais, história, geografia, restauração, moda e estilismo, bem como de criação de novelas.

Seus interesses passam também por profissões que cuidem dos objetos, da casa ou da família, como decoração de interiores, arquitetura, movelaria, *design*, negócios imobiliários, ou que lidem com temas infantis, como brinquedos, diversões ou literatura infantil.

Pode se sentir estimulado também por profissões que desenvolvam intimidade, como psicologia, ou que investiguem ou conservem o passado e as origens, como é o caso da arqueologia, da museologia, da genealogia e das pessoas que lidam com antiguidades, conservação e restauro.

Esteja sempre atento para que sua área doméstica, familiar, íntima ou emocional não invada nem prejudique a vida profissional.

Resumo das tendências vocacionais do signo:

- exercer atividades que seguem os passos ou negócios da família;
- exercer tarefas ligadas ao lar, à casa, à construção e aos imóveis;
- praticar atividades ligadas a nutrição, alimentos ou água;
- exercer profissões ligadas a crianças e mulheres;
- realizar atividades que utilizem o instinto de cuidar de pessoas e prestar assistência;
- exercer atividades que lidem com a imaginação ativa e criativa;
- exercer atividades ligadas ao passado, à história, a origens ou raízes.

Casa 5 em LEÃO

Veja a posição do planeta regente, SOL

Leão é um signo de fogo, regido pelo Sol, o que reforça sua vontade de autoexpressão, sua espontaneidade e sua autoestima. Portanto, ser quem você é, ser autor de si mesmo, sentir-se especial, doar seu coração ao mundo e receber aplausos são suas grandes realizações.

Para tal, você tem criatividade, teatralidade e talento artístico acentuados para se envolver em qualquer tipo de trabalho artístico, seja como criador, artista, autor, ator, produtor, seja como empresário de espetáculos de música, dança, teatro, cinema e outros para adultos, jovens ou crianças.

Como todo signo de fogo, Leão é ligado à vida e pode escolher qualquer atividade que envolva a cura e o cuidado com a saúde. Nesse caso, você tende a escolher modalidades da medicina como pediatria, ginecologia e obstetrícia, cardiologia, fisiatria, oftalmologia, reprodução genética e sexologia.

Você reúne desenvoltura, autonomia, independência, exuberância, popularidade, carisma e magnetismo, o que lhe possibilita ser o centro das atenções ou o ator principal em qualquer atividade que escolher. Tem capacidade empreendedora, pode estabelecer comando e liderança com naturalidade, tende à direção, à gestão e ao gerenciamento de negócios. Tem poder de comunicação e pode se dar muito bem em áreas como rádio e televisão, jornais e publicações, publicidade e propaganda.

Você aprecia desafios, improvisos, riscos, jogos e esportes e se sairia muito bem como esportista, atleta ou empresário da área de esportes ou do marketing esportivo. Pode trabalhar bem com quem ama ou com crianças em áreas como entretenimento, educação, lazer, jogos ou especulação. Aliás, você se dará bem em qualquer área dedicada ao público jovem e infantil, como é o caso de empresários da área de educação, por exemplo.

Para você o trabalho deve ser uma diversão, uma alegria, uma brincadeira em que cria, produz e se diverte ao mesmo tempo. E é isso que o conservará sempre feliz e satisfeito com o que faz. Atente, porém, para sua tendência à centralização excessiva.

Resumo das tendências vocacionais do signo:

- exercer atividades que façam uso da expressão artística ou pessoal;
- realizar atividades que envolvam liderança e comando;
- exercer profissões ligadas a formação, entretenimento ou educação de jovens e crianças;
- exercer atividades ligadas a jogos e especulação;
- desempenhar funções ligadas a esporte e educação física.

Virgem é um signo de terra totalmente voltado ao trabalho. Seu equilíbrio e autoestima giram em torno da ocupação que tiver e da necessidade de se sentir útil, indispensável e reconhecido por suas habilidades.

Uma de suas maiores motivações é servir aos outros, sejam patrões, fregueses, clientes, alunos, pacientes, grupos, sejam empresas, para quem você espera atuar assistindo, aconselhando e se tornando confiável. Como todo signo de terra, é muito exigente consigo mesmo. Mas Virgem é especialmente sensível a críticas, o que pode levá-lo a um excesso de perfeccionismo que só o sobrecarregará e prejudicará.

Esse signo é ligado a ritmos e fluxos biológicos, à nutrição e à higiene, o que pode levá-lo a se sentir atraído pela assistência à saúde de pessoas e animais doentes ou incapacitados, como médico, veterinário, zootecnista, terapeuta, biomédico, nutricionista, enfermeiro, assistente social, profissional da saúde pública, ou como nutricionista de instituições e escolas infantis. Também tem interesse por natureza, biologia e ecologia, característica necessária ao agrônomo, ecólogo, biólogo, gestor ambiental e florestal, engenheiro horticultor, agrícola ou sanitário, além de naturologista, homeopata, quiropraxista e biotecnólogo.

Você conta com uma mente privilegiada, analítica, atenta aos detalhes e com grande capacidade de organização, de criar métodos, analisar sistemas, desenvolver serviço técnico e especializado, aplicar técnicas na prática, característica útil em várias áreas de engenharia, informática, tecnologia, internet e telecomunicações. Também se sairia bem em automação de serviços, processamento de dados, engenharia mecatrônica e robótica.

Tem também muita habilidade e destreza com as mãos, qualidade que pode dirigir para artes e ofícios, artesanato, recuperação e reaproveitamento de objetos. Gosta de trabalhar em escritórios, manter a rotina, e se realizaria bem em qualquer atividade de prestação de serviços ou comércio ao público em geral.

Resumo das tendências vocacionais do signo:

- exercer atividades que lidem com todo tipo de prestação de serviços;
- realizar atividades que lidem com a distribuição de produtos, fatos ou informações;
- exercer tarefas que lidem com análise de fatos, sistemas e números;
- exercer atividades em escritório ou empresa;
- desempenhar atividades de assistência médica, saúde física ou veterinária;
- exercer atividades que exijam atenção, detalhes ou destreza manual;
- exercer funções ligadas à terra, natureza, ecologia ou biologia;
- exercer atividades que exijam desenvolvimento e uso de técnicas, métodos, controle, sistemas e processamento de dados.

Casa 5 em LIBRA

Veja a posição do planeta regente, VÊNUS

Libra é o signo de ar mais focado na busca de sua identidade por meio dos relacionamentos, das associações e parcerias ou por meio da arte.

Libra gosta de gente e sua grande motivação é buscar companhia e complementaridade em suas atividades. Tem forte aptidão para lidar com o público ou para conhecer, cuidar, atender e entender o outro, característica necessária às profissões de aconselhamento, terapia, assessorias, consultorias. Pode também representar o outro como assistente, secretário, representante ou relações públicas.

Conta com senso estético incomum, equilíbrio de ritmos, cores e formas. Busca harmonia em tudo que faz, aprecia o conforto e precisa viver cercado de beleza. Isso pode levá-lo a escolher profissões em que crie, cuide, ensine, administre, dirija ou promova arte, como é o caso dos próprios artistas plásticos, performáticos, *marchands*, donos de galeria de arte ou empresa de moda e estilo, promotores de arte e espetáculos para adultos ou crianças, *designers* gráficos, ilustradores, professores de história da arte e outros.

Libra também tem senso de justiça e de direitos humanos acima da média das outras pessoas, como simboliza a própria balança, o que pode favorecer profissões como advocacia, procuradoria, defensoria pública e as ligadas ao Poder Judiciário.

Você gosta de movimento, de frequentar lugares públicos e atraentes. Tem muito charme, capacidade de sedução, amabilidade, boa aparência e refinamento naturais, podendo utilizar essas qualidades para o aconselhamento estético, como é o caso dos decoradores, *designers*, promotores de festas e eventos. Deve estar atento à sua tendência à indecisão e a não querer se comprometer, que podem vir a retardar seu sucesso.

Resumo das tendências vocacionais do signo:

- exercer atividades que lidem com o público, com o outro ou por meio do outro;
- desempenhar funções de aconselhamento e atendimento;
- exercer atividades que lidem com arte, estética, ritmos, formas e beleza;
- exercer profissões que lidem com o charme, o *glamour* e o social;
- ser consultor ou representante de empresas, pessoas ou produtos.

Casa 5 em ESCORPIÃO

Veja a posição do planeta regente, PLUTÃO

Escorpião é um signo de água que, embora não pareça, é bastante sensível. Mas sua sensibilidade é controlada para não transparecer a ebulição interior. Ao contrário, parece demonstrar controle e poder em tudo que faz. Dirige sua energia e orientação para adquirir segurança e obter recompensa financeira em tudo que fizer. Sua escolha profissional deve abranger autossuficiência, audácia e determinação para gerar poder, sua maior motivação.

Seu maior poder é lidar com a crise e a emergência e gerar reabilitação, recuperação, restauração, regeneração, cura e transformação, característica necessária em áreas da medicina como a legista e de cirurgia plástica, ou em outras como psiquiatria, oncologia, mastologia, transplantes, sexologia, genética e terapia intensiva, principalmente para jovens e crianças.

Conjugando essa capacidade de transformar com atividades em que possa exercer comando, direção e gerenciamento de negócios, você pode vir a escolher áreas de energia ou de transformação de matérias-primas em energia, como necessário no comando de indústrias petrolíferas, de álcool e açúcar, de biocombustível, de combustíveis em geral, siderúrgicas, metalúrgicas, químicas ou farmacêuticas.

Outra grande habilidade desse signo é lidar com recursos alheios, sejam eles físicos, materiais, econômicos, sejam intelectuais e emocionais, como é o caso do advogado tributarista ou patrimonial, do inventariante, do psicólogo, do auditor, do banqueiro, do bancário, do economista, do aplicador financeiro e do investidor da bolsa de valores.

Pode vir a ter interesse por assuntos que abranjam o inconsciente, o desconhecido e o profundo, característica necessária na psicanálise, na investigação, na ciência e na pesquisa de mercado. Ou, ainda, pelo estudo de mistérios ou de ciências metafísicas, como a paranormalidade, a magia e o ocultismo.

Você trabalha bem sozinho, em parceria ou em grupo, mas conta com energia de comando e frequentemente terá de lidar com sua tendência ao autoritarismo e à centralização excessivos. É cauteloso, estratégico, misterioso, corajoso e se autoprotege ao extremo para esconder sua vulnerabilidade.

Resumo das tendências vocacionais do signo:

- exercer comando, autoridade e controle;
- praticar atividades que lidem com dinheiro, recursos, energias, negócios alheios ou da sociedade;
- exercer atividades em áreas médica, de terapias, de cura, de regeneração, de reabilitação e de transformação;
- trabalhar com a crise, a urgência e a emergência;
- ter interesse pelo inconsciente, pelo desconhecido, pelo oculto e pela pesquisa.

Casa 5 em SAGITÁRIO

Veja a posição do planeta regente, JÚPITER

Como todo signo de fogo, Sagitário busca se autoexpressar ao máximo. No seu caso, a busca é por prestígio e realização conjugados com expansão, conhecimento, aventura, alegria e prazeres. Sagitário busca ampliar suas fronteiras e ir além do horizonte para compreender o real significado da vida e da natureza humana.

Para tanto, tem forte capacidade intelectual, expressão verbal e visão de longo alcance para compreender assuntos filosóficos, sistemas de pensamento, códigos simbólicos, religiões, leis, ética e justiça – como necessário ao advogado, juiz, embaixador, desembargador, procurador da justiça, cientista social ou econômico, sacerdote, teólogo e filósofo.

Tem talento e capacidade de divulgação, comunicação e propagação de novas ideias, características necessárias nas áreas de mídia, rádio e TV, publicidade e propaganda, marketing, promoção, editoração, publicações e literatura.

Pode ser que sua escolha profissional abranja a disseminação e aplicação de seu conhecimento em atividades das áreas de educação, ensino superior, estudos elevados, especializados e filosóficos, que incluam a carreira universitária.

Pode também optar por atividades que proporcionem aventuras, práticas esportivas, esportes radicais, viagens, contato com lugares distantes, povos e culturas estrangeiras, como é o caso de atletas, alpinistas, recordistas, aviadores, pilotos, militares, comandantes de navegação, tradutores, intérpretes e historiadores. Ou ainda dirigir seus interesses para atividades com potencial de crescimento e amplas perspectivas de vida, como turismo, comércio exterior, arqueologia ou diplomacia.

Você busca expansão, fama e notoriedade. Acredita na prosperidade, tem fé, esperança e otimismo. Precisa tomar suas próprias decisões, ser independente e agir com liberdade no trabalho. Mas deve ter cuidado com o excesso de autoindulgência para garantir que seus objetivos sejam atingidos.

Resumo das tendências vocacionais do signo:

- buscar atividades que disseminem conhecimento, filosofias, ideologias, ciência, religiões e sistemas de pensamento;

- exercer profissões que lidem com justiça, ética, moral e leis;
- buscar atividades que propiciem estudos superiores, profissões acadêmicas e carreiras universitárias;
- exercer atividades que exijam viagens longas, contato com países, povos e culturas estrangeiras ou distantes;
- exercer atividades que lidem com produtos estrangeiros, comércio exterior e direito internacional;
- realizar atividades que promovam aventura, esportes radicais e educação física;
- exercer funções de divulgação ou propagação de novas ideias, produtos, pessoas ou empresas.

Casa 5 em CAPRICÓRNIO

Veja a posição do planeta regente, SATURNO

Como todo signo de terra, Capricórnio busca segurança material e estabilidade. No entanto, é mais focado na expressão da carreira, questão fundamental, assim como em ser adulto e responsável, participar do mundo e da sociedade, ter sucesso e ser reconhecido por seu esforço e trabalho.

Você é motivado por sua necessidade de ter resultados concretos e recompensas materiais, de atingir segurança e estabilidade, de obter *status* e realização, como é necessário aos executivos, funcionários públicos ou pessoas que ocupem cargos em instituições públicas e privadas, empresas e áreas do governo.

Está sempre preocupado com o futuro, imaginando o que será de seu sustento quando não tiver mais energia para trabalhar. Portanto, acha que deve construir seu pé de meia logo. Além disso, você acredita que o mundo só o respeitará por sua competência e profissionalismo. Para alcançar seus objetivos, aprendeu a lidar bem com limites, é objetivo, paciente, persistente, realista, pragmático, concentrado, determinado e disciplinado.

Tais qualidades o habilitam a lidar com áreas que envolvam valores e números, como economia, administração de empresas, gestão em várias áreas; também o habilitam para atividades que envolvam o detalhe e a precisão, a pesquisa e as ciências, a perícia e a técnica, a qualidade e o aperfeiçoamento, como ciência e tecnologia; processamento, desenvolvimento e análise de dados, produtos ou mercados; controle de qualidade; processos gerenciais e industriais.

Caso você escolha lidar com crianças, se sairá bem administrando escolas ou instituições dirigidas a elas ou em áreas como análises clínicas e laboratoriais, odontologia, ortopedia e traumatologia, fisiatria ou dermatologia infantis.

Você trabalha bem sozinho, mas tem um jeito especial para lidar com equipes e comandá-las com energia. Precisa exercer autoridade, tem tendência a ter seu próprio negócio ou a ocupar cargo de proeminência. Deve estar atento ao excesso de perfeccionismo e de controle e à autoexigência.

Resumo das tendências vocacionais do signo:

- exercer atividades que valorizem o *status* e a posição social;
- exercer atividades que envolvam posições de autoridade, comando, chefia ou poder;
- exercer funções que valorizem as habilidades técnicas, científicas ou de precisão;
- exercer atividades que envolvam a especialidade e a perícia;
- exercer profissões que lidem com pesquisa, ciência e tecnologia;
- realizar atividades ligadas a administração, economia ou planejamento em empresas, órgãos de governo, instituições, universidades e negócios.

Casa 5 em AQUÁRIO

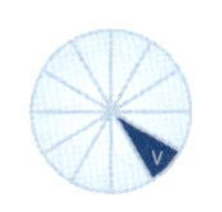

Veja a posição do planeta regente, URANO

Aquário é o signo de ar mais voltado ao desenvolvimento intelectual, à sociabilidade e aos relacionamentos em grupo.

Com Aquário na casa 5, um de seus pontos fortes é a capacidade intelectual, a intuição e o interesse por ciências humanas, sociais, econômicas e políticas, como ciências sociais, história, geografia, antropologia, economia e ciência política.

Você também tem facilidade em adquirir *know-how* técnico e em desenvolver sistemas de pensamento ou teorias especializadas, como é necessário em áreas como física, ciência da computação, engenharias elétrica e eletrônica, ciência e tecnologia.

Com sua forte intuição, você pode escolher profissões voltadas para o futuro ou para aferir tendências, característica necessária nas áreas de planejamento em várias modalidades, como desenvolvimento urbano e social, modernização e inovação de processos, pesquisa e antecipação de tendências sociais, econômicas, científicas e tecnológicas, estudos de globalização, economia sustentável, ecologia, mídias eletrônicas, telecomunicações, era digital e rede de computadores.

Esse signo acentua sua busca de profissões nas quais possa se diferenciar, ocupações fora do comum, sem cartão de ponto, exercidas em horários não usuais, como os profissionais liberais, consultores e assessores autônomos, ou ainda astrofísicos, astrólogos, metafísicos, cosmólogos, líderes ou administradores de organizações não governamentais.

Você é um formador de tendências por ser inovador, inventivo, original, excitado mentalmente e dado a mudanças repentinas. É bom nos relacionamentos em geral, valoriza o trabalho em equipe, mas prefere ter autonomia e independência. No entanto, deve estar atento à tendência à indisciplina e transgressão a regras e limites, que podem gerar inconstância e instabilidade.

Podem existir aquarianos mais tradicionais e rotineiros. Se esse for seu caso, leia também o texto do planeta corregente desse signo, que é Saturno.

Resumo das tendências vocacionais do signo:

- exercer atividades de forma independente e autônoma;
- exercer funções que envolvam as ciências humanas, econômicas, sociais, políticas ou intelectuais;
- realizar atividades que desenvolvam tecnologias de ponta, antecipação de tendências, ciência e tecnologia, elétrica e eletrônica;
- exercer funções ligadas aos movimentos da Nova Era, ao surgimento de nova consciência, ocupações fora do comum ou não convencionais;
- praticar atividades ligadas a recursos humanos, planejamento, novos projetos, desenvolvimento de produtos em empresas.

Casa 5 em PEIXES

Veja a posição do planeta regente, NETUNO

Peixes é o mais sensível e perceptivo de todos os signos de água. E essas são justamente as características mais utilizadas para se diferenciar dos outros. Você tem uma incrível capacidade de captar as energias externas e, como sua mente é dotada de senso de integração, visão de conjunto e poder de síntese, pode adaptar o que percebe às mais diversas leituras: intelectual, emocional, sensorial, artística, psíquica ou acadêmica.

Isso significa que você pode fazer o que quiser, mas lembre-se de que qualquer escolha profissional que fizer deve ser motivada por suas crenças e inspirações e deve satisfazê-lo intimamente e fazer sentido para você.

Por isso mesmo, com seu forte instinto assistencial, você pode vir a escolher profissões que protejam e cuidem de jovens e crianças, como é o caso dos pediatras, terapeutas infantis, pedagogos, homeopatas, fisioterapeutas, foniatras, fonoaudiólogos, educadores, enfermeiros e assistentes sociais. Ou ainda atuar em áreas mais críticas, como oncologia infantil, comunicação assistiva, cardiologia infantil, ou em áreas de educação e saúde pública ou mental.

Como tem capacidades visionárias, habilidades psíquicas e leitura do inconsciente coletivo, pode ver para onde as massas se deslocam e antecipar tendências em profissões como estilista e *designer*, atuar nas áreas de comportamento e política ou ainda em pesquisa nas áreas sociais e biológicas, como farmacêutica, biomédica e psíquica.

Além das já citadas sensibilidade e percepção, você possui imaginação ativa e intuitiva, adaptabilidade e ecletismo, senso estético incomum, talento artístico, captação de imagens e memória visual, ritmo, harmonia e noção de proporção acentuada, talentos que pode querer aplicar em artes plásticas, performáticas, como em cinema, música, teatro, fotografia, cenografia, produção, iluminação, espetáculos ou *shows*.

Você tem abertura para compreender mundos paralelos e linguagens simbólicas, para lidar com assuntos que comparem o macro e o microcosmo, como necessário aos estudos de semiótica, semiologia, simbolismo, fenômenos psíquicos e paranormais, ou mesmo de medicina holística, antroposófica, chinesa, naturologia, patologia clínica ou psicológica, ecologia, desenvolvimento sustentável e cosmologia.

Reúne ainda habilidades para alquimia e mistura de elementos, como necessário em química, gastronomia, enologia, cosmética e perfumaria. E, por fim, pode vir a interessar-se por assuntos ligados ao mar, a pesquisa e desenvolvimento biomarinho, oceanografia, cinema ou fotografia aquática, pesca e navegação.

Você deve se esforçar para conjugar seus sonhos com esforço e competência, pois assim realizará o que quiser. Tente manter seu equilíbrio emocional, pois o ambiente de trabalho pode influenciá-lo. Talvez precise ficar isolado de vez em quando para se refazer. Esteja atento à sua inconstância, à sua vontade de trocar de atividade com frequência, à sua necessidade de relacionamentos e ao excesso de devoção aos outros, pois esses fatores podem atrasar seu desenvolvimento profissional.

Resumo das tendências vocacionais do signo:

- exercer atividades que cuidem de jovens e crianças e os protejam;
- exercer profissões que envolvam expressão artística, imaginação criativa, imagem e memória visual, estética, *glamour* e ilusões;
- exercer atividades que envolvam antecipação de tendências, mente coletiva e habilidades psíquicas;
- exercer funções que envolvam buscas, crenças ou ideais metafísicos;
- exercer atividades ligadas ao mar ou a animais marinhos;
- praticar atividades que envolvam mistura de elementos;
- exercer atividades ligadas aos pés.

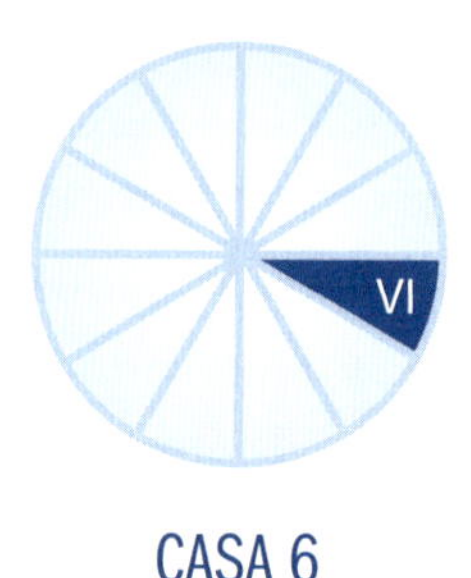

CASA 6

Assuntos profissionais, ritmos e rotina de trabalho, relação com colegas

A casa 6 é importante para a área vocacional pois revela o(s) assunto(s) profissional(is) de seu interesse, fala da rotina de trabalho que lhe agradará, da relação que você terá com colegas de trabalho e clientes, sejam pessoas ou empresas, sejam patrões ou empregados.

Essa casa costuma atrair atividades profissionais nas quais seja preciso dedicar-se, prestar serviços aos outros, sentir-se ocupado, produtivo e seguro. Nessa casa precisamos nos sentir úteis, indispensáveis por nossas qualidades e habilidades, e para tal ela abrange várias áreas.

Como essa casa fala de ritmos e fluxos, sejam físicos, sejam da natureza, pode direcionar as escolhas profissionais para as áreas de biologia, ecologia, alimentação, agropecuária, nutrição, dietas, além das áreas de higiene e sanitária.

Também pode sugerir atividades que envolvam rotina ou repetição, como trabalhos domésticos, prestação de serviços essenciais (comércio, correios, telefonia, distribuição de jornais e produtos), processos produtivos ou técnicos.

A casa 6 também rege a saúde de pessoas ou animais, e você pode se sentir atraído por todo tipo de assistência a doentes e incapacitados, como médico, veterinário, enfermeiro, biomédico, bioquímico, analista clínico, fisioterapeuta, reabilitador, assistente social ou naturologista. Ou ainda tender a prestar serviços a pessoas comuns, como nas áreas de treinamento, aconselhamento, recursos humanos e práticas terapêuticas variadas.

Pode direcionar suas escolhas para a utilização de uma mente lógica e analítica, de processos intelectuais e associativos, de percepção e aptidão para detalhes, aprendizagem, memória, entendimento, comunicação e compreensão de todos os elementos da vida.

Na casa 6 você pode ter habilidades intelectuais e grande capacidade de organização, implantação de métodos e sistemas, desenvolvimento técnico e especializado e sua aplicação na prática, características necessárias às profissões das áreas de exatas, técnicas, tecnológicas, de engenharia, matemática e informática.

É nesta casa que se mede maior ou menor interesse pelas atividades ligadas a escritórios, empresas, secretaria executiva e todas as artes e ofícios, além de recuperação ou restauração de objetos.

Nela você conhece suas habilidades intelectuais e práticas para desenvolver um dia a dia profissional. Para tanto, conta com as qualidades do signo que estiver na cúspide ou no começo dessa casa, somadas às habilidades da própria casa 6. O signo que aqui está mostra como você pensa, como funciona sua mente, como adquire *know-how* e de que maneira aplicará seus conhecimentos e habilidades na escolha da ocupação e, futuramente, na prática profissional cotidiana. Conjugue as habilidades da casa 6 com as do signo que estiver no começo dela e você estará apto a fazer sua escolha profissional.

Casa 6 em ÁRIES

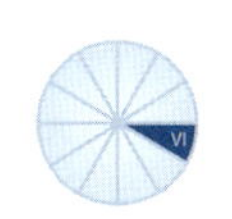

Veja a posição do planeta regente, MARTE

Áries é um signo de fogo que indica que você agirá no mundo em busca de identidade, autoafirmação e liberdade de ação. Para tanto, você conta com muita criatividade, independência e autonomia.

Tem muita iniciativa, coragem, capacidade de liderança, competitividade, aptidão executiva e empreendedora, além de muito poder de decisão para se lançar no mercado e atuar profissionalmente. Pode trabalhar bem sozinho ou em qualquer atividade em que exerça comando ou autonomia, como a de profissional liberal, de produção ou empreendedor.

Como é dotado de muita energia física, pode se dar muito bem em atividades ligadas a esporte, expressão corporal ou realizadas ao ar livre, que exigem muito gasto de energia, como: atleta, treinador, dançarino, lutador de artes marciais, áreas ecológica e ambiental.

Tem habilidades e interesse por mecânica e motores em geral, além de atração por atividades que utilizem ferramentas, armas ou instrumentos de corte, incisão, precisão, características comuns a médicos cirurgiões, engenheiros mecânicos e mecatrônicos, mecânicos de precisão ou de manutenção, policiais, dentistas e profissionais de artes e ofícios.

Você gosta de correr riscos, enfrentar desafios e perigos e pode se sentir muito estimulado em cumprir metas em curto prazo. Com Áries na casa 6, você tenderá a ocupar posições de chefia ou comando ou, ainda, a escolher atividades autônomas ou independentes. Conjugue as habilidades da casa 6 com as de Áries e você estará apto a fazer sua escolha profissional. Leia sobre o regente Marte, que lhe dará mais algumas dicas.

Casa 6 em TOURO

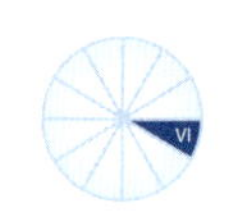

Veja a posição do planeta regente, VÊNUS

Touro é o signo das posses e dos valores. Por isso, você se identificará com profissões que remunerem bem, atendam às suas necessidades materiais e práticas e ofereçam estabilidade, segurança material e realização. Sua profissão terá de lhe oferecer resultados concretos.

Para tanto, você conta com bom senso para lidar com valores, acentuada capacidade produtiva e talento estético incomum. Visa à qualidade de vida, ao conforto, à beleza e aos prazeres sensoriais, como morar bem, ter boa aparência e rica alimentação.

Seus interesses estarão voltados a profissões que lidem com valores e finanças, como é o caso dos economistas, aplicadores ou agentes de mercado financeiro, gerentes de banco ou de crédito, *controllers*, profissionais de compras, só para citar alguns exemplos. Podem também estar voltados para a terra e a natureza, o que o fará escolher atividades ligadas a agronomia, agropecuária, zootecnia, ecologia e administração rural.

Você é muito talentoso para lidar com a matéria, o dinheiro, os alimentos, a plástica, a arte, o concreto e a beleza, principalmente se tais elementos envolverem os sentidos físicos, como arquitetura, massagem, salão de beleza, perfumaria, prestação de serviços na área alimentícia, engenharias e processos produtivos em geral, por exemplo.

Prefere não enfrentar desafios, não gosta de exercer tarefas chatas e precisa equilibrar certa tendência à inércia e à acomodação. Pode trabalhar sozinho ou em grupo, mas com Touro na casa 6 você preferirá a segurança de estar empregado.

Conjugue as habilidades da casa 6 com as de Touro e você estará apto a fazer sua escolha profissional. Leia sobre o regente Vênus, que lhe dará mais algumas dicas.

Casa 6 em GÊMEOS

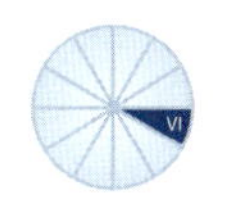

Veja a posição do planeta regente, MERCÚRIO

Gêmeos é o grande mensageiro do zodíaco, por isso você conta com todas as habilidades necessárias para cumprir tal função: capacidade para adquirir, transmitir e trocar informações, conhecimento, produtos ou objetos, já que Mercúrio é o regente de Gêmeos.

Você tem o poder da fala e da comunicação, de conhecer as pessoas certas e colocá-las em contato, o que lhe dá especial capacidade de negociação e argumentação, além de muita habilidade com a palavra, a voz e as mãos, características necessárias ao cantor, locutor, escritor, redator publicitário, profissional de marketing e comunicação, representante ou vendedor, além do massagista e do profissional de artes e ofícios.

É muito ativo, ágil, rápido, eficiente, adaptável, prático, versátil e curioso. Precisa trabalhar com outras pessoas, pois a troca de informações ou de produtos e a comunicação têm de ser praticadas com frequência, como acontece nos meios de comunicação, na internet, no ensino ou na assessoria de imprensa.

Um de seus grandes atributos é possuir mente privilegiada, analítica, atenta aos detalhes e com muita capacidade de organização, de estabelecimento de métodos, de análise de sistemas, de desenvolvimento técnico e especializado, aplicação de técnicas na prática, como acontece nas engenharias em geral, na matemática, na física, na química ou em quaisquer atividades ligadas à informática.

Você também pode escolher atividades ligadas a papéis, livros, contratos e documentos, como secretário, bibliotecário, advogado, auditor, contador, gráfico. Precisa estar física e mentalmente ativo, em movimento físico ou mental, conviver com diversidade de assuntos e de espaços e se movimentar no trabalho, como é o caso de pessoas que trabalham com comércio.

Pode desenvolver mais de uma atividade ao mesmo tempo e/ou função paralela para complementar sua renda. Tem muita energia, mas pode gastá-la falando, andando, pensando ou dirigindo.

Aprenda a lidar com sua tendência à inconstância, superficialidade, volubilidade e indecisão. Conjugue as habilidades da casa 6 com as de Gêmeos e você estará apto a fazer sua escolha profissional. Leia sobre o regente Mercúrio, que lhe dará mais algumas dicas.

Casa 6 em CÂNCER

Veja a posição do planeta regente, LUA

Câncer é um signo de água dotado de grande sensibilidade tanto para captar as próprias percepções internas quanto as das circunstâncias e pessoas à sua volta. Para sentir-se seguro e integrado, tem de se identificar com a atividade, o local de trabalho e as pessoas ao redor, pois precisa se ocupar com atividades nas quais se sinta bem.

Você valoriza pessoas e sentimentos. Por isso, tem forte instinto assistencial para cuidar de pessoas ou protegê-las, principalmente mulheres e crianças, característica necessária em medicina, ginecologia, pediatria, enfermagem, fisioterapia, RPG ou serviço social.

Seus interesses e habilidades passam também por profissões que nutram as pessoas, como nutrição, dietas ou comércio de alimentos, bebidas e doces, ou que cuidem da casa, dos objetos domésticos ou da família, como arquitetura, construção, decoração, paisagismo, movelaria, hotelaria e imobiliária.

É dotado de muita criatividade, imaginação ativa e criativa, além de memória, para atividades como poesia, literatura, criação de novelas, e bom senso de conservação, adaptabilidade e capacidade de integração, que podem ser aplicados em restauração e antiquários. Mostra ainda interesse por profissões que investiguem ou conservem o passado, as tradições e culturas, como história, arqueologia, genealogia, ou que desenvolvam intimidade, como psicologia ou terapias em geral.

Com esse signo na casa 6 você tenderá a trabalhar com o público feminino ou infantil. Cuide para que sua vida pessoal ou emocional não prejudique a profissional. Conjugue as habilidades da casa 6 com as de Câncer e você estará apto a fazer sua escolha profissional. Leia sobre a regente Lua, que lhe dará mais algumas dicas.

Casa 6 em LEÃO

Veja a posição do planeta regente, SOL

Leão é um signo de fogo que, por ser regido pelo Sol, reforça sua capacidade expressiva, espontaneidade e autoestima. Portanto, ser quem você é, ser autor, sentir-se especial, doar seu coração ao mundo e receber aplausos são suas grandes realizações.

Para isso, você conta com criatividade, teatralidade e talento artístico acentuados para aplicar em todo tipo de arte, espetáculos, música, dança, teatro, cinema, rádio e TV, publicidade e propaganda e produção de eventos.

Leão conta com muita autonomia, independência, exuberância, popularidade e magnetismo, o que lhe possibilita ser o centro das atenções ou o ator principal em qualquer atividade. Tem capacidade de liderança, comando de equipes e gerenciamento de negócios, como necessário às pessoas de marketing, aos produtores, empreendedores, proprietários, administradores ou diretores de empresas, agências e estúdios.

Você tem expectativas de ter um dia a dia interessante, especial, criativo ou gostoso, lúdico e divertido. Por isso deve colocar seu coração e muito entusiasmo nas atividades profissionais às quais se dedicar.

Pode trabalhar bem com quem ama ou com crianças em atividades ligadas a entretenimento, educação e lazer, como professor, diretor de escola ou orientador pedagógico, diretor de parque de diversão ou aquático, produtor de eventos, teatro ou cinema, ou até mesmo medicina, nas especialidades de pediatria, ginecologia e obstetrícia, oftalmologia ou ortopedia, já que Leão também rege a coluna vertebral, o coração e a visão.

Você deverá sempre estar no centro das atividades que desenvolver, pois precisa de audiência e aplausos constantes. Mas deve atentar para sua tendência à centralização excessiva. Conjugue as habilidades da casa 6 com as de Leão e você estará apto a fazer sua escolha profissional. Leia sobre o regente Sol, que lhe dará mais algumas dicas.

Casa 6 em VIRGEM

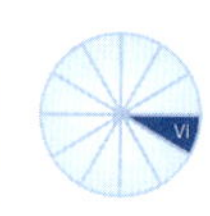

Veja a posição do planeta regente, MERCÚRIO

Virgem é um signo de terra totalmente voltado para o trabalho, o morador natural da casa 6, o que acentua as habilidades desta casa.

Uma de suas maiores motivações é servir aos outros: patrão, fregueses, clientes, alunos, pacientes, grupos ou empresas, para quem você espera atuar assistindo, aconselhando, secretariando, tornando-se confiável. Seu equilíbrio e autoestima giram em torno da ocupação que tiver e da necessidade de sentir-se útil, indispensável por suas habilidades.

Pode vir a se dedicar à prestação de serviços básicos, essenciais, ou mesmo de consultoria, aconselhamento, assessorias diversas a pessoas, empresas e comunidades.

Você pode optar pela área de assistência à saúde, seja de pessoas, seja de animais doentes e incapacitados, atuando nas profissões médicas, zootécnicas e terapêuticas já citadas. E pode se interessar pela natureza, por biologia, ecologia, fruticultura, horticultura, higiene e nutrição.

Um de seus grandes atributos é possuir mente privilegiada, analítica, atenta aos detalhes e com muita capacidade de organização, de estabelecimento de métodos, de análise de sistemas, de desenvolvimento técnico e especializado, aplicação de técnicas na prática, características necessárias nas engenharias em geral, na matemática, na física, na química ou em quaisquer atividades ligadas à informática.

Tem habilidade e destreza bastante acentuadas com as mãos e demonstra interesse pelas práticas de escritório, secretaria, artes e ofícios, comércio e técnicas em geral, aptidão para análise e detalhes, além de interesse pela recuperação de objetos.

Com Virgem na casa 6, sua capacidade de trabalho fica muito potencializada. Atente apenas ao perfeccionismo, à crítica e à autocrítica excessivos. Conjugue as habilidades da casa 6 com as de Virgem e você estará apto a fazer sua escolha profissional. Leia sobre o regente Mercúrio, que lhe dará mais algumas dicas.

Casa 6 em LIBRA

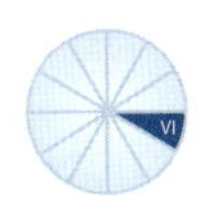

Veja a posição do planeta regente, VÊNUS

Libra é o signo de ar mais dado aos relacionamentos e à comunicação, além de ser muito focado na busca de sua identidade por meio das relações com os outros, da estética e da arte, ou ainda por meio da justiça e dos direitos humanos.

Você pode escolher o caminho das artes porque tem interesse e talento estético incomum, além de equilíbrio de cores, ritmos e formas, para aplicar em profissões como artista plástico, arquiteto, escultor, bailarino, comerciante de arte ou dono de galeria, *marchand*, leiloeiro.

Pode também escolher o caminho dos relacionamentos, das relações públicas, da diplomacia, da assessoria de imprensa, já que atua muito melhor em parceria, sendo sua grande motivação a busca de companhia e complementaridade nas atividades em geral. Por isso, tem forte aptidão para lidar com o público ou para conhecer, cuidar, atender, entender ou representar o outro, como é necessário nas profissões de aconselhamento, nas terapias e assessorias em geral, além de representação e vendas.

Tem senso de justiça e de direitos humanos acima da média, como simboliza a própria balança, o que favorece profissões como advocacia, procuradoria, promotoria e as ligadas ao Poder Judiciário.

Você busca harmonia e equilíbrio em tudo, aprecia o conforto e precisa viver cercado de beleza. Gosta de movimento, *glamour*, lugares públicos e atraentes, o que pode aplicar em atividades como eventos especiais, *promoter* ou decorador de festas, cerimoniais, casamentos, desfiles de moda, exposições, *vernissages*.

Tem muito charme, capacidade de sedução, amabilidade, boa aparência e refinamento naturais para ser ou treinar modelos, ser maquiador, coreógrafo.

Cuidado com a indecisão e com certa tendência a não querer se comprometer e a levar a vida apenas de modo fácil. Conjugue as habilidades da casa 6 com as de Libra e você estará apto a fazer sua escolha profissional. Leia sobre o regente Vênus, que lhe dará mais algumas dicas.

Casa 6 em ESCORPIÃO

Veja a posição do planeta regente, PLUTÃO

Escorpião é um signo de água, orientado para aquisição de poder, segurança e recompensa financeira, atributos que podem ser conquistados por meio de sua habilidade em lidar com recursos alheios, sejam eles físicos, materiais e econômicos, sejam intelectuais, emocionais e políticos, como fazem os advogados, tributaristas e psicoterapeutas.

Seu dia a dia deve envolver paixão e entusiasmo pelo que faz, pois apesar de inconstante você é capaz de se entregar profundamente à atividade que escolher e eventualmente mudar de tarefa e não querer mais retornar à anterior.

Você é muito determinado, autossuficiente e audacioso para o trabalho e sua maior motivação é a aquisição de poder, pois sabe lidar com recursos esparsos, crises e emergências, transformando, regenerando, reformando, reciclando, recuperando, reabilitando pessoas, objetos, estruturas, construções, matérias-primas, características necessárias em várias especialidades de saúde, medicina, genética, psiquiatria, farmacologia e química, ou mesmo em empresas de captação ou transformação de matérias-primas em energia, em produtos e objetos.

Tem também habilidades para atividades financeiras, econômicas, atuariais, de captação de recursos, especulação, mercado de ações e de capitais. Mostra muita aptidão para todas as áreas humanas, profundas, que envolvam o inconsciente e o desconhecido, como psicologia, investigação, ciências metafísicas ou ocultismo.

Você pode trabalhar bem sozinho, em parceria ou em grupo, mas nessa área prefere posições de comando. É cauteloso, estratégico, misterioso. Conjugue as habilidades da casa 6 com as de Escorpião e você estará apto a fazer sua escolha profissional. Leia sobre o regente Plutão, que lhe dará mais algumas dicas.

Casa 6 em SAGITÁRIO

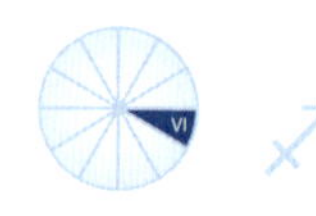

Veja a posição do planeta regente, JÚPITER

Sagitário é um signo de fogo que busca ampliar seus horizontes intelectuais para compreender a natureza humana e o significado da vida. Para tanto, conta com forte capacidade intelectual, expressão verbal e visão de longo alcance para lidar com assuntos filosóficos, sistemas de pensamento, códigos simbólicos, religiões, leis, ética e justiça, como necessário aos advogados, médicos, juízes, cientistas, sacerdotes, filósofos, intelectuais e diplomatas.

Tem talento para divulgação, comunicação e propagação de novas ideias, características indispensáveis aos profissionais das áreas de publicidade e propaganda, marketing, editoração e promoção cultural. Sua escolha profissional deve abranger a disseminação e a aplicação de seu conhecimento em atividades das áreas de educação, ensino superior, carreira universitária ou que requeiram estudo permanente.

Pode ser ainda que você opte por atividades que proporcionem viagens, contato com lugares distantes, povos e culturas estrangeiras, como aeronáutica, aviação, turismo, exportação e importação, ou que lhe ofereçam potencial de crescimento e alimentem seus ideais de vida.

Você precisa de expansão, fama, prestígio e satisfação intelectual. Acredita na prosperidade, tem esperança e otimismo. Precisa tomar decisões, ser independente e ter liberdade no trabalho. Deseja um dia a dia que lhe proporcione aventuras e diversões, e pode escolher profissões ligadas à arqueologia, que lhe ofereçam potencial de crescimento ou ainda envolvam entretenimento, riscos, especulação e mercado financeiro de ações e capitais.

Cuidado com a autoindulgência, a inércia e a necessidade imperativa de sucesso, que podem torná-lo improdutivo. Conjugue as habilidades da casa 6 com as de Sagitário e você estará apto a fazer sua escolha profissional. Leia sobre o regente Júpiter, que lhe dará mais algumas dicas.

Casa 6 em CAPRICÓRNIO

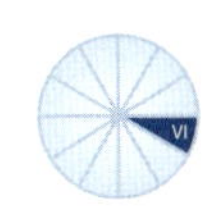

Veja a posição do planeta regente, SATURNO

Capricórnio é um signo de terra cuja expressão da carreira é fundamental, assim como ser adulto e responsável, participar do mundo e da sociedade, ter sucesso e ser reconhecido por seu esforço e trabalho. Por tudo isso, Capricórnio nessa posição é garantia de que seus objetivos serão alcançados, pois você é motivado pela necessidade de ter resultados práticos, recompensas materiais, além de buscar segurança, estabilidade, *status* e realização.

Você é focado e preocupado com o futuro, quando não precisar mais trabalhar e puder desfrutar do que construiu. Acredita que o mundo só o respeitará por sua competência e especialidade profissionais. Para atingir suas metas, deve aprender a lidar com o tempo e com os limites concretos, ser paciente, persistente, realista, pragmático, concentrado, preciso, determinado e disciplinado. Você sonha alto e deve aprender que coisas grandiosas acontecem com o tempo e que é preciso paciência, administração de suas habilidades e recursos para obter o que deseja.

Tende a escolher profissões nas quais possa expressar suas habilidades técnicas, como médico, cirurgião, dentista e engenheiro. Por ser um signo de terra, pode vir a se interessar por natureza, biologia, ecologia, higiene e nutrição.

Tem ainda habilidades, administrativas e econômicas, necessárias às profissões de planejamento e administração de pessoas, grupos, empresas privadas ou do governo.

Também pode optar por profissões que envolvam detalhe e precisão, pesquisa e ciências, perícia e técnica, qualidade e aperfeiçoamento, como desenvolvimento de produtos, pesquisas acadêmicas, científicas ou de mercado, ou ainda planejamento e marketing de produtos, instrumentos e serviços.

Você sabe escolher os melhores componentes de uma equipe e liderá-la com autoridade e controle. Pode também se dedicar a profissões que envolvam treinamento, planejamento e captação de recursos humanos, mas deve atentar à sua tendência ao autoritarismo e a seu excesso de exigência com os colegas de trabalho. Pode trabalhar sozinho ou em equipe, mas precisa exercer autoridade, ter negócio próprio ou ocupar cargo de comando, chefia, proeminência, *status* ou posição social.

Com Capricórnio na casa 6, sua capacidade produtiva e de concretização fica muito potencializada ao longo do tempo. Conjugue as habilidades da casa 6 com as de Capricórnio e você estará apto a fazer sua escolha profissional. Leia sobre o regente Saturno, que lhe dará mais algumas dicas.

Casa 6 em AQUÁRIO

Veja a posição do planeta regente, URANO

Aquário é um signo de ar que enfatiza a capacidade intelectual, a sociabilidade e os relacionamentos em grupo. Para tal, é provido de superioridade intelectual, muita criatividade e intuição para estudo, aplicação e pesquisa de ciências exatas, sociais, econômicas, técnicas e políticas.

Tem facilidade em adquirir *know-how* técnico e em desenvolver um sistema de pensamento, teoria ou especialização, como é necessário na matemática, nas engenharias elétrica e eletrônica, na ciência e tecnologia, nas medicinas radiológica, neurológica e angiológica, nas telecomunicações e na computação.

Por ser intuitivo, é voltado para o futuro, o que lhe dá grande capacidade de planejamento, desenvolvimento, modernização e inovação de processos, antecipação de tendências e tecnologias, úteis nas áreas de globalização, mídias eletrônicas, era digital e robótica.

Nessa posição, Aquário acentua as habilidades da casa 6 para implantação de métodos e sistemas, desenvolvimento técnico e especializado e sua aplicação na prática, características necessárias às profissões das áreas de exatas, técnicas, tecnológicas, de engenharias, estatísticas, matemáticas e de informática.

Você é inovador, inventivo, original, excitado mentalmente e dado a mudanças repentinas. Deve atentar para sua rebeldia, indisciplina e transgressão a hierarquias, regras e limites, que podem dificultar seus relacionamentos na área profissional.

Pode buscar profissões nas quais possa se diferenciar, ocupações fora do comum, sem cartão de ponto, exercidas em horários não usuais, ou ainda muito criativas, como é o caso da astrofísica, da engenharia aeroespacial, das mídias alternativas, da ecologia, do meio ambiente, da televisão digital ou da radiodifusão.

Prefere sentir independência, autonomia e liberdade, prestando assessoria, consultoria, ou sendo representante de grupos, instituições e empresas. Conjugue as habilidades da casa 6 com as de Aquário e você estará apto a fazer sua escolha profissional. Leia sobre o regente Urano, que lhe dará mais algumas dicas.

Casa 6 em PEIXES

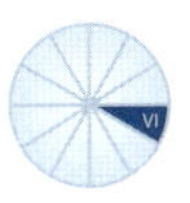

Veja a posição do planeta regente, NETUNO

Peixes é, de todos os signos de água, o mais sensível e perceptivo. E é justamente aí que residem sua força e diferenciação, na capacidade de captar as energias externas em sua totalidade e adequá-las às mais diversas leituras: intelectual, emocional, sensorial, artística, psíquica ou acadêmica.

Além disso, é muito motivado pelas crenças e inspirações e qualquer profissão que escolha tem de satisfazê-lo intimamente e fazer sentido. Mas, na prática, deve escolher profissões ligadas às áreas humanas, artísticas ou sociais, pois as tarefas do dia a dia, burocráticas, ordenadas ou precisas, não são para você, que tem uma visão muito subjetiva da vida.

Você valoriza pessoas e relações e, com seu forte instinto assistencial, pode proteger, nutrir e cuidar de outras pessoas como médico, enfermeiro, terapeuta, naturologista ou nutricionista. Ou pode querer cuidar da natureza, como os ambientalistas, ecologistas, oceanógrafos e biólogos.

Você tem tendências visionárias, habilidades psíquicas, visão de conjunto e leitura do inconsciente coletivo. Por isso, pode antecipar tendências em profissões como estilista (de calçados e vestuário), *designer*, cientista metafísico ou estudioso do ocultismo.

Pode conjugar fatores de modo muito criativo e inventar atividades que beneficiem muitos, que se interdependam ou, ainda, relacionem mundos paralelos, linguagens simbólicas e percepção do macrocosmo em relação ao microcosmo, como homeopatia, terapia floral, comércio ou produção de produtos e medicamentos alternativos, ligadas a ecologia e meio ambiente.

Tem senso estético, talento artístico, noção de proporção, imagem, memória visual, ritmo e harmonia muito apurados, atributos que, juntamente com as habilidades da casa 6, podem ser aplicados em artes plásticas, cinema, música, fotografia, dança, iluminação ou, ainda, em produção, cenografia, coreografia de espetáculos e eventos.

Quando conjuga seus sonhos com esforço e competência, pode realizar o que quiser. Se bem que você acredita que "um pouco a gente faz e um pouco o santo ajuda".

Pode ser muito influenciado pelo ambiente de trabalho e precisar de isolamento para se refazer ou para conseguir produzir. Cuide para não trocar de atividade com frequência, para não se envolver em muitos assuntos ao mesmo tempo e não desenvolver nenhum.

Conjugue as habilidades da casa 6 com as do signo de Peixes e você estará apto a fazer sua escolha profissional. Leia sobre o regente Netuno, que lhe dará mais algumas dicas.

MEIO DO CÉU - CASA 10

Meta, posição social e colheita profissional

O meio do céu é o ponto mais alto do mapa astral e também o início da décima casa. Na oposição, encontramos a quarta casa, onde estão as origens, a família, as raízes, as emoções mais profundas e o inconsciente pessoal.

A décima casa, portanto, significa o mundo externo, onde se participa da sociedade por meio do desempenho de uma atividade social ou profissional que nos propicia, com o passar do tempo e a maturidade, a colheita de uma meta, de uma imagem e de uma posição social, hoje em dia muito associadas à profissão.

Continuação do meio do céu, a casa 10 é importante para a área vocacional, pois é nela que se colhem os frutos profissionais de toda uma vida. Na casa 10, você busca realização profissional, estabilidade, sucesso, prestígio, *status* e poder como meio de sentir-se seguro e reconhecido. É aí que você vai viver o cume de sua vida e atingir o mais alto grau de reconhecimento por sua competência em fazer algo melhor do que qualquer outra pessoa, tornando seu nome uma grife, emprestando prestígio e credibilidade aos locais em que atua profissionalmente.

Nessa casa, estamos sempre focados na obtenção de resultados práticos, preocupados com nossa carreira e com o futuro, quando não pudermos mais trabalhar e precisarmos desfrutar do que construímos.

Há também o desejo de ser popular e reconhecido profissionalmente como um especialista, uma autoridade no que fazemos, ocupando posição de poder, destaque ou comando em instituições, empresas, áreas do governo ou universidades.

Nessa casa você deseja participar de elites, colher sucesso e reconhecimento da sociedade, utilizando suas habilidades e seus talentos. Ela nos ensina que, para alcançar nossos objetivos, devemos ser ambiciosos, determinados, disciplinados, pacientes, persistentes, realistas e pragmáticos.

O signo que estiver no começo dessa casa descreverá as qualidades e habilidades que você tem e que devem ser associadas às habilidades dessa casa para atividades de planejamento, empreendimento, administração e finanças ou para áreas que envolvam precisão, pesquisa, técnica, perícia, controle de qualidade ou, ainda, pesquisas de mercado, científicas ou acadêmicas, como desenvolvimento de produtos ou serviços.

Você pode trabalhar em equipe, mas gosta de exercer autoridade ou ocupar cargo de proeminência. Sabe escolher os melhores componentes para uma equipe e liderá-la com autoridade, eficiência e controle.

O meio do céu e a casa 10 são fundamentais para a escolha profissional e, se houver planetas aqui, eles são indicadores de sua ambição, do que você pode fazer de melhor que mereça destaque e reconhecimento. Portanto, são determinantes vocacionais.

Casa 10 em ÁRIES

Veja a posição do planeta regente, MARTE

Áries é um signo de fogo que indica que você agirá no mundo em busca de identidade, autoafirmação e liberdade de ação. Para tanto, você conta com muita criatividade, independência e autonomia.

Tem muita iniciativa, coragem, capacidade de liderança, competitividade, aptidão executiva e empreendedora, além de poder de decisão acentuado para se lançar e atuar no mercado profissionalmente. Pode trabalhar bem sozinho ou em qualquer atividade que exerça comando ou autonomia, como a de profissional liberal, médico, de produção ou empreendimentos e em administração de empresas.

Como possui muita energia física, pode se dar muito bem em atividades ligadas a esporte, expressão corporal ou exercidas ao ar livre, como atleta, *personal trainer*, dançarino, treinador, corredor de automóvel, piloto de prova, lutador de artes marciais.

Tem habilidades e interesse por mecânica e motores em geral, além de atração por atividades que utilizem ferramentas, armas ou instrumentos de corte, incisão, precisão, podendo exercer as funções de cirurgião, engenheiro mecânico e mecatrônico, policial ou dentista. Você ainda gosta de correr riscos, enfrentar desafios e perigos e pode se sentir muito estimulado em cumprir metas em curto prazo.

Atente para o excesso de agressividade na área profissional e para sua tendência ao autoritarismo. Conjugue as habilidades da casa 10 com as de Áries e você alcançará suas metas.

Casa 10 em TOURO 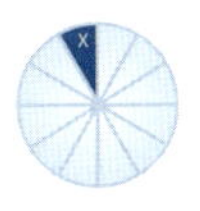 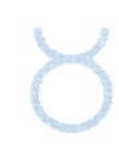

Veja a posição do planeta regente, VÊNUS 

Touro é o signo das posses e dos valores, e fica muito bem nessa posição pois, com ele na casa 10, você escolherá profissões que remunerem bem, atendam às suas necessidades materiais e práticas e ofereçam estabilidade, segurança material e realização.

Sua profissão terá de lhe oferecer resultados práticos e concretos. Para isso, você conta com bom senso para lidar com valores, acentuada capacidade produtiva e talento estético incomum. Visa à qualidade de vida, ao conforto, à beleza e aos prazeres sensoriais, como morar bem, ter boa aparência e rica alimentação. Seus interesses estão voltados para profissões que lidem com valores e finanças, como economistas, profissionais das áreas de aplicações e do mercado financeiro, gerentes de banco ou de crédito e controladores financeiros, só para citar alguns exemplos.

Você é muito talentoso para lidar com a matéria, a terra, os alimentos, a plástica, a arte, o concreto, a beleza, principalmente se tais elementos envolverem os sentidos físicos, e pode se dar bem em áreas como arquitetura, agropecuária, administração rural, ecologia, zootecnia, massagem, escultura, artes plásticas, cerâmica, comércio de arte, restaurante, indústria alimentícia, moda, beleza, perfumaria e cosmética.

É ligado nos processos produtivos em geral e sempre encontra os meios de produção adequados para qualquer atividade, seja de fabricação e desenvolvimento, seja de fornecimento de produtos, como necessário às engenharias em geral, à normatização e qualidade industrial e à automatização industrial.

Prefere não enfrentar desafios e precisa dosar certa tendência à inércia e à acomodação. Pode trabalhar sozinho ou em grupo, mas prefere a segurança de estar empregado. Com Touro na casa 10, você pode estar certo de que conseguirá os resultados concretos que tanto almeja. Conjugue as habilidades da casa 10 com as de Touro e você alcançará suas metas.

Casa 10 em GÊMEOS

Veja a posição do planeta regente, MERCÚRIO

Gêmeos é o grande mensageiro do zodíaco. Por isso, você tem todas as habilidades necessárias para cumprir essa função e produzir os resultados concretos almejados pela casa 10: capacidade para adquirir, transmitir e trocar informações, conhecimento, produtos ou objetos.

Tem o poder da fala e da comunicação, de conhecer as pessoas certas e colocá-las em contato, o que lhe dá especial capacidade de negociação, além de muita habilidade com a palavra, a voz, o traço e as mãos, características necessárias ao professor, cantor, locutor, tradutor e intérprete, desenhista, profissional de letras ou linguística, escritor, jornalista, redator publicitário, profissional de marketing e comunicação, assessor de imprensa, relações-públicas, representação ou vendas e massagista.

É muito ativo, ágil, rápido, eficiente, adaptável, versátil e curioso. Precisa trabalhar com outras pessoas, pois a troca de informações ou de produtos e a comunicação têm de ser praticadas com frequência, como acontece no comércio, nos meios de comunicação, no ensino ou na imprensa. Poderá ainda escolher atividades ligadas a papéis, livros, contratos e documentos, como bibliotecário, advogado, auditor, contador e gráfico.

Precisa estar física e mentalmente ativo, em movimento físico ou mental, conviver com diversidade de assuntos e espaços e se movimentar no trabalho. Pode desenvolver mais de uma atividade ao mesmo tempo e/ou atividade paralela para complementar sua renda.

Tem muita energia, mas pode gastá-la falando, andando, pensando ou dirigindo. Aprenda a lidar com sua tendência à inconstância, superficialidade, volubilidade e indecisão. Conjugue as habilidades da casa 10 com as de Gêmeos e você alcançará suas metas.

Casa 10 em CÂNCER

Veja a posição do planeta regente, LUA

Câncer é um signo de água dotado de grande sensibilidade tanto para captar suas próprias percepções internas quanto as das circunstâncias e pessoas à sua volta. Para sentir-se seguro e integrado, precisa identificar-se com a atividade, o local de trabalho e as pessoas ao redor.

Por ser muito ligado ao passado e às origens, você pode sofrer influência da família na escolha profissional ou vir a desenvolver atividades com seus membros, herdar bens ou negócios familiares.

Você tem forte instinto assistencial para cuidar de pessoas ou protegê-las, sobretudo mulheres e crianças, característica necessária em medicina, ginecologia, pediatria, enfermagem, fisioterapia, RPG ou serviço social.

Conta com grande criatividade, imaginação ativa e criativa, além de memória, bom senso de conservação, adaptabilidade e capacidade de integração. Seus interesses e habilidades passam também por profissões que nutram as pessoas, como nutrição ou comércio de alimentos, bebidas e doces, ou que cuidem da casa, dos objetos domésticos ou da família, como arquitetura, construção, restauração, decoração, paisagismo, hotelaria, economia doméstica, movelaria e marcenaria. Também tende a escolher profissões que desenvolvam intimidade, como psicologia e terapias em geral, que investiguem e conservem o passado, as tradições e culturas, como historiador, arqueólogo, genealogista, museólogo e antiquário, ou ainda que utilizem a imaginação ativa e criativa, como poeta ou romancista.

Com Câncer nessa posição, cuide para que sua vida pessoal e emocional não prejudique a profissional. Conjugue as habilidades da casa 10 com as de Câncer e você alcançará suas metas.

Casa 10 em LEÃO

Veja a posição do planeta regente, SOL

Leão é um signo de fogo que, por ser regido pelo Sol, reforça sua capacidade expressiva, espontaneidade e autoestima. Portanto, ser quem você é, ser autor, sentir-se especial, doar seu coração ao mundo e receber aplausos são suas grandes realizações.

Você tem de aparecer, ter orgulho de sua profissão e, para isso, conta com criatividade, teatralidade, postura e talento artístico acentuados para aplicar em qualquer tipo de arte, espetáculos, música, dança, teatro, cinema e produções culturais.

Leão tem grande autonomia, independência, exuberância, popularidade e magnetismo, o que lhe possibilita ser o centro das atenções ou o ator principal em qualquer atividade. Tem capacidade de liderança, comando de equipes e gerenciamento de negócios, características necessárias às pessoas de marketing, aos produtores, empreendedores, proprietários, administradores ou diretores de empresas, instituições e governos.

Pode trabalhar bem com quem ama ou com crianças em atividades ligadas a educação, entretenimento e lazer, como educador, orientador pedagógico, diretor de ensino, ou até mesmo em medicina, nas especialidades de pediatria, ginecologia e obstetrícia, oftalmologia ou ortopedia, já que Leão também rege a coluna vertebral, o coração e a visão.

Tem grande poder de comunicação e aprecia desafios, improvisos, riscos, especulação, jogos e esportes, como os atletas profissionais, especuladores, comunicadores e profissionais de marketing cultural. Você precisará sempre estar no centro das atividades que desenvolver, pois quer audiência e aplausos constantes. Mas deve atentar para sua tendência ao autoritarismo e à centralização excessivos. Conjugue as habilidades da casa 10 com as de Leão e você alcançará suas metas.

Casa 10 em VIRGEM

Veja a posição do planeta regente, MERCÚRIO

Virgem é um signo de terra totalmente voltado para o trabalho, o que para a casa 10 é muito bom. Uma de suas maiores motivações é servir aos outros: patrão, fregueses, clientes, alunos, pacientes, grupos ou empresas, para quem espera atuar assistindo, aconselhando e tornando-se confiável. Seu equilíbrio e autoestima giram em torno da ocupação que tiver e da necessidade de sentir-se útil e indispensável por suas habilidades.

Pode se sentir atraído por todo tipo de desenvolvimento ou assistência à saúde, seja de pessoas, seja de animais doentes e incapacitados, atuando como médico, veterinário, terapeuta, biomédico, enfermeiro, fisioterapeuta, terapeuta ocupacional, reabilitador, instrumentador, farmacêutico, bioquímico ou analista clínico. Também tem interesse pela natureza, por biologia, ecologia, higiene e nutrição, característica necessária a nutricionistas, engenheiros de alimentos, sanitaristas ou dietistas.

Um de seus grandes atributos é possuir mente privilegiada, analítica, atenta aos detalhes e com muita capacidade de organização, de estabelecimento de métodos, de análise de sistemas, de desenvolvimento técnico e especializado, aplicação de técnicas na prática, o que é muito útil nas engenharias em geral, na matemática, na física, na química ou em quaisquer atividades ligadas à informática.

Tem ainda muita habilidade e destreza com as mãos e demonstra interesse pela prestação de serviços em geral, por práticas de escritório, automação de escritórios, secretariado executivo, biblioteconomia, arquivologia ou artes e ofícios, comércio e técnicas em geral, aptidão para análise e detalhes, além de interesse pela recuperação e restauração de objetos.

Com Virgem na casa 10, sua capacidade de trabalho fica muito potencializada. Atente apenas ao perfeccionismo, à crítica e à autocrítica excessivos. E conjugue as habilidades da casa 10 com as de Virgem e você alcançará suas metas.

Casa 10 em LIBRA

Veja a posição do planeta regente, VÊNUS

Libra é o signo de ar mais dado aos relacionamentos e à comunicação, além de ser muito focado na busca de sua identidade por meio das relações com os outros ou da arte.

Libra tem sempre dois caminhos e, no caso profissional, você pode escolher o caminho das artes, porque tem interesse e talento estético incomum, além de equilíbrio de cores, ritmos e formas, para aplicar em profissões como artista plástico, escultor, bailarino, músico, comerciante de arte ou dono de galeria, *marchand* e leiloeiro.

Você também pode escolher o caminho dos relacionamentos, das relações públicas, da diplomacia. Você atua melhor em parceria, pois tem muito jeito para lidar com pessoas, e sua grande motivação é buscar companhia e complementaridade nas atividades em geral. Por isso, tem forte aptidão para lidar com o público ou para conhecer, cuidar, atender, entender ou representar o outro, como é necessário nas profissões de aconselhamento, nas terapias, consultorias, representações e assessorias em geral.

Tem senso de justiça e de direitos humanos acima da média, como simboliza a própria balança, o que favorece profissões como advocacia, procuradoria, promotoria e as ligadas ao Poder Judiciário.

Você busca harmonia e equilíbrio em tudo, aprecia o conforto e precisa viver cercado de beleza. Gosta de movimento, *glamour*, lugares públicos e atraentes, o que pode aplicar em atividades ligadas a eventos especiais, como *promoter* ou decorador de festas, cerimoniais, casamentos, desfiles de moda, exposições e *vernissages*. Tem muito charme, capacidade de sedução, amabilidade, boa aparência e refinamento naturais para ser ou treinar modelos, ser coreógrafo ou fotógrafo.

Cuidado com a indecisão e a tendência a não querer se comprometer. Conjugue as habilidades da casa 10 com as de Libra e você alcançará suas metas.

Casa 10 em ESCORPIÃO

Veja a posição do planeta regente, PLUTÃO

Escorpião é um signo de água, orientado para aquisição de poder, controle e recompensa financeira, atributos que podem ser conquistados por meio de sua habilidade em lidar com recursos alheios, sejam eles físicos, materiais, econômicos, sejam intelectuais, emocionais e políticos, como fazem os advogados, tributaristas, fiscais e psicólogos.

Tem habilidade para lidar com os esparsos recursos nas épocas de crise, transformando-os em novas formas, possibilidades, energias e oportunidades de vida. Você é transformador, tem capacidade de reformar, recuperar, restaurar, reabilitar, reciclar e curar pessoas, ambientes, matérias-primas e situações.

Você é muito determinado, autossuficiente e audacioso, e sua escolha profissional deve proporcionar-lhe acúmulo de poder, sua maior motivação. Seu poder é lidar com a crise e a emergência, gerando cura, regeneração e transformação, característica necessária em várias especialidades da medicina, psiquiatria, genética, farmácia e química, e em empresas de captação de recursos ou transformação de matérias-primas em energia e produtos.

Tem ainda especial interesse por assuntos que envolvam o inconsciente, o desconhecido e o profundo, como pesquisa de mercado, psicologia, investigação, ciências metafísicas e ocultismo.

Você pode trabalhar bem sozinho, em parceria ou em grupo, mas prefere posições de comando. Deve atentar para sua tendência ao autoritarismo. É cauteloso, estratégico, misterioso e corajoso. Conjugue as habilidades da casa 10 com as de Escorpião e você alcançará suas metas.

Casa 10 em SAGITÁRIO

Veja a posição do planeta regente, JÚPITER

Sagitário é um signo de fogo que busca ampliar seus horizontes intelectuais para compreender a natureza humana e o significado da vida. Para tanto, tem forte capacidade intelectual, expressão verbal e visão de longo alcance para lidar com assuntos filosóficos, sistemas de pensamento, códigos simbólicos, religiões, leis, ética e justiça, como necessário aos advogados, juízes, médicos, cientistas, sacerdotes, teólogos, filósofos, intelectuais e diplomatas.

Tem talento para divulgação, comunicação e propagação de novas ideias, características indispensáveis aos profissionais das áreas de publicidade e propaganda, marketing, editoração e promoção de eventos culturais. Sua escolha profissional deve abranger a disseminação e a aplicação de seu conhecimento em atividades das áreas de educação, do ensino superior, de estudos filosóficos, de carreiras universitárias ou que requeiram estudo permanente.

Pode ser ainda que você opte por atividades que proporcionem aventuras, práticas esportivas, exercícios físicos, viagens, contato com lugares distantes, povos e culturas estrangeiras, como acontece nas áreas de atletismo, montaria, arqueologia, geografia, meio ambiente, aviação, pilotagem, turismo e ecoturismo, relações internacionais, comércio exterior, exportação e importação, ou que ofereçam potencial de crescimento e alimentem seus ideais de vida.

Você precisa de expansão, fama, prestígio e satisfação intelectual, o que é necessário em profissões artísticas ou performáticas. Acredita na prosperidade, tem esperança e otimismo. Precisa tomar decisões, ser independente e ter liberdade no trabalho.

Cuidado com a autoindulgência e a necessidade imperativa de sucesso, que podem torná-lo improdutivo. Conjugue as habilidades da casa 10 com as de Sagitário e você alcançará suas metas.

Casa 10 em CAPRICÓRNIO

Veja a posição do planeta regente, SATURNO

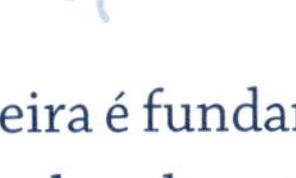

Capricórnio é um signo de terra cuja expressão da carreira é fundamental, assim como ser adulto e responsável, participar do mundo e da sociedade, ter sucesso e ser reconhecido por seu esforço e trabalho.

Como é o signo natural da casa 10, tê-lo nessa posição é garantia de que seus objetivos serão alcançados, pois você também é motivado pela obtenção de resultados concretos e recompensas materiais, buscando sempre segurança, estabilidade, *status* e realização. É focado e preocupado com o futuro, quando não precisar mais trabalhar e puder desfrutar do que construiu, e acredita que o mundo só o respeitará por sua competência e especialidade profissionais.

Para atingir suas metas, o capricorniano aprendeu a lidar bem com limites. É paciente, persistente, realista, pragmático, concentrado, preciso, determinado e disciplinado. É orientado para profissões nas quais possa expressar suas habilidades técnicas, como cirurgião, instrumentador, dentista e engenheiro. Por ser um signo de terra, pode vir a se interessar por natureza, biologia, ecologia, higiene e nutrição.

Conta ainda habilidades, administrativas e econômicas, como necessário às profissões já citadas na casa 10 ou às de planejamento e administração de pessoas, grupos ou empresas privadas ou do governo.

Também pode optar por profissões que envolvam o detalhe e a precisão, a pesquisa e as ciências, a perícia e a técnica, a qualidade e o aperfeiçoamento, como as das áreas de física, química industrial, matemática, engenharias em geral, controle de qualidade, estatística, processamento de dados, desenvolvimento de produtos, pesquisas acadêmicas, científicas e de mercado, ou ainda planejamento e marketing de produtos, instrumentos e serviços.

Capricórnio no meio do céu acentua sua necessidade de exercer autoridade, ocupar cargo de comando, chefia, proeminência, *status* ou posição social, ou ser reconhecido como *expert* no que faz. Mas deve atentar para sua tendência ao autoritarismo. Tem muito talento para seleção de equipes e liderança. Com Capricórnio na casa 10, sua capacidade produtiva e concretizadora fica muito potencializada. Conjugue as habilidades da casa 10 com as de Capricórnio e você alcançará suas metas.

Casa 10 em AQUÁRIO

Veja a posição do planeta regente, URANO

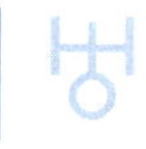

Aquário é um signo de ar que enfatiza a capacidade intelectual, a sociabilidade e os relacionamentos em grupo. Para tal, tem superioridade intelectual, muita criatividade e intuição para estudo, aplicação e pesquisa de ciências humanas, sociais, econômicas e políticas, como antropologia, sociologia, cooperativismo e sindicalismo.

Busca profissões nas quais possa se diferenciar, ocupações fora do comum, sem cartão de ponto, exercidas em horários não usuais, como astrólogo, metafísico, astrofísico, engenheiro aeroespacial, profissional de mídias alternativas, de televisão digital e de robótica.

Tem facilidade para adquirir *know-how* técnico e desenvolver um sistema de pensamento, teoria ou especialização, como fazem os matemáticos, estatísticos, engenheiros elétricos, eletrônicos, mecatrônicos, cientistas e tecnólogos, profissionais das telecomunicações e da computação.

Por ser intuitivo, é voltado para o futuro, o que lhe dá grande capacidade de planejamento, urbanismo, desenvolvimento, modernização e inovação de processos, antecipação de tendências e tecnologias, características necessárias nas áreas de comunicação, globalização, ecologia, mídias eletrônicas, era digital, automatização de escritórios ou indústrias.

É inovador, inventivo, original, excitado mentalmente e dado a mudanças repentinas. Deve atentar para sua rebeldia, indisciplina e transgressão a regras e limites. É bom nos relacionamentos, valoriza os colegas e busca o reconhecimento deles, o que o habilita a lidar com as áreas de recursos humanos, treinamento e liderança de equipes.

Prefere sentir independência, autonomia e liberdade, prestando assessoria e consultoria, ou representando grupos, instituições ou empresas. Conjugue as habilidades da casa 10 com as de Aquário e você alcançará suas metas.

Casa 10 em PEIXES

Veja a posição do planeta regente, NETUNO

De todos os signos de água, Peixes é o mais sensível e perceptivo. E é justamente nisso que residem sua força e diferenciação, na capacidade de captar as energias externas em sua totalidade e adequá-la às mais diversas leituras: intelectual, emocional, artística, psíquica, acadêmica e produtiva. Além disso, é muito motivado pelas crenças e inspirações e qualquer profissão que escolha terá de satisfazê-lo intimamente e fazer sentido.

Para tanto, você conta com as já citadas sensibilidade e percepção, com inteligência emocional, imaginação ativa, criativa e intuitiva, adaptabilidade e ecletismo. Tem senso estético incomum, talento artístico, memória visual, noção de proporção, imagem, cor, ritmo e harmonia, que podem ser aplicados em todo tipo de arte: artes plásticas, cinema, música, fotografia, dança, iluminação, ou, ainda, em produção, direção, cenografia, coreografia de espetáculos ou eventos. Também são aconselháveis as profissões que criem ilusões, como estilista, ator, produtor de espetáculos e filmes, maquiador, vendedor de produtos de beleza e cosmética.

Com forte instinto assistencial, pode proteger, nutrir e cuidar de outras pessoas como médico, biomédico, enfermeiro, terapeuta, naturologista, conselheiro, consultor, fisioterapeuta ou musicoterapeuta.

Tem tendências visionárias, habilidades psíquicas e leitura do inconsciente coletivo. Por isso, pode antecipar tendências em profissões como estilista, *designer*, cientista metafísico e estudioso do ocultismo.

Sua mente é dotada de senso de integração, visão de conjunto e poder de síntese, capacidade de fusão de elementos, alquimia, entendimento e percepção do macrocosmo comparado ao microcosmo, características ideais para criar soluções ou atividades que beneficiem muitos, que envolvam elementos que se interdependam, ou relacionem mundos paralelos e linguagens simbólicas – como homeopatia, antroposofia, terapia floral, ecologia, comércio, desenvolvimento de produtos, alimentos e bebidas, perfumes, vinhos e medicamentos alternativos, áreas em que os fatores só se juntam com conhecimento e sensibilidade.

Pode sentir interesse por profissões que lidem com o mar, como oceanografia, pesca, ecologia e biologia marinha, ou ainda ligadas aos pés, como produtor de couro e calçados. Também pode se interessar por buscas, crenças ou ideais, como teologia, filosofia, estudo de conjuntos simbólicos como I Ching ou psicologia.

Quando conjuga seus sonhos com esforço e competência, pode realizar o que quiser. Estando bem equilibrado emocionalmente, conta com capacidades quase ilimitadas. Pode ser muito influenciado pelo ambiente de trabalho e precisar de isolamento para se refazer ou conseguir produzir de maneira concentrada.

Cuide para não se envolver em muitos assuntos ao mesmo tempo e não desenvolver nenhum. Atente também para sua necessidade de relacionamentos, o que pode conduzi-lo à abdicação de si mesmo e ao excesso de devoção aos outros. Conjugue as habilidades da casa 10 com as do signo de Peixes e você alcançará suas metas.

Sol e suas características vocacionais por signo e casa

4

Sol em ÁRIES ☉ ♈

Ser ariano significa ter o Sol em Áries, um signo de fogo que indica que você interferirá no mundo em busca de identidade, autoafirmação e liberdade de ação. Sol, que em Áries está muito bem, iluminará sua criatividade, independência e autonomia, o que é necessário aos empreendedores, pioneiros, desbravadores, criadores e inventores.

Em Áries, o Sol potencializa sua energia física, iniciativa, coragem, ousadia, capacidade de liderança, competitividade, aptidão executiva e empreendedora e seu poder de decisão para se lançar no mercado e atuar profissionalmente.

Você pode trabalhar sozinho ou em qualquer atividade na qual exerça comando ou autonomia, como nas profissões autônomas, liberais ou ligadas à produção. Pode se dar bem em atividades ligadas a esporte, educação física, expressão corporal ou realizadas ao ar livre como atleta, aviador, *personal trainer* ou lutador de artes marciais.

Você tem forte interesse em habilidades mecânicas e poderá ser atraído por atividades que utilizem ferramentas, armas, instrumentos de corte, incisão e precisão, característica comum aos cirurgiões, engenheiros mecânicos, policiais ou dentistas. Você gosta de correr riscos, enfrentar desafios e perigos e pode se sentir muito estimulado em cumprir metas em curto prazo e superar seus limites.

Fique atento à sua tendência à impulsividade e à ansiedade excessivas, que podem fazer que comece várias tarefas e não as termine, e à sua agressividade e franqueza, que, se acentuadas, podem provocar hostilidade no ambiente profissional. Aprenda ainda a lidar com a frustração e a dosar certa tendência ao egocentrismo.

Sol em TOURO

Ser taurino significa ter o Sol em Touro, o signo das posses e dos valores. Com o Sol nesse signo, você se identificará com profissões que remunerem bem, atendam às suas necessidades materiais e práticas e ofereçam estabilidade, segurança material e realização.

Sua profissão terá de lhe oferecer resultados concretos. Para isso, você conta com bom senso para lidar com valores, muita capacidade produtiva e talento estético incomum. Visa à qualidade de vida, ao conforto, à beleza e aos prazeres sensoriais, como morar bem, ter boa aparência e rica alimentação.

Seus objetivos e esforços estarão voltados para profissões que lidem com valores, finanças e números, como engenharias em geral, matemática, gerências e controles financeiros ou de produção, atividades bancárias ou do setor de compras.

Pode ainda ser atraído por atividades artísticas, plásticas ou ligadas à estética e beleza, como artes plásticas, moda, área têxtil ou cosmética. Ou, também, por atividades ligadas à terra e natureza, como agronomia, agropecuária, paisagismo e floricultura, ou que lidem com a nutrição, como gastronomia e prestação de serviços em empresas alimentícias.

Você é talentoso para lidar com matéria, dinheiro, terra, natureza, alimentos, plástica, arte, concreto e beleza, principalmente se esses elementos envolverem os sentidos físicos: arquitetura, ecologia, massagem, salão de beleza, escultura e *design* de joias.

Prefere não enfrentar desafios e precisa equilibrar certa tendência à inércia e acomodação. Pode trabalhar sozinho ou em grupo, mas prefere a segurança de estar empregado.

Sol em GÊMEOS

Ser geminiano significa ter o Sol em Gêmeos, o grande mensageiro do zodíaco. Com o Sol nesse signo, você tem todas as habilidades necessárias para cumprir essa tarefa: grande capacidade para adquirir, transmitir e trocar informações e conhecimento.

Você é muito inteligente, tem o poder da fala e da comunicação, de conhecer pessoas e colocá-las em contato, o que lhe dá especial capacidade de negociação, articulação e argumentação, características necessárias aos profissionais de relações públicas, comerciantes, vendedores, escritores, jornalistas e advogados. Tem também habilidade com a voz e as mãos, qualidade indispensável a cantores, locutores, massagistas, radialistas e professores.

É ativo, ágil, rápido, eficiente, adaptável, versátil e curioso. Precisa trabalhar com outras pessoas, pois a troca de informações ou produtos e a comunicação têm de ser praticadas com frequência, como se dá no comércio, nos meios de comunicação, no ensino, na imprensa, no marketing e na publicidade.

Precisa estar física e mentalmente ativo, conviver com diversidade de assuntos e espaços e movimentar-se no trabalho. Pode desenvolver mais de uma atividade ao mesmo tempo e/ou função paralela para complementar a renda.

Tem muita energia, mas pode gastá-la falando, pensando ou dirigindo. Por isso, aprenda a lidar com sua tendência à inconstância, superficialidade, volubilidade e indecisão.

Sol em CÂNCER

Ser canceriano significa ter o Sol em Câncer, um signo de água dotado de grande sensibilidade tanto para captar suas próprias percepções internas quanto as das circunstâncias e pessoas à sua volta. Você busca segurança e integração em tudo que faz e profissionalmente precisará se identificar com a atividade, o local de trabalho e as pessoas ao redor.

Com o Sol nesse signo, você é muito ligado ao passado e às origens e pode sofrer influência da família na escolha profissional, tendendo a seguir a carreira dos pais ou a trabalhar no negócio da família. Tem forte instinto assistencial para cuidar de outras pessoas e protegê-las, principalmente mulheres e crianças, característica necessária em medicina, enfermagem, terapias em geral, pedagogia ou assistência social.

Seus interesses passam também por profissões que tenham como principal função nutrir as pessoas, como nutrologia, nutrição e gastronomia, que cuidem dos objetos, da casa ou da família, como movelaria, decoração de interiores e arquitetura, que desenvolvam intimidade, como psicologia, ou ainda que investiguem e conservem o passado e as origens, como história, arqueologia, museologia, arquivologia ou genealogia. Cuide para que sua vida pessoal e emocional não prejudique sua vida profissional.

Sol em LEÃO ☉ ♌

Ser leonino significa ter o Sol em Leão, um signo de fogo. Por ser o regente de Leão, o Sol nesse signo fica muito bem e acentua sua capacidade expressiva, espontaneidade, autoestima e autoridade.

Portanto, aparecer, ser quem você é, ser autor de si mesmo, sentir-se especial, doar-se ao mundo e receber aplausos são suas grandes realizações. Você conta com criatividade, teatralidade e talento artístico acentuados para todo tipo de arte, espetáculos, música, dança, teatro e cinema.

Tem grande autonomia, independência, exuberância, popularidade e magnetismo, atributos que lhe possibilitam ser o centro das atenções, o ator principal das situações que vive, ter capacidade de liderança, gestão ou gerenciamento de negócios, como os líderes empresariais ou publicitários.

Pode trabalhar bem com quem ama ou com crianças, nas áreas de educação, pedagogia, pediatria, ginecologia e obstetrícia.

Gosta de trabalhar divertindo-se. Para isso deverá escolher as áreas de entretenimento e lazer, dirigindo, produzindo ou criando eventos, por exemplo. Se não o fizer, terá de suprir essa necessidade por um *hobby*

Tem grande poder de comunicação e aprecia desafios, improvisos, riscos, especulação, jogos e esportes. Atente para sua tendência ao egocentrismo e à centralização excessivos.

Sol em VIRGEM ☉ ♍

Ser virginiano significa ter o Sol em Virgem, um signo de terra totalmente voltado para o trabalho. Com o Sol nesse signo, uma de suas maiores motivações é servir aos outros: patrão, fregueses, clientes, alunos, pacientes, grupos ou empresas, para quem você espera atuar assistindo, aconselhando, tornando-se confiável.

Seu equilíbrio e autoestima giram em torno da sua ocupação profissional e da necessidade de sentir-se útil, indispensável por suas habilidades.

Você pode ser atraído por todo tipo de assistência à saúde de pessoas e animais doentes e incapacitados, atuando como médico, veterinário, terapeuta, biomédico e enfermeiro. Também tem grande interesse pela natureza, biologia, ecologia, higiene e nutrição.

Conta com mente privilegiada, analítica, atenta aos detalhes e com grande capacidade de organização, de implantação de métodos, de análise de sistemas, de desenvolvimento técnico e especializado, aplicação de técnicas na prática, características úteis nas áreas de processamento de dados, engenharia mecatrônica, informática, robótica e automação.

Tem talento para práticas de escritório, secretaria, artes e ofícios, comércio e técnicas em geral, aptidão para análise e detalhes, além de interesse pela recuperação de objetos. Atente ao perfeccionismo, à crítica e à autocrítica excessivos.

Sol em LIBRA

Ser libriano significa ter o Sol em Libra, o signo de ar mais dado aos relacionamentos e à comunicação. O libriano também é muito focado na busca de sua identidade por meio das relações com os outros, da arte e da estética, ou ainda por meio da justiça.

Você atua muito melhor em parceria, pois sua grande motivação é buscar companhia e complementaridade nas atividades em geral. Com o Sol nesse signo, você pode escolher o caminho dos relacionamentos em profissões como relações públicas ou diplomacia. Tem forte aptidão para lidar com o público ou para conhecer, cuidar, atender e entender o outro, como é necessário nas profissões de aconselhamento, terapia, assessoria, secretaria e representação.

Pode escolher também o caminho das artes, do senso estético diferenciado, do equilíbrio de ritmos e formas, atuando como artista plástico, arquiteto, estilista, publicitário, *marchand*, dono de galeria ou diretor de arte.

Tem senso de justiça e de direitos humanos acima da média, como simboliza a própria balança, o que favorece profissões como a advocacia.

Você busca harmonia e equilíbrio em tudo, aprecia o conforto e precisa viver cercado de beleza. Gosta de movimento, de lugares públicos e atraentes. Tem muito charme, capacidade de sedução, amabilidade, boa aparência e refinamento naturais.

Com todos esses atributos pode escolher profissões como *promoter*, empreendedor ou produtor de eventos culturais, artísticos, de marketing ou de comunicação. Cuidado apenas com a indecisão e a tendência a não querer se comprometer.

Sol em ESCORPIÃO

Escorpião é um signo de água – embora não pareça, pois sua sensibilidade é controlada para não transparecer a ebulição emocional que há por dentro. Com o Sol nesse signo, você dirigirá seus objetivos e esforços para aquisição de poder, segurança e recompensa financeira, atributos que podem ser conquistados por meio de sua habilidade para lidar com recursos alheios, sejam eles físicos, materiais e econômicos, sejam intelectuais, emocionais ou psicológicos – como advogado, auditor, fiscal, tributarista, psicoterapeuta, por exemplo.

Sua escolha profissional deve abranger autossuficiência, audácia e determinação para gerar poder, sua maior motivação. Seu poder é lidar com a crise e a emergência, gerando recuperação, reabilitação, reconstrução, regeneração, cura e transformação, característica necessária em áreas como medicina, oncologia, cirurgia plástica, psiquiatria, genética, química e farmacologia.

Você também demonstra grande interesse pelo inconsciente, pelo desconhecido, pelo profundo, pela pesquisa e pelo ocultismo, podendo trabalhar em áreas da psicologia, das ciências ocultas e metafísicas e de investigação.

Trabalha bem sozinho, em parceria ou em grupo, mas tem energia de comando e frequentemente terá de lidar com seu senso de autoridade/autoritarismo. É cauteloso, estratégico, misterioso, sedutor e corajoso e se autoprotege ao extremo para salvaguardar sua vulnerabilidade.

Sol em SAGITÁRIO | ☉ ♐

Ser sagitariano significa ter o Sol em Sagitário, um signo de fogo que busca identidade e realização pessoal para ampliar seus horizontes intelectuais e compreender a natureza humana e o significado da vida.

Com o Sol nesse signo, você tem forte capacidade intelectual, expressão verbal e visão de longo alcance para compreender assuntos filosóficos, sistemas de pensamento, códigos simbólicos, religiões, leis, ética e justiça, como os advogados, juízes, cientistas, sacerdotes, filósofos e diplomatas.

Tem talento e capacidade para divulgação, comunicação e propagação de novas ideias e pode se interessar por áreas como publicidade e propaganda, marketing, editoração e promoção cultural. Sua escolha profissional deve abranger a disseminação e a aplicação de seu conhecimento em atividades das áreas de educação, do ensino superior, de estudos elevados e filosóficos.

Pode ser também que suas escolhas proporcionem aventuras, práticas esportivas, atividades físicas, viagens, contato com lugares distantes, povos e culturas estrangeiras, como acontece na aviação, na pilotagem, no atletismo, na educação física, no turismo, em hotelaria, comércio exterior e arqueologia, que lhe ofereçam potencial de crescimento ou lhe possibilitem viver seus ideais e perspectivas de vida.

Você necessita de expansão, fama e prestígio. Conta com fortes ideais e perspectivas de vida, além de acreditar na prosperidade, ter fé, esperança e otimismo. Precisa tomar decisões, ser independente e ter liberdade no trabalho. Cuidado com a autoindulgência e a necessidade imperativa de sucesso, que podem torná-lo improdutivo.

Sol em CAPRICÓRNIO ☉ ♑

Ser capricorniano significa ter o Sol em Capricórnio, um signo de terra cuja expressão da carreira é fundamental, assim como ser adulto e responsável, participar do mundo e da sociedade, ter sucesso e ser reconhecido por seu esforço e trabalho.

Com o Sol nesse signo, você é motivado pela necessidade de ter resultados e recompensas materiais, além de buscar segurança, estabilidade, *status* e realização. É focado e direcionado para o futuro, quando não puder mais trabalhar e tiver de desfrutar do que construiu.

Acredita que o mundo só o respeitará por sua competência e especialidade profissionais. Para alcançar seus objetivos, deve aprender a lidar bem com limites, ser paciente, persistente, realista, pragmático, concentrado, preciso, determinado e disciplinado.

É orientado para profissões nas quais possa expressar suas habilidades para planejamento, empreendimento, administração e finanças, ou para áreas que envolvam o detalhe e a precisão, a pesquisa e as ciências, a perícia e a técnica, a qualidade e o aperfeiçoamento, como desenvolvimento de produtos, pesquisas acadêmicas, científicas ou de mercado, física, estatística, matemática e meteorologia.

Pode trabalhar sozinho ou em equipe, mas precisa exercer autoridade, ter negócio próprio ou ocupar cargo de proeminência. Sabe escolher os melhores componentes para uma equipe e liderá-la com autoridade e controle.

Ser aquariano significa ter o Sol em Aquário, o signo de ar que enfatiza a capacidade intelectual, a sociabilidade e os relacionamentos em grupo. Com o Sol nesse signo, você tem superioridade intelectual, muita criatividade e intuição para ciências humanas, sociais, econômicas ou tecnológicas, como sociologia, antropologia, ciência política, história, geografia e ciência da computação.

Busca profissões em que possa se diferenciar, ocupações fora do comum, sem cartão de ponto, exercidas em horários não usuais, como astrólogo, astrofísico, astronauta, engenheiro aeroespacial e meteorologista.

Tem facilidade para adquirir *know-how* técnico e desenvolver um sistema de pensamento, teoria ou especialização, característica útil nas áreas de elétrica e eletrônica, ciência e tecnologia. Por ser intuitivo, é voltado para o futuro, o que lhe dá grande capacidade de planejamento, desenvolvimento, modernização e inovação de processos, antecipação de tendências e tecnologias, podendo atuar nas áreas de globalização, mídias eletrônicas, telecomunicações, era digital e economia sustentável.

É inovador, inventivo, original, excitado mentalmente e dado a mudanças repentinas. Deve atentar para sua rebeldia, indisciplina e transgressão a regras e limites, que podem prejudicá-lo no âmbito profissional.

É bom nos relacionamentos, valoriza os colegas, busca o reconhecimento deles e pode se dar muito bem treinando, recrutando e selecionando recursos humanos. Mas prefere sentir independência, autonomia e liberdade. É raro, mas podem existir tipos aquarianos mais rotineiros.

Sol em PEIXES | ☉ ♓

Ser pisciano significa ter o Sol em Peixes, o signo de água mais sensível e perceptivo. E é justamente nessa característica que residem sua força e diferenciação: na capacidade de captar as energias externas em sua totalidade e adequá-las às mais diversas leituras: intelectual, emocional, sensorial, artística, psíquica ou acadêmica.

Com o Sol nesse signo, você é motivado pelas crenças e inspirações e qualquer profissão que escolha terá de satisfazê-lo intimamente e fazer sentido. Para tanto, você conta com as já citadas sensibilidade e percepção, com imaginação ativa e intuitiva, adaptabilidade e ecletismo. Tem senso estético incomum, talento artístico, noção de proporção, imagem, memória visual, ritmo e harmonia, que podem ser aplicados em artes plásticas, cinema, música, fotografia, cenografia, produção, iluminação de espetáculos e eventos.

Sua mente conta com senso de integração, visão de conjunto, poder de síntese, entendimento do macrocosmo comparado ao microcosmo, além de compreensão de mundos paralelos e linguagens simbólicas, características úteis para aplicar em atividades que beneficiem muitas pessoas, como literatura, poesia, ciências metafísicas, bioquímicas ou farmacêuticas, ecologia, meio ambiente e tantas outras.

Com forte instinto assistencial, pode proteger, nutrir e cuidar de outras pessoas, como médico, psicoterapeuta, enfermeiro, naturologista e terapeuta. Tem tendências visionárias, habilidades psíquicas e leitura do inconsciente coletivo. Por isso, vê para onde as massas se deslocam e pode antecipar tendências em profissões das áreas de moda, *design* e estilo, medicina social, pesquisas biomédicas e científicas.

Você ainda aprecia todos os assuntos ligados ao mar, como pesca, biologia marinha, engenharia naval, aquicultura e oceanografia; também tem muito talento para fundir elementos, fazer misturas e criações, o que pode aplicar na alquimia, viticultura, enologia e comércio ou produção de alimentos e bebidas.

Quando consegue conjugar seus sonhos com esforço e competência, realiza o que quer. Se estiver bem equilibrado emocionalmente, tem capacidades quase ilimitadas. Pode ser muito influenciado pelo ambiente de trabalho e precisar de isolamento para se refazer.

Cuide para não trocar de atividade com frequência, para não se envolver em muitos assuntos ao mesmo tempo e não resolver nenhum. Atente para sua necessidade de relacionamentos, o que pode conduzi-lo à abdicação de si mesmo e ao excesso de devoção aos outros.

Sol na casa 1

Qualquer planeta na casa 1 tem seu efeito ampliado. A casa 1 é a casa da personalidade, que se desenvolverá em todo o mapa. É também a casa da imagem que você tem de si mesmo e de como os outros o veem, de como você procura se diferenciar e se autoafirmar por meio de suas potencialidades.

O Sol na casa 1 ilumina a busca de identidade própria, a consciência de si mesmo, a satisfação pessoal e o reconhecimento por meio de suas qualidades leoninas. Você irradia muita autonomia, independência, luz, brilho, exuberância, carisma, charme e magnetismo pessoal, atributos que lhe possibilitam ter capacidade de liderança e gerenciamento de negócios, como é o caso dos líderes empresariais ou políticos.

Busca autoconhecimento, diferenciação e autoafirmação por meio de sua capacidade de tornar-se único e imprimir sua marca pessoal em tudo que faz, como os profissionais liberais, sejam eles arquitetos, médicos, engenheiros, terapeutas ou advogados.

Tende a escolher atividades que exijam sua presença física, apresentando-se sempre pessoalmente em todas as situações e irradiando sua capacidade expressiva, potência, autodomínio, força de vontade, brilho, luminosidade, espontaneidade e elevada autoestima. Conta com grande criatividade, postura e teatralidade acentuadas, como necessário aos criadores, inventores, diretores, empreendedores ou produtores de eventos artísticos e espetáculos.

Nessa posição, o Sol reforça seu vigor físico e seu interesse por atividades corporais ou ao ar livre, características necessárias aos esportistas, atletas, bailarinos, dançarinos, *personal trainers*, professores de educação física, ginastas olímpicos, lutadores de artes marciais e tantas outras modalidades, incluindo marketing esportivo.

Qualquer atividade profissional que escolher terá de estimulá-lo para que não perca o interesse e conclua as tarefas começadas. Atente para sua tendência à centralização e para orgulho e vaidade excessivos.

Sol na casa 2 | ☉

A casa 2 rege sua capacidade produtiva e revela os recursos e ferramentas com os quais você conta para produzir, obter resultados concretos, ganhar dinheiro e expandir-se materialmente. Também descreve de que maneira você lida com o mundo material.

Na casa 2, o Sol busca segurança material e resultados práticos e concretos, fazendo escolhas profissionais que possibilitem acumular, somar ou agregar bens, posses e valores.

Você conta com criatividade, força de vontade, talento e liderança, somados às habilidades da casa 2, para lidar com ciências contábeis e econômicas, finanças e números, como necessário aos economistas, matemáticos, estatísticos, atuaristas, controladores, gerentes de banco ou de crédito, aplicadores, investidores ou agentes de mercado financeiro, de ações e de capitais, e profissionais da área de compras.

Tem ainda os sentidos físicos muito apurados, que podem ser utilizados em profissões como arquiteto, escultor, artista plástico, perfumista, nutricionista ou mesmo gastrônomo, *restaurateur* ou produtor de alimentos.

Você nasceu para cuidar, criar e multiplicar a matéria, o dinheiro, o concreto, a plástica e a forma. Por ter visão muito utilitarista, sabe fazer as coisas acontecerem, como produzi-las, multiplicá-las, fazê-las crescer, e tende a atuar em profissões ligadas a fabricação, produção, fornecimento de produtos ou a engenharias em geral, processos produtivos e industriais.

E, por fim, você conta com capacidade produtiva incomum, que será demonstrada por meio da conjugação com suas qualidades.

Sol na casa 3

O Sol na casa 3 o iluminará para atividades nas quais possa estar em permanente troca de conhecimento ou informações, demonstrando sua inteligência brilhante, clareza de raciocínio, pensamento lógico, capacidade de aprendizado, assimilação e transmissão de informação, além de sua facilidade para se relacionar e trocar experiências com os outros.

Você nasceu para fazer escolhas profissionais em que possa buscar ou difundir conhecimento, trocar informações – pelas áreas de marketing e comunicação, como é o caso do jornalista, repórter, editor, assessor de imprensa, relações-públicas, escritor, profissional de letras ou linguística.

Essa posição também ilumina as áreas que lidam com documentos, contratos e papéis, como advocacia, biblioteconomia, arquivologia, produção gráfica e editoração.

Pode também favorecer o comércio ou atividades que lidem com meios de transporte, trânsito e deslocamento físico, como profissional de distribuição e logística ou de marketing da indústria automobilística, piloto e engenheiro de tráfego.

Você poderá vir a trabalhar com irmãos ou colegas. Tem habilidade para negociações, intermediação de negócios, articulação e argumentação. Mostra também facilidade para aprender línguas estrangeiras, para conhecer pessoas e colocá-las em contato, trocando com elas seus saberes e produtos. Também tem aptidão para atividades nas quais utilize a voz ou a palavra, como professor, comunicador, locutor, radialista, tradutor e intérprete.

Sol na casa 4

Na casa das origens, raízes e relações familiares, o Sol o iluminará para atividades nas quais possa se sentir ainda mais seguro e satisfeito. Profissionalmente, você busca segurança emocional e integração no trabalho.

Estão entre suas opções as profissões que possa praticar em casa, que lhe permitam estar no comando e na liderança de sua família ou dos negócios dela, ou ainda participar de um projeto desde o início.

Você também pode buscar assuntos ligados à casa, ao lar, a imóveis e propriedades, como arquitetura, decoração, paisagismo, movelaria, construção civil, negócios imobiliários e hotelaria. Ou mesmo negócios que lidem com a terra, a ecologia ou o solo, como administração rural, agronomia, geologia, engenharia cartográfica ou hídrica.

Outra área para a qual você nasceu com muito talento é a assistencial, protegendo, nutrindo ou cuidando de pessoas, como em medicina, terapias em geral, psicologia, fisioterapia e serviço social.

E, finalmente, o Sol nessa posição pode iluminar seu interesse por assuntos que lidem com a imaginação ativa e criativa, com raízes culturais e tradições, como história, geografia, arqueologia, literatura, genealogia, museologia e arquivologia. Mas, seja qual for sua escolha profissional, você terá de conjugar suas qualidades com satisfação pessoal e necessidade de sentir-se adaptado e integrado ao trabalho.

Sol na casa 5

A casa 5 está ligada à expressão natural da personalidade, à satisfação de ser quem é, aos talentos pessoais, artísticos, vocacionais e de criatividade. Com o Sol na casa 5, você nasceu para atividades nas quais possa aparecer, se expressar, ser autor, estar em evidência, sentir-se especial, centro das atenções, ser aplaudido, reverenciado e reconhecido pelo que naturalmente nasceu para ser e fazer.

É também a casa do amor, da capacidade de amar, de gerar filhos, criações e obras como se fossem extensão de você, como fazem o médico, o empreendedor, o inventor, o criador, o ator, o artista plástico, o profissional do cinema, da poesia, da fotografia ou da literatura. Com o Sol nessa posição, você vai querer demonstrar seus talentos e habilidades conjugados a suas qualidades solares.

Você também poderá escolher a área de entretenimento e lazer, como produtor de espetáculos ou eventos educacionais, artísticos, culturais, publicitários ou esportivos. Você aprecia desafios, improvisos, riscos, especulação, jogos e esportes, como é o caso do esportista, do atleta, do *personal trainer*, do educador, do condicionador físico, do profissional de marketing esportivo, ou mesmo do especulador, do agente investidor de bolsa de valores e do operador de mercado financeiro.

Você irradia autonomia, independência, luz, brilho, exuberância, carisma, charme, capacidade de sedução e magnetismo, que lhe possibilitam ter, liderar e gerenciar negócios, como é o caso dos líderes empresariais, dos comunicadores, dos profissionais de marketing ou dos publicitários.

Pode trabalhar bem com quem ama ou com crianças, como educador, professor, diretor de ensino e orientador pedagógico, mas terá de estar sempre no centro ou no comando das atividades. Atente para sua tendência à centralização, ao egocentrismo, ao orgulho e à vaidade excessivos.

Sol na casa 6 ☉

A casa 6 é importante para a área profissional, pois revela o(s) assunto(s) profissional(is) de seu interesse, fala da rotina de trabalho que lhe agradará, da relação que você terá com colegas de trabalho, patrões ou empregados. O Sol nessa posição costuma orientar para profissões em que você possa ser autônomo e independente, pois não costuma se submeter a receber ordens. O Sol na casa 6 o iluminará para atividades profissionais nas quais possa estar ocupado e se sentir produtivo e útil por suas qualidades solares.

Como essa casa fala de ritmos e fluxos, sejam físicos, sejam da natureza, pode direcionar as escolhas profissionais para as áreas de biologia, ecologia, agronomia, pecuária, alimentação, nutrição e higiene sanitária, ou pode sugerir a prestação de serviços públicos essenciais, como correios, telefonia, energia elétrica, saneamento básico, comércio, imprensa, rádio e TV.

Você nasceu para prestar assistência à saúde de pessoas e animais doentes e incapacitados, como é o caso do médico, do cirurgião, do naturologista, do veterinário, do dentista, do enfermeiro ou do assistente social. Tende a prestar serviços gerais nas áreas de treinamento, recrutamento e seleção de recursos humanos, ou ainda a exercer qualquer prática terapêutica, como fisioterapia, psicoterapia, quiropraxia, fonoaudiologia, terapia ocupacional, reabilitação, análises clínicas, ciências biomédicas e farmácia.

É dotado de grande capacidade de organização, implantação de métodos e sistemas, desenvolvimento técnico e especializado, aptidão para análise, crítica, detalhes, como necessário em atividades técnicas em geral, análise de sistemas, informática, computação, automação de empresas e escritórios, estatística e engenharias.

Tem ainda talento para as artes e ofícios, além de interesse pela recuperação ou restauração de objetos. O Sol na casa 6 favorece o trabalho em posição de comando, liderança ou autonomia.

Sol na casa 7

O Sol na casa 7 o iluminará para profissões ligadas aos relacionamentos ou à justiça.

Você nasceu para atividades em que suas habilidades para lidar com o público ou para ser consultor, assessor, conselheiro, secretário e relações-públicas estejam sendo utilizadas, ou seja, você tem muito talento para iluminar o outro também, seja aconselhando, atendendo, recepcionando, defendendo, cuidando, protegendo, entendendo, negociando com ele ou para ele, como seu representante.

Portanto, todas as profissões liberais que envolvam parceria com o cliente devem ser consideradas, como arquitetura, astrologia, terapias em geral, inclusive as que envolvam comunicação, como necessário aos assessores de imprensa e publicitários.

Como tem senso de justiça acima da média, pode se interessar pela advocacia, promotoria, procuradoria, defensoria pública ou por profissões que lidem com a justiça de modo geral.

O Sol na casa 7 indica que você deve se relacionar, por isso buscará sempre relacionamentos que complementem suas deficiências, formando parcerias, associações, sociedades, contratos com o outro, o que é sua grande motivação. Mas preste atenção para sua necessidade de comando, pois na casa 7 o maior aprendizado é a cooperação.

Sol na casa 8

Na casa 8 o Sol buscará atividades que lhe proporcionem poder, controle e/ou recompensa financeira. Para tal, você conta com suas habilidades em lidar com recursos alheios, sejam eles físicos, materiais, econômicos, sejam emocionais ou psicológicos, como fazem os advogados, tributaristas, inventariantes, fiscais, psicoterapeutas e economistas.

Você também pode lidar com recursos financeiros do outro em atividades como auditoria, captação de recursos, ciências atuariais, especulação, *factoring*, *leasing*, ou ainda em atividade comissionada, participativa, em *franchising* e direitos autorais.

Sua escolha profissional permitirá que você demonstre sua autossuficiência, audácia e determinação para gerar poder, sua maior motivação. Seu poder é saber lidar com a crise e a emergência, gerando cura ou transformação, seja recuperando, reciclando, seja reconstruindo, reformando e reabilitando, como necessário na psiquiatria, na genética, na química, na farmacologia ou na medicina, principalmente nas áreas críticas, de cirurgias, terapia intensiva, oncologia, entre outras.

Pode ser também que se interesse por reformas ou reconstruções, como na arquitetura, ou, ainda, que busque trabalhar em indústrias de transformação de matérias-primas em produtos ou energia, como é o caso das siderúrgicas, das empresas petrolíferas, de processos petroquímicos, de produção de álcool e de biocombustível.

Com o Sol nessa posição, você sente interesse pelo desconhecido, pelo profundo e oculto, como necessário aos pesquisadores, investigadores, psicólogos, cientistas ou metafísicos.

Você trabalha bem sozinho, mas precisa estar no comando das situações e frequentemente terá de lidar com sua tendência à centralização e ao autoritarismo excessivos. É competitivo, estratégico, misterioso, sedutor, corajoso e se autodefende ao máximo para salvaguardar sua vulnerabilidade.

Sol na casa 9 | ☉

Na casa 9, o Sol é movido por aspirações e o iluminará para atividades e situações que ampliem seus horizontes de conhecimento para melhor compreender o significado da existência humana. Para tanto, você tem muito interesse e capacidade intelectual, expressão verbal e visão de longo alcance para lidar com assuntos filosóficos, sistemas de pensamento, códigos simbólicos, religiões, leis, ética e justiça, como é o caso do advogado, do juiz, do parecerista, do cientista, do sacerdote, do filósofo, do professor, do diplomata, do embaixador e do especialista em direito internacional.

Você reúne inteligência, poder de comunicação, capacidade de divulgar e propagar novas ideias, como necessário em publicidade, propaganda e marketing, na editoração e na promoção de feiras e eventos culturais. Profissionalmente, disseminará ou aplicará seus conhecimentos em atividades como educação em ensino superior, filosófico ou científico, escolherá carreira universitária ou prestará concursos públicos.

Você adora aventuras, viagens, contato com lugares distantes, povos e culturas estrangeiras e pode vir a escolher áreas como arqueologia, geografia, história, aviação, pilotagem, exército, aeronáutica ou marinha, e ainda turismo ou comércio exterior para dar vazão a esse prazer.

Precisa tomar suas próprias decisões, ser independente e ter liberdade no trabalho. Qualquer que seja sua escolha, você utilizará suas qualidades solares para obter prestígio e satisfação pessoal.

Sol na casa 10

A casa 10 é importante para a área vocacional, pois é nela que se colhem os frutos profissionais de toda uma vida. O Sol na casa 10 o iluminará para a realização profissional, para a conquista de sucesso, prestígio, *status* e poder como meio de conhecer sua identidade própria, obter autoconsciência, satisfação pessoal e reconhecimento por meio de suas qualidades solares.

É aqui que o indivíduo atinge o ápice da vida e o mais alto grau de reconhecimento por sua competência em fazer algo melhor do que qualquer outra pessoa, tornando seu nome uma grife, emprestando prestígio e credibilidade aos locais em que atua profissionalmente.

O Sol nessa posição pressupõe que você obtenha resultados materiais, para os quais estará focado, preocupando-se com sua carreira e com o futuro, quando não puder mais trabalhar e tiver de desfrutar do que construiu.

Você irradia autonomia, independência, luz, brilho, exuberância, carisma, charme e magnetismo, atributos que lhe possibilitam ser o centro das atenções ou o ator principal das situações que vive, ter capacidade de liderança e gerenciamento de negócios, como é o caso dos profissionais liberais, dos executivos, dos líderes empresariais ou mesmo dos políticos.

O Sol na casa 10 pressupõe popularidade e reconhecimento profissional como especialista e autoridade no que faz, além de buscar posição de poder ou destaque em instituições, empresas, áreas do governo, Estado ou de universidades.

Com o Sol nessa casa, você almeja participar de elites, colher sucesso e reconhecimento da sociedade. Deve optar por profissões nas quais possa utilizar suas qualidades solares, reafirmando sua autonomia ou capacidade de comando e liderança de equipes em empreendimentos, iniciativas próprias, criações, inventos, comunicação, publicidade e propaganda.

Pode ser ainda que você conjugue suas tendências com as habilidades da casa 10 para profissões que envolvam pesquisa e ciência, técnica e precisão, perícia, qualidade e aperfeiçoamento, como pesquisa de mercado, marketing ou desenvolvimento de produtos e mercados e controle de qualidade.

Pode trabalhar bem em equipe, desde que exerça comando, autoridade ou autonomia. É voltado, ainda, para ter um negócio próprio ou para ocupar cargo que lhe proporcione proeminência, destaque, *status* ou prestígio. Sabe selecionar os melhores componentes de uma equipe e liderá-la com autoridade, eficiência e controle.

Sol na casa 11

Com o Sol na casa 11, você vai querer ter participação efetiva na sociedade seja de maneira profissional, política e social. Almeja ser atuante e participar de atividades que tenham dimensão social, trabalhando em áreas públicas, sociais ou políticas que alimentem seus ideais por um mundo melhor, mais livre e democrático, fazendo diferença com sua criatividade, inteligência e clareza de raciocínio.

Para isso, você conta com superioridade intelectual e grande capacidade para as ciências sociais, como sociologia, antropologia, medicina social, psicologia social e economia.

Você também tem visão de conjunto e de futuro, que, somada à sua intuição, lhe confere capacidade para antecipar tendências sociais, econômicas, políticas, científicas e tecnológicas, como necessário aos planejadores estratégicos, urbanistas, sindicalistas, ambientalistas, ecologistas, meteorologistas ou, ainda, aos cientistas e políticos.

Você irradia autonomia, independência, consciência social e política, brilho, carisma e magnetismo, atributos que lhe capacitam para exercer liderança e gerenciamento de pessoas ou negócios, como é o caso dos profissionais liberais, gerentes de recursos humanos, executivos políticos, líderes empresariais, presidentes de sindicato ou entidade de classes, de órgãos públicos e estatais e organizações não governamentais.

Com essas qualidades você procurará atividades que produzam benefícios a grupos, minorias, empresas, governos e instituições, seja inventando, pesquisando e planejando, seja distribuindo tarefas ou liderando equipes na projeção do futuro. Você preferirá trabalhar como autônomo, na qualidade de consultor ou assessor, ou ainda como líder de grupos ou equipes.

Sol na casa 12

O Sol na casa 12 o iluminará para a busca de si mesmo, de sua identidade, de sua verdadeira vocação, como forma de obter satisfação íntima. Qualquer escolha profissional terá de fazer sentido para você e levar em consideração suas crenças e inspirações, conjugadas com suas qualidades solares.

Você é movido por inspirações. Conta com grande sensibilidade, percepção emocional, imaginação ativa, criativa e intuitiva, adaptabilidade, ecletismo, noção de proporção, ritmo e harmonia, além de senso de integração, visão de conjunto e poder de síntese, que podem ser aplicados em atividades que beneficiem muitas pessoas ou comunidades, seja empreendendo, dirigindo, produzindo ou criando. Você também tem forte habilidade para captar elementos e pode traduzi-los por meio da música, das artes plásticas, da fotografia, do cinema, da literatura, da poesia, da iluminação, da cenografia, da coreografia ou de figurinos de eventos e espetáculos.

Você irradia forte tendência assistencial e poderá proteger, nutrir ou cuidar de pessoas, como fazem os médicos, terapeutas, psicólogos, naturólogos, enfermeiros, assistentes sociais, reabilitadores, musicoterapeutas, fisiatras e acupunturistas.

Tem aptidões visionárias, habilidades psíquicas, visão de futuro, capacidade de ler o inconsciente coletivo, prevendo para onde as massas se deslocam e antecipando tendências, assim como necessário nas buscas científicas e metafísicas, em política, moda e comportamento, áreas em que pode sintonizar os desejos coletivos.

Pode criar ou inventar atividade que leve em consideração a sociedade como um todo, que considere uma multiplicidade de assuntos que se interdependem, ou ainda que relacione mundos paralelos, linguagens simbólicas, macrocosmo e microcosmo e sua interdependência, como necessário na pesquisa de imunologia e microbiologia, na ecologia e naturologia, na homeopatia, na antroposofia, na terapia floral ou, ainda, no desenvolvimento de medicamentos e vacinas, áreas em que fatores só se juntam com conhecimento e sensibilidade.

Pode ser muito influenciado pelo ambiente de trabalho e precisar de isolamento para se refazer ou produzir. Pode ainda se dedicar a atividades que exijam sigilo e discrição, como pesquisa, investigação ou psicanálise.

Cuide para não trocar de atividade com frequências, para não começar várias tarefas ao mesmo tempo sem conseguir finalizar nenhuma.

Lua e suas características vocacionais por signo e casa

5

Lua em ÁRIES  

Com a Lua em Áries, você se sentirá seguro e satisfeito em situações profissionais em que esteja no comando, chefia ou liderança ou em situações de independência, liberdade de ação e poder de decisão, como é o caso dos empresários e profissionais liberais.

Você precisa reafirmar sua identidade por meio de atividades que o estimulem a ter iniciativa e ação, a ser competitivo e combativo, a demonstrar criatividade e ousadia. Por isso, essa posição favorece o trabalho autônomo, criativo, independente ou que seja realizado ao ar livre, em contato com a natureza. Favorece, ainda, atividades em que possa se expressar fisicamente ou por meio da expressão corporal, como *personal trainer*, praticante de tai chi chuan, dançarino.

Conjugue as qualidades e habilidades lunares e você terá profissões em que possa ser pioneiro ou reconhecido por sua personalidade única, como é o caso dos médicos, dos cirurgiões e dos dentistas.

Atente para a impulsividade e a ansiedade, que o fazem começar várias tarefas e não terminar nenhuma, e para sua franqueza às vezes excessiva, sua agressividade, seus rompantes emocionais, sua irritabilidade e sua intolerância.

Aprenda ainda a lidar com a frustração e a dosar certa tendência ao egocentrismo. Todas essas características podem provocar hostilidade no ambiente profissional.

Lua em TOURO ☾ ♉

Com a Lua em Touro, você se sentirá seguro e satisfeito em profissões que lhe propiciem dinheiro, segurança material e estabilidade. Você precisa de situações permanentes, tem necessidade de adquirir bens duradouros e de conservar as coisas como estão.

Tende às profissões ligadas a finanças e números, como gerente econômico ou financeiro, tesoureiro ou *controller*. Também pode escolher profissões relativas ao setor imobiliário e de construção, como engenharia civil ou arquitetura.

A Lua nessa posição pode favorecer as atividades artísticas, plásticas ou ligadas à estética e beleza, ou, ainda, profissões ligadas à terra e natureza, como agropecuária, paisagismo e floricultura, ou que lidem com sentidos físicos, como escultura e alimentação.

Ela lhe confere disposição para manter a rotina diária, ser persistente, valorizar as coisas bonitas e de qualidade. Você procura o conforto e a gratificação física, evita o estresse, a variedade ou a flutuação e precisa aprender a se desapegar das coisas e pessoas, quando necessário, para dar lugar ao novo.

Lua em GÊMEOS ☾ ♊

Com a Lua em Gêmeos, você se sentirá seguro e satisfeito em situações em que possa estar vendo, ouvindo, circulando, explorando novas ideias, coisas, lugares e relações, adquirindo informações e conhecimentos.

Você precisa estar em contato permanente com pessoas, trocando ideias, informações ou produtos, sempre em movimento físico ou mental, em aprendizagem e se comunicando. Precisa saber o quê e o porquê de tudo, sentir-se brilhante, esperto, inteligente, informado e lógico o tempo todo.

A Lua em Gêmeos favorece todas as atividades ligadas ao uso, à aquisição ou transmissão de conhecimentos, como acontece no ensino, na comunicação e no marketing, no jornalismo, na assessoria de imprensa, na redação publicitária, nas relações públicas, na tradução e na interpretação.

Você é dotado de grande habilidade de negociação e articulação, conhece as pessoas certas e sabe colocá-las em contato. Tem ainda habilidade com a voz, intimidade com as palavras e a argumentação, como necessário aos advogados, comerciantes e comunicadores.

Atente para sua variação de humor, suas emoções instáveis e seu excesso de agitação, que o levam a gastar muita energia falando, pensando, dirigindo ou agitando-se demais.

Lua em CÂNCER

Com a Lua em Câncer, você se sente seguro e satisfeito em situações em que possa estabelecer laços ou vínculos com outras pessoas e/ou em ambientes conhecidos e familiares. Também se sente bem se puder assumir função protetora, nutrindo, assistindo, ajudando e cuidando de pessoas, como em medicina, enfermagem e nutricionismo.

Tem muita sensibilidade para perceber o outro e pode se realizar em atividades nas quais crie intimidade, como psicologia, por exemplo. Sua Lua ainda favorece o interesse por assuntos que valorizem o passado e as tradições, como história ou arqueologia, e por todo tipo de profissão ligada à casa, ao lar, a imóveis e propriedades, como decoração, administração ou vendas imobiliárias, construção.

Pode conferir-lhe também muita criatividade e imaginação para se expressar por meio da poesia, da literatura, da autoria de novelas, artes plásticas, fotografia, imagens ou cinema. O importante é se sentir envolvido, protegido, acolhido e querido pelas pessoas e ambientes.

Terá vocação para trabalhar com o público feminino, jovem ou infantil. Atente para sua tendência ao conservadorismo e à dificuldade para enfrentar situações difíceis. Cuide para que sua vida emocional e familiar não interfira no terreno profissional.

Lua em LEÃO ☾ ♌

Com a Lua em Leão, você se sentirá seguro e satisfeito se desenvolver atividades que lhe deem prazer ou nas quais possa exercer sua criatividade e ser homenageado, respeitado, admirado, festejado e elogiado por seus dotes e talentos.

Você precisa expressar quem você é, sentir-se especial, doar seu coração ao mundo, receber aplausos e ser reconhecido por suas habilidades. Para isso, você conta com criatividade, teatralidade, postura e talento artístico acentuados para aplicar em artes cênicas, musicais, artes plásticas, fotográficas ou cinematográficas.

A Lua em Leão também favorece situações em que você possa ser o centro das atenções ou estar na liderança ou comando, como empresário, profissional liberal das áreas de comunicação, marketing, publicidade e propaganda.

Você gosta de frequentar ambientes bonitos e sua Lua favorece atividades relacionadas às áreas de entretenimento, lazer, produção de eventos, espetáculos, jogos, diversão, cinema, teatro e esportes.

Pode trabalhar bem com quem ama ou com crianças, nas áreas de medicina, educação, educação física e artística, formação de jovens, direção de ensino e orientação pedagógica.

Você precisa se orgulhar do que faz e para isso colocará seu coração e entusiasmo em sua atividade profissional. Atente, porém, para o excesso de egocentrismo, que pode prejudicá-lo profissionalmente.

Lua em VIRGEM

Com a Lua em Virgem, você se sentirá seguro e satisfeito sendo útil para os outros, estando ocupado, sentindo-se necessário ou quando tudo estiver em ordem, cada coisa em seu lugar e dentro do programado. Ela favorece as relações com o trabalho, o ambiente e os colegas.

Confere a você a capacidade e a disposição para ajudar, assistir, atender e cuidar de pessoas ou animais, seja na prestação de serviços e em atividades assistenciais, seja nas áreas de saúde e higiene, como medicina, enfermagem, terapias em geral, veterinária, análises clínicas e biomédicas.

A Lua nesse signo também pode fazer você se interessar por atividades ligadas à terra, natureza, nutrição, ecologia, biologia e agronomia.

Ela também favorece suas habilidades técnicas, analíticas e detalhistas, que podem ser úteis em pesquisas, análises de sistemas, engenharias, informática e serviços de escritório.

Você tem necessidade de ordem, ritmo e métrica, desenvolvimento de sistemas, métodos e programações para tudo, além de precisar se sentir competente, prático, eficiente, correto, preciso, lógico, realista e pragmático. Atente para a rigidez, a superexigência e o espírito crítico excessivos.

Lua em LIBRA

Com a Lua em Libra, você se sente seguro e satisfeito quando exerce atividades que envolvam uma ou mais pessoas. Para você, qualquer atividade deve envolver parceria, relação interpessoal ou interação com o público, como necessário nas profissões de relações públicas, aconselhamento, terapias, consultorias ou assessorias em diversas áreas.

Nesse signo, a Lua também favorece atividades que valorizem o belo e a harmonia, como as ligadas a artes e estética: artes plásticas, desenho, arquitetura, moda e beleza, por exemplo.

Você tem senso de justiça acima da média, como simboliza a própria balança, necessário a profissões como advocacia ou que lidem com a justiça em geral.

Gosta de lugares públicos e atraentes, precisa sempre estar acompanhado, ter contato social, sentir-se atraente, sedutor, popular, ser aceito e apreciado. Tem muito charme, capacidade de sedução, amabilidade, boa aparência e refinamento natural.

Busca sempre reciprocidade nas relações, é cooperativo, conciliador, diplomático, liberal, franco, justo, equilibrado e muito sociável. Deve atentar apenas para sua autoindulgência e busca de prazer, conforto e satisfação exagerados.

Lua em ESCORPIÃO ☾ ♏

Com a Lua em Escorpião, você se sente seguro e satisfeito com tudo sob seu comando ou controle, se estiver ocupando uma posição de poder e/ou se obtendo recompensa financeira.

Tem habilidade para lidar com recursos, sejam eles físicos, materiais ou econômicos, sejam intelectuais, emocionais ou psicológicos, como é o caso do advogado, do tributarista e do psicoterapeuta.

Sente necessidade de se aprofundar em tudo que faz e precisa se sentir forte e intenso em qualquer atividade que abraçar. Para tal, dedica-se intensamente, é persistente, sabe influenciar, seduzir, persuadir, manipular e exercer poder sobre as pessoas.

Favorece profissões em que renovação, reforma, cura, restauração, reconstrução, regeneração e transformação sejam qualidades necessárias, como é o caso da medicina, da reabilitação, das terapias em geral, da restauração de objetos, da construção, da transformação de matérias-primas em energia. Favorece também atividades que lidem com investigação, como pesquisa, psicologia, psiquiatria, ciência e política.

Você é cauteloso, estratégico, secreto e se autoprotege para não demonstrar sua sensibilidade e vulnerabilidade. Atente para sua tendência à obsessão, desconfiança, vingança, possessividade e cólera.

Lua em SAGITÁRIO ☾ ♐

Com a Lua em Sagitário, você se sentirá seguro e satisfeito quando estiver adquirindo conhecimento, buscando o saber teórico e o sentido da vida. Você também se sentirá bem quando estiver em total liberdade, sentindo-se independente e aventurando-se pelo mundo em viagens ou atividades esportivas.

Tem necessidade de sentir entusiasmo em tudo que faz e vislumbrar um mundo mais justo, um futuro melhor, novos horizontes, alvos longínquos, resultados positivos. Você sempre estabelece desafios e metas grandiosas e aventura-se na conquista desses alvos distantes.

Precisa de ambientes e atividades que estimulem o crescimento e a liberdade, que exalem otimismo, fé e alto-astral. Sua Lua favorece atividades profissionais que lhe permitam propagar seu conhecimento e ideias, como é o caso do professor, conselheiro, consultor, escritor, editor, publicitário e promotor cultural.

Favorece também as ocupações que envolvam lugares distantes e viagens, como em agência de turismo, negócios com importação e exportação, culturas, filosofias e religiões estrangeiras.

E, por fim, favorece atividades ligadas a leis e justiça, como advogado, juiz, promotor, concursado público e desembargador. Atente para sua tendência à autoindulgência, à arrogância e à dificuldade em lidar com situações desfavoráveis, restritas ou rotineiras.

Lua em CAPRICÓRNIO ☾ ♑

Com a Lua em Capricórnio, você se sentirá seguro e satisfeito se estiver exercendo sua competência naquilo que faz e, consequentemente, obtendo segurança, estabilidade e fazendo parte de estruturas sólidas ou situações confiáveis.

Você precisa se sentir produtivo e reconhecido quanto à excelência profissional. Gostará de exercer cargos de chefia, comando ou autoridade. Tem talento para as atividades financeiras e econômicas em geral, bem como para as que exijam especialização ou alta competência, precisão, perícia, técnica ou pesquisa.

Também tende a optar por profissões administrativas, conjugadas às habilidades lunares, como medicina, odontologia, fisioterapia, reabilitação, práticas terapêuticas, construção, arquitetura, hotelaria ou, ainda, criação, desenvolvimento ou produção de itens femininos, infantis ou ligados ao lar e à alimentação. Para tal, você é conservador, disciplinado, prático, pragmático, assume seus compromissos com seriedade e tende a assumir metas ambiciosas.

Você se sente melhor se puder controlar e administrar o progresso, fazer as coisas acontecerem e transmitir credibilidade aos demais. Atente para o exagero de crítica e autocrítica, autoexigência, tarefas excessivas e perfeccionismo.

Lua em AQUÁRIO | ☾ ♒

Com a Lua em Aquário, você se sentirá seguro e satisfeito em atividades profissionais nas quais possa ter liberdade e independência, faça algo original, fora do comum, como astrologia, física nuclear, mídias alternativas ou, ainda, esteja contribuindo para a melhoria das condições coletivas, como cientista social, político, sindicalista e profissional de medicina ou de psicologia social.

A Lua nesse signo favorece todo tipo de profissões autônomas nas quais possa ser seu próprio patrão, sem chefe, sem horário fixo, cartão de ponto ou vínculo empregatício. Portanto, ser assessor ou consultor em atividades que promovam o bem-estar social e a melhoria de condições de vida da coletividade está entre suas opções.

Por ser muito intuitivo, inventivo e contar com visão de futuro, tem capacidade para planejamento, desenvolvimento, modernização, antecipação de tendências e tecnologias, sejam elas sociais, intelectuais e políticas, sejam econômicas e de comportamento, como os urbanistas, ambientalistas, economistas e planejadores.

Você precisa se sentir socialmente engajado, significante, pertencente a tribos, partidos ou bandeiras, ao mesmo tempo em que precisa se considerar único, diferente do contexto, incomum. Atente para sua tendência a rompimentos bruscos, mudanças repentinas, rebeldia, indisciplina, transgressão a regras e limites.

Lua em PEIXES

Com a Lua em Peixes, você se sentirá seguro e satisfeito quando se envolver em atividades que desenvolvam algo de âmbito maior, façam sentido para você e estejam de acordo com suas crenças e intuições.

A Lua nesse signo favorece atividades que exijam inspiração, disposição para sonhar, desenvolver a imaginação ativa, criativa e intuitiva e criar com suas habilidades estéticas para artes em geral, música, poesia, literatura ou entretenimento, cinema, teatro, dança, iluminação e cenografia.

Favorece também atividades nas quais possa aplicar suas habilidades psíquicas, como psicologia, alquimia, hipnose e aconselhamento, ou, ainda, sua tendência natural para prestar assistência a doentes e incapacitados, como em medicina, saúde pública e serviço social. Você tem necessidade de se identificar com uma causa, crença ou ideal, como é o caso das atividades voltadas para ecologia, biologia marinha, meio ambiente ou teologia.

Tem muita percepção dos outros e dos ambientes e, como sente tudo, pressente tudo e se emociona com tudo, pode vir a trabalhar com antecipação de tendências, como necessário na moda, política ou desenvolvimento de medicamentos.

Atente para sua hipersensibilidade, respeite seu ritmo lento e nunca despreze suas intuições e pressentimentos. No entanto, tente distingui-los de sua tendência à imaginação excessiva, cheia de fantasias e castelos de areia.

Lua na casa 1 | ☾

Qualquer planeta na casa 1 tem seu efeito ampliado. A casa 1 é a casa da personalidade e se desenvolverá em todo o mapa. É também a casa da imagem que você tem de si mesmo e de como os outros o veem, de como procura se diferenciar e se autoafirmar por meio de suas potencialidades.

A Lua enfatizará suas qualidades lunares e irradiará sensibilidade, percepção, receptividade e ingenuidade. Também acentuará a necessidade de projetar sua sensibilidade em tudo que faz, de distinguir-se, tornar-se único. Pode dirigi-lo para atividades nas quais possa demonstrar sua habilidade em lidar com pessoas, sua capacidade de oferecer cuidados, proteção, nutrição e alimentação aos outros, como ocorre nas profissões de assistente social, médico, nutricionista e terapeuta de várias áreas.

Pode também habilitá-lo para profissões que exijam sensibilidade e criatividade, como literatura ou poesia, já que na casa 1 a Lua funciona como um radar, captando e lendo os sinais dos ambientes e pessoas à sua volta, detectando suas necessidades, anseios, caminhos e direções.

É essa capacidade também que, somada à empatia que a Lua gera nessa posição, o torna apto a lidar com o público, tornar-se popular, querido e necessário, como nas profissões voltadas para a orientação de mulheres, jovens e crianças, nas áreas de educação, aconselhamento, serviço social e psicologia.

Você poderá também fazer escolhas que envolvam membros ou negócios da família ou de pessoas muito próximas, que lhe transmitam segurança e conforto. As profissões ligadas aos cuidados com a casa, o lar, objetos, assuntos femininos ou infantis também estarão em pauta, como arquitetura, decoração, paisagismo, movelaria, *design* de brinquedos e confecção de *lingerie*.

Poderá ainda conjugar suas habilidades com certa tendência dessa casa às iniciativas próprias, como dono de empresa, de antiquário ou de loja de presentes, objetos para a casa e enxovais, ou, ainda, como profissional liberal.

Você pode vir a optar por atividades que dependam apenas de você, que exijam sua presença física e lhe permitam imprimir sua marca pessoal em tudo que faz, apresentando-se sempre pessoalmente em todas as situações, como necessário a um empresário, por exemplo.

A Lua nessa casa pode reforçar sua suscetibilidade e subjetividade excessivas, tornando-o egocêntrico demais. Por fim, qualquer atividade que escolha terá de fazê-lo sentir-se bem.

Lua na casa 2 ☾

A casa 2 rege sua capacidade produtiva e revela os recursos e ferramentas com os quais você conta para produzir, obter resultados concretos, ganhar dinheiro e evoluir materialmente, além de descrever de que maneira você lida com o mundo material.

Nessa casa, a Lua fará que atenda a suas necessidades básicas de alimentação, vestuário, moradia e trabalho, além de proporcionar a geração de recursos e a obtenção de resultados práticos e concretos para que se sinta seguro e satisfeito. Sua escolha profissional passa por atividades em que possa acumular, somar ou agregar bens, posses ou valores.

Para tanto, você conta com a Lua ou com sensibilidade, fertilidade e criatividade para trabalhar com assuntos ligados às ciências contábeis e econômicas, a finanças e números, como economia, aplicação em mercado financeiro, gerência de banco ou crédito, à área de compras, economia doméstica, por exemplo, ou às áreas de nutrição/alimentação, como nutricionista, cozinheiro, dono de restaurante ou bufê.

Você pode ser direcionado para as áreas de fabricação, criação, produção, vendas e fornecimento de produtos, que atendam a necessidades básicas como alimentos, vestuário, moda, calçados, cama, mesa e banho, tecidos, móveis e objetos para casa, para mulheres e crianças, ou mesmo para assuntos ligados às questões imobiliárias. Seus sentidos físicos são muito apurados e podem ser utilizados em profissões como arquiteto, perfumista, escultor e ceramista.

Tem potencial para cuidar, criar e multiplicar a matéria, o dinheiro, o concreto, a plástica e a forma devido à sua visão utilitarista da vida e a seu interesse em como fazer as coisas acontecerem, como produzi-las, multiplicá-las, fazê-las crescer, características úteis em qualquer atividade produtiva ou industrial, como normatização e qualidade industrial, engenharia de produção, de materiais ou industrial.

Conta ainda com capacidade produtiva incomum, que será demonstrada por meio de suas qualidades lunares.

Lua na casa 3 | ☾

A Lua na casa 3 enfatizará sua necessidade de estar em permanente troca de conhecimento ou informações, demonstrando sua inteligência, capacidade de raciocínio, aprendizado e memória incomuns.

Você pode optar por profissões nas quais coloque sua sensibilidade, fertilidade e criatividade na busca ou difusão de conhecimento, na troca de informações e comunicação, como jornalista, repórter, professor, escritor, assessor de imprensa, profissional de letras ou linguística; ou ainda por áreas que lidem com documentos, contratos e papéis, como advocacia, biblioteconomia, arquivologia ou contabilidade.

Pode também ser direcionado para o comércio ou atividades que lidem com meios de transporte, trânsito ou deslocamento físico, como representante de vendas. Você poderá trabalhar com irmãos ou colegas.

Tem muita habilidade para fazer negociações, conhecer pessoas e colocá-las em contato e para exercer atividades nas quais utilize a palavra ou a voz, como advogado, cantor, professor ou locutor. Pode vir a ter mais de uma ocupação para complementar a renda.

Lua na casa 4 | ☾

A Lua na casa 4 enfatiza suas qualidades e habilidades lunares, pois é a regente natural dessa área do mapa, a casa das origens, raízes e relações familiares, setor em que serão estabelecidos vínculos fortes para que você se sinta seguro e satisfeito por toda a vida.

Profissionalmente, a Lua enfatizará a necessidade de segurança emocional e integração no trabalho e o fará escolher atividades que possa praticar em casa ou com familiares, que lhe permitam trabalhar nos negócios da família ou ainda participar de um projeto desde o início, para que sinta o trabalho como uma extensão do lar.

Os assuntos com os quais você vai trabalhar também podem estar ligados a casa, lar, imóveis, construção ou propriedades, como arquitetura, paisagismo, movelaria, antiquário, atividades imobiliárias, hotelaria.

Outra área de escolha pode ser a assistencial, cuidando, protegendo ou nutrindo pessoas, principalmente mulheres e crianças, como na medicina, em práticas terapêuticas e de reabilitação, na assistência social e na psicologia. Você também tem aptidão para assuntos que lidem com a imaginação ativa e criativa, raízes culturais e tradições, como filosofia, museologia ou arqueologia.

Mas, qualquer que seja sua escolha, você terá de conjugar as qualidades lunares com satisfação pessoal, necessidade de se sentir bem adaptado, seguro e integrado profissionalmente.

Lua na casa 5 ☾

A casa 5 está ligada à expressão natural da personalidade, à satisfação de ser quem é, aos talentos pessoais, artísticos, vocacionais, e à manifestação da criatividade. A Lua na casa 5 enfatizará sua necessidade de se expressar, estar em evidência, ser autor, criativo, sentir-se especial, ser o centro das atenções, ser querido, reverenciado e reconhecido pelo que naturalmente é, como em qualquer profissão artística, literária ou musical.

É também a casa do amor, da capacidade de amar, gerar filhos, criações e obras como se fossem uma extensão sua, como fazem o educador, o médico, o artista ou ator. Com a Lua nessa posição, você se sentirá seguro e satisfeito demonstrando quem é por meio de seus talentos e qualidades lunares.

Você gosta de trabalhar se divertindo e se não o fizer terá de encontrar um *hobby* que o distraia ou dirigir-se profissionalmente para a área de entretenimento e lazer, como produção de eventos infantis ou educacionais, esportivos ou artísticos.

Tem grande poder de comunicação, marketing e gerenciamento de negócios, como necessário aos empresários. Pode trabalhar bem com quem ama ou com crianças, como professor ou orientador pedagógico, mas terá sempre de estar no centro ou no comando das atividades. Atente apenas ao egocentrismo.

Lua na casa 6

A casa 6 é importante para a área profissional pois revela o(s) assunto(s) profissional(is) de seu interesse. Fala da rotina de trabalho que lhe agradará e da relação que você terá com colegas, patrões ou empregados.

Com a Lua nessa posição, você se sentirá seguro e satisfeito por meio do trabalho e da profissão. Sua maior necessidade será sentir-se ocupado e produtivo, útil e indispensável por suas qualidades lunares.

Como essa casa fala de ritmos e fluxos, sejam físicos, sejam da natureza, ela pode direcionar suas escolhas profissionais para as áreas de biologia, ecologia, alimentação, nutrição e agropecuária, ou pode sugerir atividades que envolvam rotina ou repetição, como prestação de serviços essenciais – correios, telefonia e imprensa.

Você pode querer também cuidar de pessoas ou animais doentes e incapacitados, atuando como médico, veterinário, enfermeiro ou assistente social, ou prestar serviços a pessoas comuns, fazendo treinamento, recrutamento e seleção de recursos humanos ou trabalhando com práticas terapêuticas.

Conta com grande capacidade de organização, de implantação de métodos e sistemas, de desenvolvimento técnico e especializado, de aplicação deles na prática, como necessário ao analista de sistemas e aos profissionais de informática ou de ensino.

Tem interesse por práticas de escritório, secretaria executiva, artes e ofícios, comércio, bem como aptidão para análise e detalhes, recuperação ou restauração de objetos. A Lua na casa 6 estimula o trabalho com público feminino ou infantil e nas áreas de saúde, ensino e nutrição.

Lua na casa 7

A Lua na casa 7 enfatizará sua necessidade de buscar segurança e satisfação por meio dos relacionamentos com os outros ou de profissões ligadas à justiça.

Você optará por profissões nas quais suas qualidades e habilidades para lidar com o público ou para ser consultor, assessor, conselheiro, relações-públicas e terapeuta sejam utilizadas, ou seja, aconselhando, atendendo, cuidando, recepcionando, negociando, entendendo e representando o outro.

Portanto, todas as profissões liberais que estabelecem parceria com o cliente podem ser consideradas, como arquiteto, assessor de imprensa, publicitário e terapeuta.

Como tem senso de justiça acima da média, pode se dirigir para a advocacia ou para profissões que lidem com a justiça de modo geral.

A Lua na casa 7 precisa e depende de relacionamentos porque busca a complementação de suas deficiências por meio da formação de parcerias, associações, sociedades, contratos com o outro – sua maior motivação.

Lua na casa 8 ☾

Na casa 8, a Lua enfatizará suas qualidades lunares para a busca de segurança, poder e recompensa financeira. Por isso, procurará controlar as emoções para não deixar transparecer suas necessidades.

A Lua nessa posição reforça sua habilidade em lidar com pessoas e com seus recursos, sejam eles físicos, materiais e econômicos, sejam intelectuais, emocionais e psicológicos, como fazem os advogados, fiscais, funcionários públicos e psicólogos.

Também pode dirigi-lo a atividades financeiras, atuariais, de captação de recursos, especulação, *factoring* e *leasing*, ou ainda a atividades comissionadas, participativas, de *franchising* e direitos autorais.

Sua escolha profissional deve abranger determinação para gerar poder – sua maior motivação. Seu poder é saber lidar com a crise, cuidar, recuperar, restaurar, reciclar, regenerar, gerar cura e transformação, como na medicina, cirurgia plástica, psiquiatria, química, farmacologia, indústria alimentícia, têxtil, de calçados ou de produtos para o lar.

Tem interesse pelo desconhecido, profundo e oculto, como na psicologia, na pesquisa e em atividades psíquicas ou metafísicas. Trabalha bem sozinho, em parceria ou em grupo, mas tem necessidade de comando. É cauteloso, estratégico, secreto e se autoprotege ao extremo para salvaguardar sua sensibilidade e vulnerabilidade.

Lua na casa 9 ☾

Na casa 9, a Lua satisfará sua necessidade de segurança ampliando seus horizontes de conhecimento e compreensão do significado da existência humana. Para tanto, você tem forte sensibilidade intelectual, expressão verbal e visão de longo alcance para compreender assuntos filosóficos, sistemas de pensamento, códigos simbólicos, religiões, leis, ética e justiça, podendo optar por profissões como advogado, juiz, procurador, médico, cientista, sacerdote, filósofo e diplomata.

Tem talento e capacidade para divulgação, comunicação e propagação de novas ideias, podendo trabalhar com publicidade, propaganda e marketing, editoração e promoção cultural. Sua escolha profissional deve abranger disseminação e aplicação de seu conhecimento em atividades das áreas de educação, ensino superior, estudos elevados e filosóficos e de carreira universitária.

Você pode também optar por atividades que lhe proporcionem viagens, contato com lugares distantes, povos e culturas estrangeiras, como turismo, exportação e importação, história, geografia e arqueologia.

Qualquer que seja sua escolha, você utilizará sensibilidade e qualidades lunares para obter prestígio e satisfação intelectual. Cuidado com a autoindulgência e a necessidade de sucesso, que podem torná-lo improdutivo.

Lua na casa 10

A casa 10 é importante para a área vocacional pois é nessa área que se colhem os frutos profissionais de toda uma vida. A Lua na casa 10 busca realização profissional, estabilidade, sucesso, prestígio, *status* e poder como meios de proporcionar segurança e satisfação.

É aqui que o indivíduo vive o auge de sua vida e atinge o mais alto grau de reconhecimento por sua competência em fazer algo melhor do que qualquer outra pessoa, tornando seu nome uma grife, emprestando prestígio e credibilidade aos locais em que atua profissionalmente.

Ter a Lua nessa posição significa ter necessidade de resultados e recompensas materiais, pois você está sempre focado e preocupado com o futuro, quando não precisar mais trabalhar e puder desfrutar do que construiu.

Com a Lua na casa 10, você ambiciona participar de elites, colher sucesso, poder e reconhecimento da sociedade, utilizando sua sensibilidade e talentos.

Você deve escolher profissões nas quais possa expressar suas habilidades lunares para administrar, proteger, alimentar, nutrir, perceber, receber, compreender e cuidar de pessoas, ou que lidem com a casa, seus objetos e funções, como arquiteto, médico, terapeuta, decorador, nutricionista, produtor de alimentos, moda, calçados, vestuário, artigos de cama, mesa e banho, ou ainda hotelaria, imobiliária e construção civil.

A Lua nessa posição também enfatiza a necessidade de ser popular, querido por sua clientela e reconhecido profissionalmente como especialista, autoridade no que faz, e de ocupar posição de poder, destaque ou comando em instituições, empresas, áreas do governo, Estado e universidades.

Você pode trabalhar sozinho ou em equipe, mas gosta de exercer autoridade ou ocupar cargo de proeminência. Sabe escolher os melhores componentes para uma equipe e liderá-la com firmeza, eficiência e controle.

Lua na casa 11 | ☾

Com a Lua na casa 11, você buscará segurança e satisfação por meio de participação efetiva na sociedade — profissional, política ou socialmente. Você precisa se sentir atuante, gerando benefícios à comunidade, exercendo atividades de dimensão social, trabalhando em áreas públicas que alimentem seu idealismo por um mundo mais humano e democrático, fazendo diferença com sua participação.

Para tanto, você tem, além das qualidades lunares, sensibilidade, visão de conjunto e de futuro e muita intuição, que lhe conferem capacidade para atuar em ciências humanas e sociais, como medicina, psicologia ou psiquiatria social, antropologia e cooperativismo, bem como para antecipar tendências, sejam elas sociais, econômicas, políticas e tecnológicas, sejam de comportamento, como necessário aos planejadores sociais, profissionais de recursos humanos, urbanistas, ecologistas, ambientalistas, políticos e sindicalistas.

Com essas qualidades você focará suas ações em atividades que produzam benefícios a grupos, minorias, empresas, governos e instituições, seja inventando, pesquisando ou planejando, seja distribuindo tarefas e liderando equipes na projeção do futuro. Você poderá trabalhar como autônomo, na qualidade de consultor ou assessor, ou ainda como líder de grupos e equipes.

Lua na casa 12 | ☾

Com a Lua na casa 12, toda a sua sensibilidade, fertilidade e criatividade estão voltadas para a busca de sua verdadeira vocação, para a busca de si mesmo como forma de se sentir seguro e obter satisfação íntima. Qualquer profissão que escolher terá de fazer sentido para você e levar em consideração suas crenças e inspirações, conjugadas com suas qualidades lunares.

Você tem grande sensibilidade, percepção, imaginação ativa, criativa e intuitiva, adaptabilidade, ecletismo, noção de proporção, ritmo e harmonia, senso de integração, visão de conjunto e poder de síntese, atributos que podem ser aplicados em atividades que beneficiem muitas pessoas e comunidades ou em profissões criativas, como músico, profissional das artes plásticas, da fotografia, do cinema, entre outros.

Seu instinto assistencial fica reforçado nessa posição e você poderá proteger, nutrir e cuidar de outras pessoas, como fazem os médicos, terapeutas, psicólogos, assistentes sociais e enfermeiros. Tem habilidade para desenvolver atividades que exijam sigilo, discrição, isolamento ou silêncio, como psicanálise, por exemplo.

Você ainda é provido de interesses acadêmicos e capacidades visionárias, prevendo para onde as massas se deslocam e antecipando tendências, característica necessária em moda, literatura ou política.

Também pode particularizar uma atividade por meio de sua aptidão para ocupações que levem em conta a sociedade como um todo, que considerem uma multiplicidade de assuntos interdependentes ou ainda que relacionem mundos paralelos, macrocosmo comparado ao microcosmo, como a homeopatia, a antroposofia, a terapia floral, ou mesmo o comércio, em que fatores só se juntam com conhecimento e sensibilidade.

Pode ser muito influenciado pelo ambiente de trabalho e precisar de isolamento para se refazer. Cuide para não trocar de atividade com frequência e atente para sua necessidade de relacionamentos, que pode conduzi-lo à abdicação de si mesmo e ao excesso de devoção aos outros.

ASC

Ascendente e suas características vocacionais por signo

Ascendente em ÁRIES | ASC ♈

Veja a posição do planeta regente, MARTE | ♂

Áries é um signo de fogo que busca identidade, autoafirmação e liberdade de ação, indicando que você agirá no mundo para se autoconhecer, se diferenciar e se individualizar.

Para tanto, você conta com muita criatividade, independência e autonomia. Precisará encontrar e expressar esse poder criativo que habita em você para encarar a vida como deseja: uma sucessão de experiências, aventuras e desafios que lhe permitam descobrir quem você é.

Conta ainda com grande iniciativa, coragem, capacidade de liderança, competitividade, aptidão executiva e empreendedora, além de muito poder de decisão para se lançar no mercado e atuar profissionalmente. Preferirá trabalhar sozinho ou em qualquer atividade que exerça comando ou autonomia, como nas profissões liberais (medicina, produção, administração de empresas ou empreendimentos).

Dono de muita energia física, precisa extravasá-la e pode se dar bem em atividades ligadas ao esporte, à expressão corporal ou realizadas ao ar livre, como atleta, treinador, dançarino, *personal trainer*, lutador de artes marciais ou piloto de automóvel.

Tem interesse por mecânica e motores em geral, além de atração por atividades que utilizem ferramentas, armas ou instrumentos de corte, incisão, precisão, como cirurgião, engenheiro mecânico ou mecatrônico, mecânica de precisão ou de manutenção, policial ou dentista.

Você gosta de correr riscos, enfrentar desafios e perigos e pode se sentir muito estimulado a cumprir metas em curto prazo. Com Áries no ascendente, atente para sua impulsividade, agressividade e egocentrismo.

A posição de Marte, regente de seu ascendente, mostrará em que assuntos você descobrirá melhor sua identidade e demonstrará as qualidades de sua personalidade.

Ascendente em TOURO | ASC ♉

Veja a posição do planeta regente, VÊNUS | ♀

Touro é o signo das posses e dos valores. Quando está em seu ascendente, você se identifica com profissões que remunerem bem, atendam a suas necessidades materiais e práticas e ofereçam estabilidade, segurança material e realização. Sua profissão terá de lhe oferecer resultados práticos e concretos.

Você conta com bom senso para lidar com valores, acentuada capacidade produtiva e talento estético incomum. Visa à qualidade de vida, ao conforto, à beleza e aos prazeres sensoriais, como morar bem, ter boa aparência e rica alimentação. Seus interesses estão voltados para profissões que lidem com valores e finanças, com a terra e a natureza, ou com a estética e as artes.

É muito talentoso para lidar com a matéria, o dinheiro, a terra, os alimentos, a plástica, a arte, o concreto e a beleza, principalmente se esses elementos envolverem os sentidos físicos, como em arquitetura, agropecuária, administração rural, ecologia, zootecnia, massagem, escultura, artes plásticas, cerâmica, comércio de arte, restaurante, indústria alimentícia, salão de beleza e perfumaria.

Liga-se nos processos produtivos em geral e sempre encontra os meios de produção adequados para qualquer atividade de fabricação, criação, desenvolvimento ou fornecimento de produtos, como necessário às engenharias em geral e à normatização, qualidade ou automatização industrial.

Como o ascendente descreve sua energia física, atente para o peso e a lentidão, para a preguiça e indolência e para certa tendência à inércia e à acomodação. Você prefere não enfrentar desafios e precisa aprender a largar o velho para que o novo surja. Pode trabalhar bem sozinho ou em grupo, mas prefere a segurança de estar empregado.

Com Touro no ascendente, você pode estar certo de que conseguirá os resultados concretos que tanto almeja. A posição de Vênus, regente do ascendente, mostrará em que assuntos você poderá descobrir melhor sua identidade e demonstrar as qualidades de sua personalidade.

Ascendente em GÊMEOS | ASC ♊

Veja a posição do planeta regente, MERCÚRIO | ☿

Gêmeos é o grande mensageiro do zodíaco. Para cumprir tal função, você conta com todas as habilidades necessárias: capacidade para adquirir, transmitir e trocar informações, conhecimento, produtos e objetos.

Tem o poder da fala e da comunicação, de conhecer pessoas certas e colocá-las em contato, além de capacidade de negociação, muita habilidade com a palavra, a voz, o traço e as mãos, como necessário a professores, cantores, locutores, tradutores/intérpretes, desenhistas, profissionais de letras e linguística, escritores, redatores publicitários, profissionais de marketing, de comunicação, assessores de imprensa, relações-públicas, representantes ou vendedores e massagistas.

É muito ativo, ágil, rápido, eficiente, adaptável, versátil e curioso. Precisa trabalhar com outras pessoas, pois a troca de informações ou de produtos e a comunicação têm de ser praticadas com frequência, como acontece no comércio, nos meios de comunicação, no ensino ou na imprensa. Você poderá ainda escolher atividades ligadas a papéis, livros, contratos e documentos, como biblioteconomista, advogado, auditor, contador e produtor gráfico.

Precisa estar física e mentalmente ativo, conviver com diversidade de assuntos e de espaços e movimentar-se no trabalho. Pode desenvolver mais de uma atividade ao mesmo tempo e/ou função paralela para complementar sua renda. Mas deve atentar para a necessidade de querer abraçar tudo e acabar não se entregando a nada com afinco, já que tem muita energia, mas pode gastá-la falando, andando, pensando ou dirigindo.

Deve atentar também para sua energia mental, pois corre o risco de entrar de cabeça em tudo, perdendo o contato com o corpo e os sentimentos.

Aprenda a lidar com sua tendência à inconstância, à superficialidade, à volubilidade, à dispersão e à indecisão. E tenha paciência para fazer sua escolha profissional, pois você tem tantas habilidades e talentos que pode ser difícil fazer uma só opção. Talvez cursar duas faculdades possa resolver a questão.

A posição de Mercúrio, regente do ascendente, mostrará em que assuntos você poderá descobrir melhor sua identidade e demonstrar as qualidades de sua personalidade.

Câncer é um signo de água dotado de grande sensibilidade tanto para captar suas percepções internas quanto as das circunstâncias e pessoas à sua volta. Com ele no ascendente, você pode desenvolver uma carapaça para se proteger ou estratégias para usar sua sensibilidade, reconhecendo e liberando seus sentimentos.

Para sentir-se seguro e integrado, precisa se identificar com a atividade, o local de trabalho e as pessoas ao redor. E, por ser muito ligado ao passado e às origens, você pode sofrer influência da família na escolha profissional, desenvolvendo atividades com seus familiares ou herdando bens ou negócios.

Você tem forte instinto assistencial para cuidar de pessoas ou protegê-las, principalmente mulheres e crianças, como necessário na medicina, ginecologia, pediatria, enfermagem, fisioterapia, RPG ou assistência social.

É dotado de grande criatividade, imaginação ativa e criativa, além de memória, bom senso de conservação, adaptabilidade e capacidade de integração. Seus interesses e habilidades passam também por profissões que nutram as pessoas, como nutricionismo ou comércio de alimentos, bebidas e doces; que cuidem da casa, dos objetos ou da família, como arquitetura, construção, restauração, decoração, paisagismo, hotelaria, economia doméstica, movelaria, marcenaria; que desenvolvam intimidade, como psicologia, massagem, terapias em geral; que investiguem e conservem o passado, tradições e culturas, como história, arqueologia, genealogia, museologia, antiquário; ou ainda que utilizem a imaginação ativa e criativa, como poesia ou literatura.

Com Câncer nessa posição, você tem energia física suave, receptiva e agradável, o que atrai a empatia das pessoas, mas deve aprender seus ritmos cíclicos, aceitando que, assim como as marés, você oscila entre arriscar-se ou retirar-se do mundo para repor suas baterias.

Cuide também para que sua vida pessoal ou emocional não prejudique a profissional. A posição da Lua, regente do ascendente, mostrará em que assuntos você poderá descobrir melhor sua identidade e demonstrar as qualidades de sua personalidade.

Ascendente em LEÃO | ASC ♌

Veja a posição do planeta regente, SOL | ☉

Leão é um signo de fogo que, por ser regido pelo Sol, reforça sua capacidade expressiva, sua espontaneidade e autoestima. Portanto, ser quem você é, ser autor, sentir-se especial e reconhecido, doar seu coração ao mundo e receber aplausos são suas grandes realizações.

Para isso, você conta com muita criatividade, teatralidade e talento artístico acentuado para aplicar em todo tipo de arte, espetáculos, música, dança, teatro e cinema. Leão tem também bastante autonomia, independência, exuberância, popularidade e magnetismo, o que lhe possibilita ser o centro das atenções ou o ator principal, ter capacidade de liderança, comando de equipes e gerenciamento de negócios, como necessário aos profissionais de marketing, aos produtores, empreendedores, proprietários, administradores ou diretores de empresas.

Pode trabalhar bem com quem ama ou com crianças em atividades ligadas a entretenimento, educação e recreação, como educador, orientador pedagógico, produtor de eventos; em marketing esportivo ou até mesmo em medicina, nas especialidades de pediatria, ginecologia e obstetrícia, oftalmologia ou ortopedia, já que Leão também rege a coluna vertebral, o coração e a visão.

Tem grande poder de comunicação e aprecia desafios, improvisos, riscos, especulação e jogos. Sua energia física é tamanha que sua presença causa impacto. Por isso, você deve usar sua aparência física na profissão, o que pode, inclusive, dirigi-lo para as atividades de atleta profissional, ator, modelo fotográfico e orador.

De qualquer modo, você precisará sempre estar no centro das atividades que desenvolver, pois precisa de audiência e aplausos constantes. Mas deve atentar para sua tendência à centralização excessiva. A posição de Sol, regente do ascendente, mostrará em que assuntos você poderá descobrir melhor sua identidade e demonstrar as qualidades de sua personalidade.

Ascendente em VIRGEM | ASC ♍

Veja a posição do planeta regente, MERCÚRIO | ☿

Virgem é um signo de terra totalmente voltado ao trabalho. Com ele no ascendente, a identidade se faz por meio da expressão mental, da discriminação, da autocrítica, da habilidade e competência no terreno profissional.

Uma de suas maiores motivações é servir aos outros: patrão, fregueses, clientes, alunos, pacientes, grupos ou empresas, para quem você espera atuar assistindo, aconselhando, tornando-se confiável. Seu equilíbrio e autoestima giram em torno da ocupação e da necessidade de se sentir útil e indispensável por suas habilidades.

Pode se sentir atraído por todo tipo de desenvolvimento ou assistência à saúde de pessoas ou animais doentes e incapacitados, como médico, veterinário, terapeuta, biomédico, enfermeiro, fisioterapeuta, reabilitador, instrumentador, farmacêutico, bioquímico, analista clínico. Também tem interesse pela natureza, biologia, ecologia, higiene e nutrição, podendo atuar como nutricionista, engenheiro alimentício, sanitarista ou dietista.

Um dos seus grandes interesses é a área organizacional, analítica, que atenta aos detalhes e exige muita capacidade de criar métodos, de análise de sistemas, de desenvolvimento técnico e especializado, aplicação de técnicas na prática, como necessário nas engenharias em geral, na matemática, na física, na química ou em quaisquer atividades ligadas à informática.

Demonstra ainda muita habilidade e destreza com as mãos e interesse pela prestação de serviços em geral, por automação e práticas de escritório, secretariado executivo, biblioteconomia e arquivologia, artes e ofícios, comércio, técnicas em geral, bem como pela recuperação e restauração de objetos.

Com Virgem no ascendente, você estará atento ao corpo físico e a seu bom funcionamento, terá aparência asseada, correta, jovem e inteligente, com movimentos eficientes e econômicos, que potencializarão sua capacidade de trabalho.

Atente apenas ao perfeccionismo, à crítica e à autocrítica excessivos. A posição de Mercúrio, regente do ascendente, mostrará em que assuntos você poderá descobrir melhor sua identidade e demonstrar as qualidades de sua personalidade.

Ascendente em LIBRA | ASC ♎

Veja a posição do planeta regente, VÊNUS | ♀

Libra é o signo de ar mais dado aos relacionamentos e à comunicação, além de ser muito focado na busca de sua identidade por meio das relações com os outros ou da arte. Como também é regido por Vênus, buscará sua identidade levando em consideração as outras pessoas, seus valores, desejos e ideias, aprendendo a ajustar-se aos outros e a fazer concessões.

Libra tem sempre dois caminhos e, no caso profissional, você pode escolher o das artes porque tem interesse e talento estético incomum, além de equilíbrio de cores, ritmos e formas, para aplicar em profissões como artista plástico, escultor, bailarino, músico, comerciante de arte ou dono de galeria, *marchand* e leiloeiro.

Pode escolher ainda o caminho dos relacionamentos, das relações públicas e da diplomacia. Você atua muito melhor em parceria, pois sua grande motivação é buscar companhia e complementaridade para suas atividades. Por isso, tem forte aptidão para lidar com o público ou para conhecer, cuidar, atender, entender ou representar o outro, como se dá nas profissões de aconselhamento, terapia, consultoria, representação e assessoria em geral.

Tem senso de justiça e de direitos humanos acima da média, como simboliza a própria balança, favorecendo profissões como a advocacia, a procuradoria, a promotoria, e as relacionadas ao Poder Judiciário.

Você busca harmonia e equilíbrio em tudo, aprecia o conforto e precisa viver cercado de beleza. Gosta de movimento, *glamour*, lugares públicos e atraentes, o que pode aproveitar em atividades como eventos especiais, *promoter* ou decorador de festas, cerimoniais, casamentos, desfiles de moda, exposições e *vernissages*. Reúne muito charme, capacidade de sedução, amabilidade, boa aparência e refinamento natural para ser ou treinar modelos, ser maquiador, coreógrafo ou fotógrafo.

Mas tenha cuidado com a preguiça, a autoindulgência, a indecisão e a tendência a não querer se comprometer. A posição de Vênus, regente do ascendente, mostra em que assuntos você poderá descobrir melhor sua identidade e demonstrar suas qualidades e habilidades pessoais.

Ascendente em ESCORPIÃO | ASC ♏

Veja a posição do planeta regente, PLUTÃO | ♇

Escorpião é um signo de água que encara a vida tentando esconder os sentimentos que fervilham dentro de si, protegendo-se bastante para não demonstrar sua vulnerabilidade.

É cauteloso, estratégico, misterioso e corajoso, mas, se em vez de esconder ou combater seus lados obscuros e ocultos, soltar sua natureza, reconhecer seus sentimentos e transformá-los positivamente, encontrará em sua identidade uma verdadeira joia, incrivelmente construtiva.

Com respeito à vocação, é orientado para aquisição de poder, controle e recompensa financeira, atributos que podem ser conquistados por meio de sua habilidade em lidar com recursos alheios, sejam eles físicos, materiais e econômicos, sejam intelectuais, emocionais e políticos, como fazem os advogados, tributaristas e psicoterapeutas.

Tem habilidade para lidar com recursos esparsos nas épocas de crise, transformando-a em novas formas, possibilidades, energias e oportunidades de vida. Você é transformador, com capacidade de reformar, recuperar, restaurar, reabilitar, reciclar, curar pessoas, ambientes, matérias-primas e situações.

É muito determinado, autossuficiente e audacioso e sua escolha profissional deve proporcionar acúmulo de poder, sua maior motivação. Seu poder é lidar com a crise e a emergência, gerando cura, regeneração e transformação, como necessário em várias especialidades da medicina, psiquiatria, genética, farmácia, química, empresas de captação de recursos ou transformação de matérias-primas em energia e produtos.

Tem ainda especial interesse por assuntos que envolvam o inconsciente, o desconhecido e o profundo, como pesquisa de mercado, psicologia, investigação, ciências metafísicas e ocultismo.

Você pode trabalhar bem sozinho, em parceria ou em grupo, mas prefere posições de comando e deve atentar à sua tendência ao autoritarismo. Com a maturidade, pode trocar de atividade ou profissão.

Demonstra grande energia física e aparência forte e intensa, às vezes demasiado agressiva, devendo ficar muito atento à sua tendência a desconfiança, vingança, ciúme, possessividade, obsessão e cólera.

Deve procurar a posição de Plutão, regente do ascendente, que mostra em que assuntos você poderá descobrir melhor sua identidade e demonstrar as qualidades de sua personalidade.

Ascendente em SAGITÁRIO | ASC ♐
Veja a posição do planeta regente, JÚPITER | ♃

Sagitário é um signo de fogo que busca ampliar seus horizontes intelectuais para compreender a natureza humana e o significado da vida. Para tanto, tem forte capacidade intelectual, expressão verbal e visão de longo alcance para lidar com assuntos filosóficos, sistemas de pensamento, códigos simbólicos, religiões, leis, ética e justiça, como necessário aos advogados, juízes, cientistas, médicos, sacerdotes, teólogos, filósofos, intelectuais e diplomatas.

Demonstra talento para divulgação, comunicação e propagação de novas ideias, como é indispensável às áreas de publicidade e propaganda, eventos culturais, marketing e editoração. Sua escolha profissional deve abranger disseminação e aplicação de seu conhecimento em atividades das áreas de educação, ensino superior, estudos filosóficos, carreira universitária ou que requeiram estudo permanente.

Você pode ainda optar por atividades que lhe proporcionem aventuras, práticas esportivas, educação física ou viagens, contato com lugares distantes, povos e culturas estrangeiras, como atletismo, montaria, arqueologia, geografia, aviação, pilotagem, turismo, relações internacionais, comércio exterior, exportação e importação, que lhe ofereçam potencial de crescimento e alimentem seus ideais de vida.

Você necessita de expansão, fama, prestígio e satisfação intelectual, como necessário em profissões artísticas e performáticas. Acredita na prosperidade, tem esperança e otimismo. Precisa tomar decisões, ser independente e ter liberdade no trabalho.

Cuidado com a ansiedade e a tendência a excessos, com a autoindulgência e a necessidade imperativa de sucesso, que podem torná-lo improdutivo. A posição de Júpiter, regente do ascendente, mostrará em que assuntos você poderá descobrir melhor sua identidade e demonstrar as qualidades de sua personalidade.

Ascendente em CAPRICÓRNIO | ASC ♑
Veja a posição do planeta regente, SATURNO | ♄

Capricórnio é um signo de terra cuja expressão da carreira é fundamental, assim como ser adulto e responsável, participar do mundo e da sociedade, ter sucesso e ser reconhecido por seu esforço e trabalho.

Por isso, você encara a vida com cautela, a estrutura e constrói dentro da lógica, conforme suas metas e ambições. Capricórnio nessa posição é garantia de que seus objetivos serão alcançados, pois é motivado pela necessidade de obter resultados concretos e recompensas, além de buscar segurança, estabilidade, *status* e realização.

É focado e preocupado com o futuro, quando não precisar mais trabalhar e puder desfrutar do que construiu. Acredita que o mundo só o respeitará por sua competência e especialidade profissionais.

Para atingir suas metas, o capricorniano aprendeu a lidar bem com limites, é paciente, persistente, realista, pragmático, concentrado, preciso, determinado e disciplinado. É orientado para profissões nas quais possa expressar suas habilidades técnicas, como cirurgião, instrumentador ou dentista; suas aptidões administrativas, financeiras e econômicas, como economista, aplicador ou agente do mercado financeiro, gerente de banco ou de crédito; ou suas habilidades de planejamento e administração de pessoas, grupos e empresas públicas ou privadas.

Também pode optar por aquelas profissões que envolvam o detalhe e a precisão, a pesquisa e as ciências, a perícia e a técnica, a qualidade e o aperfeiçoamento, como física ou química industrial, matemática, engenharias em geral, controle de qualidade, estatística e processamento de dados.

Capricórnio no ascendente acentua sua necessidade de exercer autoridade, ocupar cargo de comando, chefia e proeminência, obter *status* e posição social, ou ser reconhecido como perito, *expert* no que faz. Tem muito talento para seleção de equipes e para sua liderança e controle, mas deve atentar para sua tendência ao autoritarismo.

A posição de Saturno, regente do ascendente, mostrará em que assuntos você poderá descobrir melhor sua identidade e demonstrar as qualidades de sua personalidade.

Ascendente em AQUÁRIO | ASC ♒

Veja a posição do planeta regente, URANO | ♅

Aquário é um signo de ar que enfatiza a capacidade intelectual, a sociabilidade e os relacionamentos em grupo. Você tem uma identidade incomum, substituindo a subjetividade por uma visão ampla de conjunto, um interesse pelo contexto social, que contribua para melhorar o funcionamento do todo maior, encarando a vida de modo objetivo e impessoal.

Para tal, tem superioridade intelectual, muita criatividade e intuição para estudo, aplicação e pesquisa de ciências humanas, sociais, econômicas e políticas. Busca profissões nas quais possa se diferenciar, ocupações fora do comum, sem cartão de ponto, exercidas em horários não usuais, como astrologia, metafísica, astrofísica, engenharia aeroespacial, mídias alternativas, televisão digital e robótica.

Demonstra facilidade para adquirir *know-how* técnico e desenvolver sistema de pensamento, teoria ou especialização, características úteis nas áreas de matemática, estatística, engenharias elétrica, eletrônica e mecatrônica, ciência e tecnologia, telecomunicações e computação.

Por ser intuitivo, é voltado para o futuro, o que lhe dá grande capacidade de planejamento e desenvolvimento, modernização e inovação de processos, antecipação de tendências e tecnologias, como necessário nas áreas de comunicação, urbanismo, globalização, ecologia, mídias eletrônicas, era digital, automatização de escritórios ou indústrias.

É inovador, inventivo, original, excitado mentalmente e dado a mudanças repentinas. Deve atentar para sua rebeldia, indisciplina e transgressão a regras e limites. É bom nos relacionamentos, valoriza os colegas e busca o reconhecimento deles, o que o habilita a lidar com as áreas de recursos humanos, treinamento e liderança de equipes.

Prefere ser independente, ter autonomia e liberdade, prestando assessoria e consultoria, ou representando grupos, instituições e empresas. A posição de Urano, regente do ascendente, mostrará em que assuntos você poderá descobrir melhor sua identidade e demonstrar as qualidades de sua personalidade. Com a maturidade pode trocar de atividade ou profissão.

Como Aquário também é regido por Saturno, pode haver tipos mais rotineiros. Procure também a posição de Saturno em seu mapa natal, que lhe fornecerá mais informações sobre sua identidade e energia física.

Peixes é, de todos os signos de água, o mais sensível e perceptivo. E é justamente aí que residem sua força e diferenciação: na capacidade de captar as energias externas em sua totalidade e adequá-la às mais diversas leituras: intelectual, emocional, sensorial, artística, psíquica e acadêmica.

Por isso, quando no ascendente, Peixes pode revelar uma identidade que vive o conflito entre buscar um sentido sólido e concreto e transcender os limites da realidade. Para solucionar o dilema é preciso muita consciência, considerar que você faz parte de um todo maior e se identificar com os três papéis frequentes em Peixes: o de vítima, o de artista ou do salvador da pátria, que se alternam o tempo todo.

Com respeito à vocação, você é muito motivado por crenças e inspirações e qualquer profissão que escolha terá de satisfazê-lo intimamente e fazer sentido para você.

Para tanto, você conta com as já citadas sensibilidade e percepção, com inteligência emocional, imaginação ativa, criativa e intuitiva, adaptabilidade e ecletismo. Tem senso estético incomum, talento artístico, memória visual, noção de proporção, imagem, cor, ritmo e harmonia, atributos que podem ser aplicados em todo tipo de arte: artes plásticas, cinema, música, fotografia, dança, iluminação, produção, direção, cenografia, coreografia de espetáculos e eventos. Também tende a exercer atividades que criem ilusões, como estilista, ator, produtor de espetáculos e filmes, maquiador, vendedor de produtos de beleza e cosmética.

Com forte instinto assistencial, pode proteger, nutrir e cuidar de outras pessoas, como médicos, biomédicos, enfermeiros, terapeutas, naturologistas, conselheiros, consultores, fisioterapeutas e musicoterapeutas.

Tem tendências visionárias, habilidades psíquicas e de leitura do inconsciente coletivo. Por isso, pode antecipar tendências em profissões das áreas de moda, *design* e estilo, ciências metafísicas e ocultismo.

Sua mente é dotada senso de integração, visão de conjunto e poder de síntese, capacidade de fusão de elementos, alquimia, entendimento e percepção do macrocosmo comparado ao microcosmo para criar soluções ou atividades que beneficiem muitos, envolvam elementos que se interdependam ou, ainda, que relacionem mundos paralelos, linguagens simbólicas, como homeopatia, antroposofia, terapia floral, comércio, desenvolvimento ou produção de alimentos, bebidas, perfumes, vinhos, medicamentos alternativos e ecologia, em que fatores só se juntam com conhecimento e sensibilidade.

Pode sentir-se atraído por profissões que lidem com o mar, como oceanografia, pesca, biologia marinha, ou ainda pelas ligadas aos pés, como produção de couro e calçados. Também pode se interessar por buscas, crenças ou ideais, como teologia, filosofia, estudo de conjuntos simbólicos como I Ching e psicologia.

Quando conjuga seus sonhos com esforço e competência, consegue realizar o que quer. Se estiver bem equilibrado emocionalmente, tem capacidades quase ilimitadas. Pode ser muito influenciado pelo ambiente de trabalho e precisar de isolamento para se refazer ou para conseguir produzir de maneira concentrada.

Cuide para não trocar de atividade com frequência, para não se envolver em muitos assuntos ao mesmo tempo e não desenvolver nenhum. Atente para sua necessidade de relacionamentos, que pode conduzi-lo à abdicação de si mesmo e ao excesso de devoção aos outros.

A posição de Netuno, regente do ascendente, mostrará em que assuntos você poderá descobrir melhor sua identidade e demonstrar as qualidades de sua personalidade.

Como Peixes também é regido por Júpiter, procure sua posição em seu mapa natal, que lhe fornecerá mais informações sobre sua identidade, seus interesses e sua energia física.

Mercúrio e suas características vocacionais por signo e casa

Mercúrio em ÁRIES  

Em Áries, Mercúrio dirigirá seus pensamentos, interesses e ideias para a busca de sua identidade, autoafirmação e liberdade de ação. Para tanto, você precisa demonstrar sua capacidade intelectual, de comunicação, sua habilidade de negociação, articulação e comercialização. E terá de contar também com muita criatividade, independência e autonomia.

Você tem grande energia mental, iniciativa, coragem, capacidade de liderança, competitividade, aptidão empreendedora e poder de decisão para atuar profissionalmente. Pode trabalhar sozinho ou em qualquer atividade na qual exerça comando ou autonomia, como nas profissões liberais, de comunicação e vendas. Tem interesse em atividades ligadas a esporte, expressão corporal ou praticadas ao ar livre.

Conta com habilidades manuais e mecânicas e pode ser atraído por atividades que usem ferramentas, instrumentos ou armas, como as de cirurgião, dentista, ou pelas de engenharias em geral. Você gosta de correr riscos, enfrentar desafios e precisa se sentir mentalmente estimulado pela profissão para não perder o interesse por ela.

Mercúrio em TOURO  

No signo das posses e dos valores, Mercúrio dirigirá seus pensamentos, interesses e ideias para atividades que remunerem bem, atendam às suas necessidades materiais e práticas e ofereçam estabilidade, segurança material e realização.

Você tem inteligência privilegiada para lidar com valores, muita capacidade produtiva e talento para estética. Sua mente trabalhará para obter resultados concretos, aplicando suas habilidades em atividades que lidem com finanças e números, como economista, gerente de banco ou de crédito, vendedor, *controller* financeiro e comerciante.

Também pode se interessar por profissões que lidem com a terra e a natureza, com a estética e as artes. Ou seja, você é talentoso para lidar com a matéria, o concreto, a terra, os alimentos, a plástica, a arte, a beleza, principalmente se tais elementos envolverem os sentidos físicos como em arquitetura, agronomia, pecuária, biologia, ecologia, fabricação, produção ou vendas de produtos alimentícios ou cosméticos, joias e objetos.

Mercúrio em Touro pode enfatizar sua habilidade com as mãos e conjugá-la com a sensorialidade em profissões como massagista, escultor e ceramista. Pode trabalhar sozinho ou em grupo, mas prefere a segurança de estar empregado.

Mercúrio em GÊMEOS | ☿ ♊

Mercúrio é o regente de Gêmeos, o grande mensageiro do zodíaco, que nesse signo enfatizará suas potencialidades e habilidades geminianas: capacidade para adquirir, transmitir e trocar informações e conhecimento.

Você tem o poder da fala e da comunicação, de conhecer pessoas e colocá-las em contato, além de capacidade de negociação, articulação, argumentação e muita habilidade com a voz e as mãos, como necessário ao comerciante, advogado, assessor de imprensa, cantor, locutor, publicitário, massagista e desenhista.

É muito ativo, ágil, rápido, eficiente, adaptável, versátil e curioso. A troca de informações e produtos e a comunicação têm de ser praticadas com frequência, e atividades no comércio, nos meios de comunicação, no marketing, no ensino e na imprensa propiciam isso.

Você precisa estar física e intelectualmente ativo, conviver com diversidade de assuntos e de espaços e se movimentar no trabalho. Pode desenvolver mais de uma atividade ao mesmo tempo e/ou função paralela para complementar a renda. Tem bastante energia, mas pode gastá-la falando, andando, pensando ou dirigindo, ou seja, dispersando. Por isso, aprenda a lidar com sua tendência à inconstância, superficialidade e indecisão.

Mercúrio em CÂNCER | ☿ ♋

Câncer é um signo de água dotado de grande sensibilidade tanto para captar suas próprias percepções quanto as das circunstâncias e pessoas à sua volta. Com Mercúrio nesse signo, você dirigirá seus pensamentos, interesses e ideias para atividades em que se sinta seguro e integrado, com as quais se identifique no trabalho, no ambiente e com as pessoas ao redor. Por ser muito ligado ao passado e às origens, você pode trabalhar com pessoas ou negócios da família.

Você tem forte instinto assistencial para cuidar de pessoas ou protegê-las, sobretudo mulheres e crianças, exercendo atividades nas áreas de medicina, ensino, enfermagem ou assistência social. Tem muita criatividade, imaginação e memória, além de senso de conservação, adaptabilidade e capacidade de integração, necessárias na elaboração de poesias, novelas ou literatura.

Seus interesses passam também por profissões que nutram as pessoas, como nutricionismo; que cuidem dos objetos, da casa ou da família, como decoração ou arquitetura; que desenvolvam intimidade, como psicologia; ou ainda que investiguem o passado, as tradições e as origens, como arqueologia, história ou geografia.

Mercúrio em LEÃO | ☿ ♌

Com Mercúrio em Leão, você precisará se expressar em atividades que demonstrem sua capacidade intelectual, de comunicação, comercialização, negociação, articulação, argumentação e trocas em geral, ou, ainda, suas habilidades com as mãos e a voz.

Você aprecia ser admirado, ser quem é, sentir-se especial, doar seu coração ao mundo, receber aplausos e ser reconhecido por suas habilidades. Para isso, conta com muita criatividade, teatralidade e talento acentuados para as atividades artísticas que utilizem a palavra, a poesia, a música, textos, roteiros, ou ainda para espetáculos, em que pode se expressar com as mãos, como no teatro, em conferências e palestras.

Tem muita autonomia, independência e magnetismo, que lhe possibilitam ser o centro das atenções, o ator principal, ter capacidade de liderança e habilidade para o comando e gerenciamento de empresas, negócios, agências, estúdios, atividades de comércio, comunicação e marketing.

Pode trabalhar bem com quem ama ou com crianças nas áreas de entretenimento, educação e lazer, e aprecia desafios, improvisos, especulação, jogos e esportes, como na produção de eventos, espetáculos ou atividades educacionais e esportivas. Cuidado com o excesso de egocentrismo, que pode prejudicá-lo profissionalmente.

Mercúrio em VIRGEM | ☿ ♍

Mercúrio é regente de Virgem, um signo voltado para o trabalho. Nesse signo, ele reforçará sua motivação para servir aos outros: patrão, fregueses, clientes, alunos, pacientes, grupos ou empresas, para quem você espera atuar assistindo, aconselhando, atendendo e se tornando indispensável por suas habilidades.

Pode ser atraído por todo tipo de assistência à saúde de pessoas ou animais doentes e incapacitados, como médico, veterinário, terapeuta ou enfermeiro. Pode tender também a áreas ligadas à natureza, ao meio ambiente, à nutrição, à higiene ou à sanitária.

Você tem mente privilegiada, analítica e com grande capacidade de organização, de implantação de métodos, além de desenvolvimento de sistemas, aptidão para detalhes, técnicas em geral e serviços especializados, como necessário nas engenharias em geral, na informática e no ensino.

Demonstra interesse por atividades de comércio, automação, práticas de escritório e secretariado, além de muita habilidade e destreza com as mãos para artes e ofícios, restauração e recuperação de objetos.

Mercúrio em LIBRA | ☿ ♎

Mercúrio em Libra dirigirá seus pensamentos, interesses e ideias para atividades ligadas aos relacionamentos, à justiça e direitos humanos ou à estética e arte.

Você atua muito bem em parceria e tem forte aptidão para lidar com o público ou para conhecer, cuidar, atender, entender ou representar o outro, como se dá nas profissões diplomáticas, de aconselhamento, terapias, assessorias, representações e vendas.

Tem senso de justiça e de direitos humanos acima da média, como simboliza a própria balança, o que pode orientá-lo para a advocacia ou para profissões ligadas à justiça em geral.

Busca harmonia e equilíbrio em tudo, aprecia o conforto e precisa viver cercado de beleza. Para tanto, é dotado de senso estético incomum, equilíbrio de ritmos e formas, interesse por atividades artísticas, como prática ou comércio de artes e promoção de artistas.

Gosta de lugares públicos e atraentes onde possa fazer muitos contatos, que serão utilizados em atividades posteriores. Tem muito charme, capacidade de sedução, amabilidade, boa aparência e refinamento natural. Cuidado com a indecisão e a tendência a não se comprometer.

Mercúrio em ESCORPIÃO | ☿ ♏

Mercúrio em Escorpião dirigirá seus pensamentos, interesses e ideias para atividades que gerem poder, controle e recompensa financeira. Seus objetivos serão conquistados por meio de suas habilidades em lidar com recursos físicos, materiais, econômicos, intelectuais, emocionais ou psicológicos, como é o caso do advogado, do tributarista, do psicoterapeuta ou dos que lidam com atividades financeiras, comerciais e de especulação.

Você tem grande habilidade para lidar com crises e recuperar, reciclar, restaurar, regenerar, gerar cura e transformação, como necessário em medicina, cirurgia, psiquiatria, química e farmacologia. Também tenderá a escolher profissões que envolvam comércio, troca ou transformação de produtos, objetos, matérias-primas e energia, como acontece em empresas de exploração e transformação de petróleo em derivados.

Tem mente profunda, capacidade de concentração e interesse pelo desconhecido, profundo e oculto, como necessário na pesquisa, na psicologia e no ocultismo. Trabalha bem sozinho, em parceria ou em grupo, mas demonstra energia de comando e liderança. É cauteloso, estratégico, secreto, corajoso e se autoprotege para não demonstrar sua sensibilidade e vulnerabilidade.

Mercúrio em SAGITÁRIO | ☿ ♐

Em Sagitário, Mercúrio ampliará seus horizontes intelectuais para compreender a natureza humana e o significado da vida. Você tem forte capacidade intelectual, expressão verbal e visão de longo alcance para lidar com assuntos filosóficos, sistemas de pensamento, códigos simbólicos, religiões, leis, ética e justiça, como requerem profissões como advogado, juiz, cientista, sacerdote, filósofo, intelectual e diplomata.

Tem talento para comunicação e propagação de novas ideias, como necessário em publicidade, propaganda e marketing, editoração e promoção cultural. Suas escolhas profissionais devem incluir disseminação de conhecimento em atividades como educação, ensino superior e carreira universitária.

Suas opções também devem lhe proporcionar aventuras, viagens, contato com lugares, povos e culturas estrangeiras, como aviação, pilotagem, turismo, exportação e importação, ou oferecer potencial de crescimento de seus ideais e perspectivas de vida. Você pensa grande, almeja prestígio, acredita na prosperidade e tem muito otimismo. Precisa tomar decisões, ser independente e ter liberdade no trabalho.

Mercúrio em CAPRICÓRNIO | ☿ ♑

Com Mercúrio em Capricórnio, seus pensamentos, interesses e ideias estarão sempre voltados para a expressão de sua carreira, para que se sinta responsável, participe do mundo e da sociedade, tenha sucesso e seja reconhecido por seu esforço e trabalho. Essa posição também o dirigirá para atividades que gerem resultados materiais, segurança, estabilidade, *status* e realização.

Você é preocupado com o futuro e, para atingir seus objetivos, aprendeu a lidar bem com limites: é paciente, persistente, realista, pragmático, concentrado, preciso, determinado e disciplinado.

Também demonstra habilidades para profissões administrativas, econômicas e técnicas ou que envolvam as ciências, o detalhe, a precisão, a pesquisa, a perícia, a qualidade e o aperfeiçoamento.

Você preferirá a segurança de fazer parte de uma estrutura, de uma empresa, um grupo, uma instituição, governo ou universidade, planejando ações de marketing e comunicação, chefiando pessoas, desenvolvendo ou aperfeiçoando produtos, administrando e estruturando iniciativas, pesquisando o mercado ou possibilitando o desenvolvimento científico.

Pode trabalhar sozinho ou em equipe, mas prefere exercer autoridade ou ocupar cargo de proeminência. Sabe escolher os melhores componentes para uma equipe e liderá-la com firmeza, inteligência e controle.

Mercúrio em AQUÁRIO | ☿ ♒

Aquário é um signo de ar que enfatiza a capacidade intelectual, a sociabilidade e os relacionamentos em grupo. Mercúrio nessa posição demonstra superioridade intelectual, muita criatividade e intuição para ciências humanas, sociais, econômicas e políticas. Você busca ocupações fora do comum, sem cartão de ponto, exercidas em horários não usuais, como astrofísica, engenharia aeroespacial, física quântica, cibernética e mídias alternativas.

Tem facilidade para adquirir *know-how* técnico e desenvolver sistema de pensamento, teoria ou especialização, como necessário em engenharia elétrica ou eletrônica, matemática, estatística, ciência e tecnologia. Por ser intuitivo, você é voltado para o futuro, o que lhe dá grande capacidade de planejamento, desenvolvimento e inovação de processos, antecipação de tendências e tecnologias, como necessário em urbanismo, mídias eletrônicas e telecomunicações.

Você é inventivo, original, excitado mentalmente e dado a mudanças repentinas. Esteja atento à sua tendência à rebeldia, indisciplina e transgressão a regras e limites. É bom nos relacionamentos, valoriza os colegas, mas prefere sentir independência, autonomia e liberdade. Aprenda a lidar com sua tendência à inconstância, superficialidade e indecisão.

Mercúrio em PEIXES | ☿ ♓

Peixes é, de todos os signos de água, o mais sensível e perceptivo. Mercúrio nesse signo reforçará sua capacidade de captar as energias externas e adequá-las às mais diversas leituras: intelectual, emocional, sensorial, artística, psíquica e acadêmica. Você é motivado pelas crenças e inspirações e qualquer profissão que escolha terá de satisfazê-lo intimamente, fazer sentido.

É dotado de forte imaginação ativa, criativa e intuitiva, adaptabilidade e ecletismo. Tem talento artístico, senso estético incomum, noção de proporção, imagem e memória visuais, ritmo e harmonia, que pode aplicar em artes literárias, plásticas, em cinema, música, fotografia, cenografia, produção e iluminação.

Conta com inteligência emocional, senso de integração, visão de conjunto e poder de síntese, fusão de elementos, alquimia, entendimento do macrocosmo e do microcosmo, além de compreensão de mundos paralelos e linguagens simbólicas, para aplicar em atividades das áreas humanas, sociais, políticas, ecológicas, ambientais, de comportamento e tantas outras que beneficiem muitos ao mesmo tempo, como o desenvolvimento de medicamentos homeopáticos, antroposóficos ou florais.

Com forte instinto assistencial, pode cuidar de outras pessoas ou protegê-las, característica necessária aos médicos, enfermeiros e terapeutas. Tem tendências visionárias, habilidades psíquicas e leitura do inconsciente coletivo. Por isso, vê para onde as massas se deslocam e pode antecipar tendências em profissões ligadas a comércio, moda, *design* e estilo.

Pode ser muito influenciado pelo ambiente de trabalho e precisar de isolamento para se refazer ou para se concentrar na atividade que estiver praticando. Cuide para que sua inconstância não o faça trocar de atividade com frequência, e para não se envolver em muitos assuntos ao mesmo tempo e não desenvolver nenhum adequadamente.

Mercúrio na casa 1 | ☿

Qualquer planeta na casa 1 tem seu efeito ampliado. A casa 1 é a casa da personalidade, que se desenvolverá por todo o mapa. É também a casa da imagem que você tem de si mesmo e de como os outros o veem, de como você procura se distinguir e se autoafirmar por meio de suas potencialidades.

Nessa posição, Mercúrio enfatizará sua consciência sobre si mesmo e acentuará suas habilidades mercurianas, sua busca da autoafirmação e diferenciação por meio de sua inteligência, seus pensamentos e suas ideias. Ao mesmo tempo, como essa é a casa da identidade, você se identificará com Mercúrio, espalhará jovialidade e vivacidade ao seu redor e atuará como um agente articulador, distribuidor, difusor, vendedor de ideias, informações ou produtos.

Você é muito inteligente, versátil, adaptável e comunicativo. Na casa 1, Mercúrio tem capacidade de comando e liderança, habilidade empreendedora e poder de decisão, como necessário aos empreendedores, comerciantes e publicitários. Você escolherá profissões nas quais possa demonstrar sua marca pessoal, independência e autonomia, como é o caso do profissional liberal, do jornalista, do escritor, do vendedor, do assessor de imprensa e do relações-públicas.

Você elegerá atividades que dependam de você, de sua inteligência, de sua habilidade de comunicação e negociação, que exijam sua presença física, apresentando-se pessoalmente em todas as situações, como é o caso do apresentador de telejornal, do comunicador e do repórter.

Mercúrio nessa casa reforça seu interesse por atividades que o desafiem e o façam correr riscos, provando sua ousadia e versatilidade. Reforça também as atividades que demandam deslocamento ou diversidade de ambientes, como é o caso do representante de vendas, por exemplo. Atente para não se tornar egocêntrico demais.

Mercúrio na casa 2 | ☿

A casa 2 rege sua capacidade produtiva e revela os recursos e ferramentas com os quais você conta para produzir, obter resultados concretos, ganhar dinheiro e se expandir materialmente, além de descrever como você lida com o mundo material. Na casa 2, Mercúrio dirigirá seus pensamentos, interesses e ideias para obter a segurança material e os resultados práticos e materiais de que necessita.

Sua escolha profissional passa por atividades em que possa acumular, somar ou agregar bens, posses e valores. Para tanto, você conta com capacidade intelectual, de comunicação, de negociação, articulação e comercialização para trabalhar com assuntos ligados às ciências contábeis, financeiras e econômicas, como é o caso do economista, do comerciante, do matemático, do estatístico, do aplicador ou agente de mercado financeiro, do gerente de banco ou de financeira e do vendedor, já que é muito bom com números.

Conta ainda com habilidades manuais e os sentidos físicos muito apurados, que podem ser utilizados em profissões como cantor, perfumista, massagista, escultor, produtor ou vendedor de alimentos, proprietário de restaurante, bufê ou artesão.

Você tem potencial para criar, multiplicar e cuidar de coisas materiais, de dinheiro, do concreto, da plástica e da forma porque tem visão muito utilitarista e sabe fazer as coisas acontecerem, como produzi-las, multiplicá-las, fazê-las crescer, qualidades úteis nas profissões ligadas a fabricação, produção, fornecimento ou venda de produtos, como nas engenharias em geral e nos processos produtivos ou industriais.

É dotado de capacidades produtivas incomuns que serão demonstradas por meio de suas habilidades mercurianas.

Mercúrio na casa 3 | ☿

Mercúrio na casa 3 enfatizará sua necessidade de estar em permanente troca de conhecimento ou informações, demonstrando sua especial inteligência, capacidade de raciocínio, associação, aprendizado e memória.

Sua escolha profissional pode passar por ocupações nas quais utilize sua capacidade intelectual para buscar, difundir e trocar conhecimento e informações; pela área de marketing e comunicação, atuando como jornalista, repórter, professor, escritor, assessor de imprensa, profissional de relações públicas, letras, linguística e semiologia; ou ainda por áreas que lidem com documentos, contratos e papéis, como advocacia, biblioteconomia, auditoria, arquivologia ou contabilidade.

Tem muita habilidade para intermediar e articular negócios, para conhecer pessoas e colocá-las em contato e para utilizar a palavra ou as mãos, como é o caso do cantor, locutor, tradutor e intérprete, fonoaudiólogo, *de-*

signer gráfico ou massagista. Você pode também atuar no comércio ou em atividades que lidem com meios de transporte, trânsito ou deslocamento físico, como engenheiro de tráfego ou piloto.

Nessa posição, Mercúrio reforça sua capacidade de desenvolver mais de uma atividade ao mesmo tempo e/ou função paralela para complementar a renda. E pode fazê-lo trabalhar com irmãos ou colegas.

Mercúrio na casa 4 | ☿

Mercúrio na casa das origens, raízes e relações familiares dirigirá seus pensamentos, interesses e ideias para a necessidade de segurança emocional e integração no trabalho. Por isso, poderá fazê-lo escolher profissões que possa exercer em casa ou nos negócios da família, ou participar de um projeto desde o início para familiarizar-se com ele.

Você também poderá trabalhar em áreas ligadas à casa, ao lar, a imóveis e propriedades, como arquitetura, construção civil, vendas ou administração imobiliária. Outra área de escolha pode ser a assistencial, protegendo ou cuidando de pessoas, como é o caso da medicina, do ensino, da enfermagem, da fisioterapia, do serviço social e das terapias em geral.

Tem também aptidão para assuntos que lidem com a imaginação ativa e criativa, raízes culturais e tradições, como poesia, letras, literatura, história ou arqueologia. Mas, qualquer que seja sua escolha, você terá de conjugar as qualidades geminianas com satisfação pessoal, necessidade de se sentir adaptado e seguro no trabalho.

Mercúrio na casa 5 | ☿

A casa 5 é a casa da expressão natural da personalidade, da satisfação de ser quem é, dos talentos pessoais, artísticos, vocacionais e criativos. Mercúrio na casa 5 aponta para a necessidade de estar em evidência, sentir-se especial, ser o centro das atenções, ser reverenciado e reconhecido por seus dotes intelectuais de saber escrever, ensinar, transmitir informações e conhecimento; ou por suas qualidades de comunicação, negociação e comercialização.

É também a casa do amor, da capacidade de amar, gerar filhos, criações e obras como se fossem uma extensão sua, características necessárias ao empreendedor, comunicador, escritor, educador, cantor, ator, criador de filmes publicitários e redator. Com Mercúrio nessa posição, você demonstrará quem é por meio de seus talentos e habilidades mercurianos.

Você gosta de trabalhar se divertindo e, se não o fizer, terá de encontrar um *hobby* que o distraia ou dirigir-se para a área de entretenimento e lazer, como roteirista de cinema e teatro ou criador de novelas. Você aprecia desafios, improvisos, riscos, especulação, jogos e esportes.

Pode trabalhar bem com quem ama ou com crianças, como educador, professor e orientador pedagógico, mas terá de estar sempre no centro ou no comando das atividades. Atente para sua tendência ao egocentrismo.

Mercúrio na casa 6

A casa 6 é importante para a área profissional pois revela o(s) assunto(s) profissional(is) de seu interesse, fala da rotina de trabalho que lhe agradará, da relação que você terá com colegas, patrões e empregados.

Mercúrio nessa posição está muito bem e dirigirá seus pensamentos, interesses e ideias para atividades profissionais nas quais possa se sentir ocupado e produtivo, útil e indispensável por suas qualidades e habilidades mercurianas.

Como essa casa fala de ritmos e fluxos, sejam físicos ou da natureza, ela pode direcionar suas escolhas profissionais para as áreas de biologia, ecologia, alimentação, nutrição, agropecuária, ou pode sugerir atividades que envolvam rotina e repetição, como prestação de serviços essenciais – correios, telefonia, comércio, imprensa, rádio e TV – e processos produtivos ou técnicos.

Você pode se sentir atraído também por todo tipo de assistência, a doentes e incapacitados, atuando como médico, enfermeiro e assistente social, ou ainda por prestação de serviços a pessoas comuns nas áreas de treinamento, recrutamento e seleção de recursos humanos, práticas terapêuticas e ensino.

Conta com mente privilegiada, grande capacidade de organização, de implantação de métodos e sistemas, de desenvolvimento técnico e especializado, podendo atuar em escritório, secretaria e áreas técnicas em geral, empregando sua aptidão para análise e detalhes, análise de sistemas e informática.

Tem muita habilidade e destreza com as mãos para todo tipo de artes e ofícios, além de interesse pela recuperação ou restauração de objetos. Mercúrio na casa 6 estimula o trabalho intelectual.

Mercúrio na casa 7

Mercúrio na casa 7 dirigirá seus pensamentos, interesses e ideias para atividades nas quais os relacionamentos com os outros estejam envolvidos ou para profissões ligadas à justiça.

Você fará escolhas nas quais suas qualidades e habilidades para lidar com o público ou para ser consultor, assessor, conselheiro, relações-públicas, terapeuta ou assessor de imprensa estejam sendo utilizadas, ou seja, aconselhando, atendendo, recepcionando, negociando, entendendo ou representando outras pessoas. Como tem senso de justiça acima da média, poderá se interessar por advocacia e justiça em geral.

Poderá, ainda, escolher profissões nas quais possa aplicar sua boa capacidade de comunicação, como escritor, comunicador e jornalista. Mercúrio na casa 7 busca a complementação de suas deficiências com a formação de parcerias, associações, sociedades e contratos com o outro, sua maior motivação.

Mercúrio na casa 8 

Na casa 8, Mercúrio direcionará seus pensamentos e ideias para a conquista de poder, controle e/ou recompensa financeira, que serão alcançados por meio de sua habilidade em lidar com recursos alheios, sejam eles físicos, materiais e econômicos, sejam intelectuais, emocionais ou psicológicos, atuando como advogado tributarista, auditor, fiscal e psicoterapeuta. Você também poderá escolher áreas que lidem com atividades financeiras, captação de recursos, seguros, especulação, *factoring*, *leasing* ou, ainda, com ocupações comissionadas, participativas, *franchising*, direitos autorais e *royalties*.

Sua escolha profissional deve abranger autossuficiência, audácia e determinação para gerar poder – sua maior motivação. Seu poder é o de lidar com a crise e gerar recuperação, reabilitação, regeneração, cura e transformação, como acontece em medicina, cirurgias em geral, psiquiatria, química, farmacologia e na área da energia. Tem interesse pelo desconhecido, profundo e oculto, podendo atuar como psicólogo, ocultista ou pesquisador, por exemplo.

Você trabalha bem sozinho, em parceria ou em grupo, mas demonstra energia de comando e frequentemente terá de lidar com seu senso de autoridade/autoritarismo. É cauteloso, estratégico, secreto, envolvente, sedutor, corajoso e procura se autoproteger para salvaguardar sua vulnerabilidade.

Mercúrio na casa 9 

Na casa 9, Mercúrio ampliará seus horizontes de conhecimento ainda mais. Você tem sede de estudar, fazer várias faculdades, conhecer tudo. Por isso, sua capacidade intelectual, expressão verbal e visão de longo alcance se acentuam com Mercúrio na casa 9, que o dirigirá ainda mais para assuntos filosóficos, sistemas de pensamento, códigos simbólicos, religiões, leis, ética e justiça, como é o caso dos advogados, cientistas, professores e filósofos.

Tem muito talento e capacidade para divulgação, comunicação e propagação de novas ideias, como é necessário nas áreas de publicidade, propaganda e marketing, editoração e promoção cultural. Suas escolhas profissionais abrangerão a disseminação de conhecimento em atividades ligadas aos ensinos acadêmicos, superiores, científicos e filosóficos, além de concursos públicos.

Suas opções também podem abranger aventuras ou viagens, contato com lugares distantes, povos e culturas estrangeiras, como necessário aos arqueólogos, diplomatas, embaixadores, profissionais de aviação, comércio exterior e relações internacionais.

Qualquer que seja sua escolha, você utilizará suas habilidades mercurianas para obter satisfação intelectual e precisará atentar para a autoindulgência e a necessidade de sucesso, que podem torná-lo improdutivo.

Mercúrio na casa 10

A casa 10 é importante para a área vocacional pois é nela que se colhem os frutos profissionais de toda uma vida. Mercúrio na casa 10 indica a necessidade de realização profissional, estabilidade, sucesso, prestígio, *status* e poder. É aqui que o indivíduo vive o ápice da vida e atinge o mais alto grau de reconhecimento por sua competência em fazer algo melhor do que qualquer outra pessoa.

Ter Mercúrio nessa posição significa que você dirigirá seus pensamentos, interesses e ideias para obter resultados concretos e recompensas materiais, pois está sempre focado e preocupado com o futuro, quando não precisar mais trabalhar e puder desfrutar do que construiu.

Quem tem Mercúrio na casa 10 quer ser reconhecido profissionalmente como um especialista, uma autoridade no que pensa e faz, para ocupar posição de poder, destaque ou comando em instituições, empresas, áreas do governo, Estado e universidades – enfim, no mundo.

Você ambiciona participar da elite, colher sucesso, poder e reconhecimento da sociedade, utilizando sua capacidade intelectual, de comunicação e articulação, de vendas e negociação, conjugada a seus talentos mercurianos. Deve escolher profissões nas quais possa expressar as habilidades da casa 10 para atividades econômicas e financeiras ou que envolvam a técnica, o detalhe, a precisão, a pesquisa, as ciências, a perícia, a qualidade e o aperfeiçoamento, como economia, desenvolvimento de produtos, pesquisas acadêmicas, científicas ou de mercado, ou ainda planejamento, comunicação, vendas e marketing de produtos, instrumentos e serviços.

Pode trabalhar sozinho ou em equipe, mas gosta de exercer autoridade ou ocupar cargo de proeminência. Sabe escolher os melhores colegas para uma equipe e liderá-la com firmeza, eficiência e controle. Pode vir a desenvolver mais de uma atividade profissional, devido às suas muitas habilidades.

Mercúrio na casa 11 | ☿

Com Mercúrio na casa 11, você buscará participação efetiva na sociedade, atuando de maneira profissional, política ou social. Você precisa se sentir atuante, exercendo atividades de dimensão social, trabalhar em áreas públicas que alimentem seu idealismo, fazendo diferença com sua atuação.

Para tanto, você tem, além das qualidades mercuriais, capacidade intelectual privilegiada e visão de conjunto e de futuro, que, somadas a muita intuição, lhe conferem aptidão para ciências sociológicas, antropológicas ou matemáticas e para antecipar tendências, sejam elas sociais, econômicas e científicas, sejam políticas, tecnológicas ou de comportamento, como é necessário em planejamento de empresas, urbanismo, telecomunicações e meio ambiente.

Com esses atributos, você dirigirá seus pensamentos, na capacidade de comunicação, seus interesses e ideias para produzir benefícios a grupos, minorias, empresas, governos e instituições, inventando, pesquisando, planejando e distribuindo tarefas ou liderando equipes na projeção do futuro. Você poderá trabalhar como autônomo, na qualidade de consultor, assessor ou líder de grupos e equipes.

Mercúrio na casa 12 | ☿

Com Mercúrio na casa 12, seus pensamentos, interesses e ideias estarão voltados para a busca de sua verdadeira vocação, para a busca de si mesmo, como forma de obter satisfação íntima. Qualquer profissão que escolher terá de fazer sentido para você e levar em consideração suas crenças e inspirações, conjugadas a suas qualidades e habilidades mercurianas.

Você tem inteligência emocional, percepção, imaginação ativa, criativa e intuitiva, adaptabilidade e ecletismo. Conta ainda com boa noção de proporção, ritmo e harmonia, além de senso de integração, visão de conjunto e poder de síntese, atributos que podem ser aplicados em profissões ligadas a comunicação, imprensa, arte, ensino, ecologia, que beneficiem muitos.

Você pode criar uma atividade que leve em conta a sociedade como um todo, que considere uma multiplicidade de assuntos que se interdependem ou que relacione mundos paralelos, linguagens simbólicas, macrocosmo e microcosmo, como é o caso dos profissionais que trabalham com comércio, atividades intelectuais e culturais e desenvolvimento de produtos ou medicamentos, áreas em que esses fatores só se juntam com conhecimento e sensibilidade.

Com forte instinto assistencial, poderá proteger, nutrir ou cuidar de outras pessoas, atuando como médico, terapeuta, psicólogo, orientador pedagógico e fisioterapeuta. Tem habilidade para desenvolver atividades que exijam sigilo, discrição, isolamento ou silêncio, como a psicanálise .

Você ainda demonstra interesses acadêmicos, habilidades psíquicas, intuição e capacidades visionárias. Por isso, vê para onde as massas se deslocam e pode antecipar tendências, atuando nas áreas de poesia, literatura, ecologia, moda e comportamento.

Cuide para não trocar de atividade com frequência e atente para sua necessidade de relacionamentos, que pode conduzi-lo à abdicação de si mesmo e ao excesso de devoção aos outros.

♀

Vênus e suas características vocacionais por signo e casa

8

Vênus em ÁRIES  

Com Vênus em Áries, você escolherá situações ou atividades que propiciem busca de identidade e liberdade de ação. Para tanto, você tem criatividade, independência e autonomia.

Sua iniciativa, ousadia, postura de liderança, competitividade, capacidade executiva e empreendedora o ajudarão a atrair vantagens, gerar dinheiro, bens e benefícios no campo profissional.

Você pode escolher trabalhar sozinho ou em qualquer atividade na qual exerça independência ou autonomia, como necessário aos profissionais liberais e aos empresários. Pode se dar muito bem em atividades ligadas à expressão corporal ou praticadas ao ar livre, como dançarino ou *personal trainer*. E pode ser atraído por atividades que utilizem ferramentas, instrumentos ou armas, como cirurgião ou dentista.

Você é entusiasta, impaciente e intenso, gosta de enfrentar desafios e deve escolher uma profissão que o estimule muito, para que se mantenha nela.

Vênus em TOURO ♀ ♉

Touro, o signo das posses e dos valores, é regido por Vênus. Por isso, a "pequena benéfica" nesse signo funciona bem e fará que você atraia situações e atividades que remunerem bem e atendam a suas necessidades materiais e práticas, além de oferecer estabilidade, segurança material e realização. Sua profissão terá de lhe oferecer resultados concretos.

Você visa à qualidade de vida, ao conforto, à beleza e aos prazeres sensoriais, como morar bem, ter boa aparência e rica alimentação. Para isso, conta com bom senso para lidar com valores, capacidade produtiva e talento estético incomum. Suas escolhas estarão voltadas para profissões que lidem com valores e finanças, com a terra e a natureza, ou com a estética e as artes.

É muito talentoso para lidar com a matéria, o dinheiro, a terra, os alimentos, a plástica, a arte, o concreto, a beleza, principalmente se esses elementos envolverem os sentidos físicos, como em artes plásticas, arquitetura, agropecuária, ecologia, beleza, floricultura, paisagismo, escultura, ou no trabalho com massagem ou com restaurante. Prefere não enfrentar desafios e precisa equilibrar certa tendência à inércia e acomodação. Gosta de trabalhar com mais pessoas e prefere a segurança de estar empregado.

Vênus em GÊMEOS | ♀ ♊

Vênus em Gêmeos atrairá situações e atividades nas quais você possa adquirir, transmitir e trocar informações e conhecimento.

Você tem o poder da fala, do uso justo ou belo da palavra e da comunicação, de conhecer pessoas certas e colocá-las em contato, além de capacidade de negociação e argumentação por meio da sedução, habilidade com a voz e para se comunicar de modo fluente e maneiroso, como necessário aos cantores, advogados, escritores, poetas ou locutores.

É ativo, ágil, rápido, adaptável, versátil e curioso. Aprecia trabalhar com outras pessoas, pois a troca de informações ou de produtos e a comunicação têm de ser praticadas com frequência, como acontece no comércio, nos meios de comunicação, no ensino e na imprensa.

Você é mentalmente ativo, gosta de conviver com diversidade de assuntos e de espaços e de se movimentar no trabalho. Pode desenvolver atividade paralela para complementar a renda.

Vênus em CÂNCER | ♀ ♋

Com Vênus em Câncer, signo de grande sensibilidade para captar circunstâncias e pessoas, você atrairá situações e atividades nas quais possa se sentir seguro, integrado e se identificar com o local de trabalho e as pessoas ao redor.

Por ser muito ligado ao passado e às origens, você poderá trabalhar com pessoas da família ou muito próximas. Vênus nessa posição acentua o instinto canceriano de cuidar de pessoas ou protegê-las, como acontece na enfermagem, nas práticas terapêuticas ou na assistência social.

Você tem grande criatividade, imaginação, senso de conservação, adaptabilidade e capacidade de integração, como é necessário às pessoas que trabalham em antiquários, aos artistas plásticos e restauradores.

Com essas qualidades, você pode escolher atividades que nutram as pessoas, como nutricionista ou dono de bufê; que cuidem dos objetos, da casa ou da família, como decorador ou profissional de movelaria; que desenvolvam intimidade, como psicologia; que investiguem ou conservem o passado e as origens, como história da arte ou genealogia; ou ainda que utilizem a imaginação ativa e criativa, como literatura ou criação de novelas. Cuide para que sua vida pessoal ou emocional não prejudique a vida profissional.

Vênus em LEÃO | ♀ ♌

Leão é um signo de fogo que reforça a capacidade expressiva, espontaneidade e autoestima. Com Vênus nesse signo, você atrairá situações e atividades em que possa ser quem é, sentir-se especial, doar seu coração ao mundo e receber aplausos. Você é dotado de criatividade, postura e talento artístico acentuados para lidar com todo tipo de arte, espetáculos, música, dança, teatro e cinema.

Demonstra autonomia, independência, exuberância, sensualidade, popularidade e magnetismo, que lhe possibilitam ser o centro das atenções, o ator principal ou ter capacidade para liderar e gerenciar negócios ou atividades.

Pode trabalhar bem com quem ama ou com crianças, escolhendo profissões ligadas ao entretenimento, à educação, à orientação de jovens e ao lazer, mas precisará sempre de audiência. Gosta de trabalhar se divertindo e se não o fizer terá de suprir essa necessidade com um *hobby*. Tem forte poder de sedução e de comunicação e aprecia desafios, improvisos, especulação, jogos e práticas corporais, como dança ou expressão corporal.

Vênus em VIRGEM | ♀ ♍

Virgem é um signo totalmente voltado para o trabalho. Com Vênus nesse signo, você se motivará a servir aos outros: patrão, fregueses, clientes, alunos, pacientes, grupos ou empresas, para quem você deseja atuar assistindo, aconselhando, tornando-se confiável. Suas escolhas envolverão atividades nas quais se sinta ocupado, útil e indispensável por suas habilidades.

Pode se sentir atraído também por todo tipo de assistência a doentes e incapacitados, como médico, terapeuta ou enfermeiro. Você também é dotado de grande capacidade de organização, de implantação de métodos, de desenvolvimento técnico e especializado, qualidade que, conjugada com praticidade e senso estético acentuado, pode favorecer atividades como profissionais de escritório, de artes e ofícios, de moda e beleza.

Tem aptidão ainda para o comércio, para atividades que envolvam análise ou detalhes, além de interesse por restauração ou recuperação de objetos. Atente para o perfeccionismo, a crítica e autocrítica excessivos.

Vênus em LIBRA | ♀ ♎

Libra é um signo de ar voltado aos relacionamentos e à comunicação, além de ser muito focado na busca de sua identidade por meio das relações com os outros ou da arte. Como regente de Libra, Vênus conjuga muito bem suas funções com as qualidades desse signo e pode fazê-lo escolher o caminho das artes, em que utilizará seu senso estético incomum, com equilíbrio de ritmos e formas, como é necessário nas artes plásticas, na arquitetura, na música, na dança, no teatro, no cinema e na escultura.

Você também poderá ser atraído para o caminho dos relacionamentos, das relações públicas e da diplomacia. Você atua muito melhor em parceria e tem forte aptidão para lidar com o público, seja cuidando, atendendo ou entendendo o outro, como nas profissões de aconselhamento, terapia e assessoria. Tem senso de justiça e de direitos humanos acima da média, como simboliza a própria balança, o que favorece profissões como a advocacia.

Você busca harmonia e equilíbrio em tudo, aprecia o conforto e os prazeres, gosta de viver cercado de beleza e pode escolher profissões ligadas a estética, beleza e *glamour*, como cosmetologista, modelo e promotor de eventos. Aprecia lugares públicos e atraentes, tem muito charme, sedução, amabilidade, boa aparência e refinamento natural. Atente para sua indecisão e tendência a não se comprometer.

Vênus em ESCORPIÃO | ♀ ♏

Vênus em Escorpião valorizará a aquisição de poder, segurança e recompensa financeira e fará você escolher profissões em que possa lidar com recursos alheios, sejam eles físicos, materiais, econômicos, sejam intelectuais, emocionais ou psicológicos, como advogado, psicólogo e consultor financeiro.

Sua escolha profissional deve abranger atividades nas quais possa demonstrar determinação e poder, que, no seu caso, significa lidar com situações de crise, de emergência, gerar entendimento, cura, restauração, recuperação, regeneração e transformação, como necessário em medicina, cirurgia plástica, psiquiatria, química, farmacologia e direito.

Você trabalha bem em parceria ou em grupo, mas prefere assumir o comando. Sente-se atraído também pelo inconsciente, pelo desconhecido, pelo profundo, pela pesquisa e pelo ocultismo. Mas em qualquer atividade que exerça será cauteloso, estratégico, misterioso, sedutor e se autoprotegerá ao extremo para salvaguardar sua sensibilidade e vulnerabilidade.

Vênus em SAGITÁRIO | ♀ ♐

Vênus em Sagitário atrairá situações e profissões que ampliem seus horizontes para que você possa conviver melhor com a natureza humana e compreender o significado da vida.

Para tal, você conta com grande capacidade intelectual, expressão verbal e visão de longo alcance para compreender e apreciar assuntos filosóficos, sistemas de pensamento, códigos simbólicos, religiões, leis, ética e justiça, como é o caso dos advogados, juízes, sacerdotes e filósofos.

Você tem talento para divulgação, comunicação e propagação de novas ideias, como necessário às áreas de publicidade, propaganda e marketing, editoração, promoção cultural e de eventos. Vênus o fará disseminar e aplicar seus conhecimentos em atividades como educação, ensino superior, estudos elevados e filosóficos, carreira universitária, ou lhe proporcionará aventuras, viagens, contato com lugares distantes, povos e culturas estrangeiras, o que acontece nas áreas de aviação, turismo, exportação e importação, além de oferecer potencial para vivenciar seus ideais.

Você atrai expansão, fama, prestígio e prosperidade e espalha fé, esperança e otimismo. Atente apenas para a autoindulgência, que pode torná-lo improdutivo.

Vênus em CAPRICÓRNIO | ♀ ♑

Para Capricórnio, um signo de terra, a expressão da carreira é fundamental, assim como ser adulto e responsável, participar do mundo e da sociedade, ter sucesso e ser reconhecido por seu esforço e trabalho.

Vênus nesse signo atrairá situações e atividades nas quais possa ter resultados e recompensas materiais, segurança, estabilidade, *status* e realização. Você é preocupado com o futuro, quando não precisar mais trabalhar e puder desfrutar do que construiu. Acredita que o mundo só o respeitará por sua competência e especialidade profissionais.

Para alcançar seus objetivos, aprendeu a lidar bem com limites, é prático, paciente, persistente, realista, pragmático, determinado e disciplinado. Suas escolhas profissionais expressarão suas habilidades estéticas, econômicas e administrativas ou, ainda, que envolvam o detalhe, a pesquisa, a técnica, a qualidade e o aperfeiçoamento.

Você poderá trabalhar sozinho ou em equipe, mas prefere exercer autoridade ou ocupar cargo de proeminência. Sabe escolher muito bem os melhores componentes para uma equipe e liderá-la com eficiência e controle.

Vênus em AQUÁRIO | ♀ ♒

Aquário é um signo de ar que enfatiza a capacidade intelectual, a sociabilidade e os relacionamentos em grupo. Com Vênus nesse signo, você atrairá situações ou atividades nas quais utilize sua superioridade intelectual, criatividade e intuição, características necessárias nas ciências sociais, econômicas e políticas. Pode escolher profissões nas quais se diferencie, ocupações fora do comum, sem cartão de ponto, exercidas em horários não usuais.

Você tem facilidade para adquirir *know-how* técnico e para desenvolver sistema de pensamento ou teoria, características necessárias para as áreas de informática, astrologia, engenharias elétrica e eletrônica. Por ser intuitivo, é voltado para o futuro, o que lhe dá grande capacidade de planejamento e desenvolvimento, modernização e inovação de processos, antecipação de tendências e tecnologias, como é o caso das telecomunicações, das áreas digital, de planejamento de empresas, urbanismo e ecologia.

É inovador, inventivo, original, excitado mentalmente e dado a mudanças repentinas. Tem tendência à rebeldia, indisciplina e transgressão de regras e limites. É muito bom nos relacionamentos, valoriza os colegas e aprecia o reconhecimento deles, mas procura manter-se impessoal. Por isso, prefere se sentir independente, ser autônomo e ter liberdade.

Vênus em PEIXES | ♀ ♓

De todos os signos de água, Peixes é o mais sensível e perceptivo. Tem capacidade de captar as energias externas e adequá-las às mais diversas leituras: intelectual, emocional, sensorial, artística, psicológica, acadêmica.

Você atrairá situações e atividades que deem vazão às crenças e inspirações e qualquer profissão que escolha terá de satisfazê-lo intimamente e fazer sentido para você. Para tanto, conta com as já citadas sensibilidade e percepção, com imaginação ativa e intuitiva, adaptabilidade e ecletismo.

Tem senso estético incomum, talento artístico, noção de proporção, imagem e memória visual, ritmo e harmonia, atributos que podem ser aplicados em artes plásticas, cinema, música, fotografia, cenografia, produção e iluminação.

Você possui senso de integração, visão de conjunto e poder de síntese, capacidade de fundir elementos, alquimia, apreciação do macrocosmo em comparação ao microcosmo, além de compreensão de mundos paralelos e linguagens simbólicas, que pode utilizar em áreas de grande alcance social, como ecologia, literatura, desenvolvimento de vacinas e medicamentos, por exemplo.

Tem instinto para proteger, nutrir e cuidar de outras pessoas, como é necessário aos médicos, enfermeiros e terapeutas, por exemplo. Tem ainda tendências visionárias, habilidades psíquicas e de leitura do inconsciente coletivo, por isso pode ver para onde as massas se deslocam e antecipar tendências em profissões como estilista e *designer*.

Quando conjuga suas habilidades e sonhos com esforço e competência, consegue realizar o que quer. E, se estiver bem equilibrado emocionalmente, tem capacidades quase ilimitadas. Pode ser muito influenciado pelo ambiente de trabalho e precisar de isolamento para se refazer. Atente para sua necessidade de relacionamentos, que pode conduzi-lo à abdicação de si mesmo e ao excesso de devoção aos outros.

Vênus na casa 1 | ♀

Qualquer planeta na casa 1 tem seu efeito ampliado. A casa 1 é a casa da personalidade, que se desenvolverá por todo o mapa. É também a casa da imagem que você tem de si mesmo e de como os outros o veem, de como você procura se diferenciar e se autoafirmar por meio de suas potencialidades.

Nessa posição, Vênus acentuará suas qualidades e habilidades venusianas, atraindo para si atividades, pessoas e situações que o beneficiem, tragam vantagens, ganhos e sorte, como meio de se autoafirmar e se distinguir. Ao mesmo tempo, como essa é a casa da identidade, você se identificará com Vênus e tenderá a espalhar harmonia, satisfação e bem-estar ao seu redor.

Por isso, deverá escolher atividades que tenham valor para você, nas quais se relacione naturalmente com pessoas, com sensibilidade e boa vontade, como nas profissões ligadas ao atendimento ao público, às relações públicas, ao aconselhamento, à consultoria e à diplomacia, ou que envolvam a estética, a arte e a beleza, como artes plásticas, decoração, atuando como *marchand*, por exemplo.

Você ama e valoriza os relacionamentos e as outras pessoas porque ama e valoriza a si mesmo. Deseja ser aceito, notado, admirado e usará qualquer artifício para conquistar elogios e imprimir sua marca pessoal em tudo que faz, tendendo a escolher atividades que exijam sua presença física, sua energia pessoal, seu poder de sedução, seu charme e boa aparência, como é o caso dos profissionais liberais, donos de empresa, de galeria de arte, de loja ou salão de beleza.

Nessa posição, Vênus ainda reforça seu interesse por atividades corporais ou realizadas ao ar livre, como dança ou expressão corporal. Atente para certa tendência à autoindulgência, à acomodação e ao narcisismo exagerado.

Vênus na casa 2

A casa 2 rege sua capacidade produtiva e revela os recursos e ferramentas com os quais você conta para produzir, obter resultados concretos, ganhar dinheiro e se expandir materialmente, além de descrever como você lida com o mundo material.

Na casa 2 Vênus está muito bem porque faz que você atraia para si bens, pessoas, situações, objetos, benefícios e vantagens que deseja e porque o habilita a utilizar os recursos disponíveis nessa casa. Você conta com Vênus e suas habilidades, que favorecerão sua busca de segurança material e resultados práticos e concretos. Sua escolha profissional pode envolver atividades em que possa acumular, somar ou agregar bens, posses e valores.

Você conta com habilidade para lidar com ciências contábeis e econômicas, finanças e números, como é o caso do economista, aplicador ou agente de mercado financeiro, gerente de banco ou de financeira, profissional de compras. Tem também muito potencial para lidar com os assuntos ligados a beleza, estética e artes, como artista plástico, arquiteto, criador, produtor ou vendedor de produtos de moda, beleza e cosmética, *designer* ou dono de loja de joias, de presentes, de arte ou decoração.

Seus sentidos físicos são muito apurados e podem ser utilizados em profissões como perfumista, massagista e escultor. Reúne o talento para criar, multiplicar e cuidar da matéria, do dinheiro, do concreto, da plástica, da forma e para atrair para si mesmo benefícios, dinheiro e vantagens, porque sabe fazer as coisas acontecerem, como produzi-las, multiplicá-las e fazê-las crescer.

Vênus na casa 3 | ♀

Vênus na casa 3 atrairá atividades nas quais você possa estar em permanente troca de conhecimento ou informações, demonstrando inteligência e capacidade de aprendizado, de estabelecer relacionamentos, de atrair pessoas e trocar suas habilidades venusianas com elas.

Sua escolha profissional deve envolver ocupações em que possa buscar ou difundir conhecimento, trocar informações; áreas de marketing e comunicação, como jornalista, repórter, assessor de imprensa, relações-públicas e professor de educação artística; ou ainda áreas que lidem com documentos, contratos e papéis, como advocacia, biblioteconomia, arquivologia, secretariado executivo, processamento de dados ou contabilidade. Pode também favorecer o comércio ou atividades que lidem com meios de transporte, trânsito ou deslocamento físico, como representante de vendas.

Você poderá trabalhar com irmãos ou colegas. Tem habilidade para fazer negociações, intermediação de negócios e argumentação, para conhecer pessoas e colocá-las em contato, bem como para utilizar a palavra, como cantor, escritor, poeta, locutor, tradutor e intérprete.

Vênus na casa 4 | ♀

Na casa das origens, raízes e relações familiares, Vênus indicará atividades nas quais você possa estabelecer vínculos fortes para se sentir seguro e satisfeito. Profissionalmente, favorecerá sua busca de segurança emocional e integração no trabalho, o que o fará escolher profissões que possa exercer em casa ou com a família e lhe permitam trabalhar nos negócios familiares ou participar de um projeto desde o início, para se familiarizar com ele.

Pode ser que você atraia assuntos ligados à casa, ao lar, a imóveis, construção ou propriedades, como arquitetura, decoração, paisagismo, economia doméstica, negócios imobiliários, hotelaria e movelaria. Outra área de escolha poderá ser a assistencial, protegendo, nutrindo ou cuidando de pessoas, como em medicina, enfermagem, instrumentação cirúrgica, serviço social ou psicologia, já que você gosta de estabelecer intimidade.

E, finalmente, Vênus nessa posição valoriza e acentua seu interesse por assuntos que lidem com a imaginação ativa e criativa, com raízes, culturas e tradições, como nas áreas de literatura, história, antiquário, museologia ou arqueologia. Mas, qualquer que seja sua escolha profissional, você terá de conjugar as qualidades e habilidades venusianas com satisfação pessoal e necessidade de se sentir seguro, adaptado e integrado ao trabalho.

Vênus na casa 5

A casa 5 é a casa da expressão natural da personalidade, da satisfação de ser quem é, dos talentos pessoais, artísticos, vocacionais e criativos. Vênus na casa 5 atrairá atividades em que você possa se expressar, ser autor, estar em evidência, sentir-se especial, ser o centro das atenções, ser querido, reverenciado e reconhecido pelo que naturalmente é e expressa: beleza, charme, carisma, teatralidade, refinamento, além de sua capacidade de espalhar afeto, harmonia, satisfação e boa vontade.

É também a casa do amor, da capacidade de amar, gerar filhos, criações e obras como se fossem uma extensão sua, como fazem os artistas plásticos, modelos, músicos, escultores e toda sorte de artistas e atores. Você gosta de trabalhar se divertindo e, se não o fizer, terá de encontrar um *hobby* que o distraia ou escolher atividades ligadas ao entretenimento ou lazer, como cinema, teatro, produção de eventos, promoção de festas, lançamentos, desfiles e espetáculos.

Com Vênus nessa posição, você atrairá situações nas quais possa demonstrar seus talentos e habilidades venusianos, podendo trabalhar com quem ama ou com crianças, como educador, professor e orientador pedagógico. Você tem o poder de comunicação e de sedução, aprecia fazer o que gosta, jogos, especulação e atividades ligadas ao corpo, como dança ou moda, por exemplo. Mas, qualquer que seja sua escolha, ela deverá satisfazer seu desejo de estar sempre no centro das atenções. Atente para sua tendência ao narcisismo.

Vênus na casa 6 | ♀

A casa 6 é importante para a área vocacional pois revela o(s) assunto(s) profissional(is) de seu interesse, fala da rotina de trabalho que lhe agrada, da relação que você terá com colegas, patrões e empregados. Com Vênus nessa posição, você atrairá atividades profissionais nas quais possa se sentir ocupado, produtivo e seguro, porque ama trabalhar, sentir-se útil e indispensável por suas qualidades e habilidades venusianas.

Como essa casa fala de ritmos e fluxos, físicos ou da natureza, você pode direcionar suas escolhas profissionais para as áreas de biologia, ecologia, agropecuária, agronomia, alimentação, nutrição, dietética, ou pode optar por atividades que envolvam rotina e repetição, como trabalhos domésticos e prestação de serviços.

Você pode se sentir atraído também por todo tipo de assistência a doentes e incapacitados, como é o caso do médico, enfermeiro, assistente social e dos profissionais de aconselhamento, ou ainda por prestação de serviços em geral, nas áreas de treinamento, recursos humanos, práticas terapêuticas, moda, estética e beleza, atuando como esteticista, estilista ou produtor de moda.

Demonstra grande capacidade de organização, de implantação de métodos e sistemas, de desenvolvimento técnico e especializado, de aplicação de técnicas na prática, características úteis nas áreas de secretariado executivo, processamento de dados e escritório. Também tem interesse por assuntos como artes e ofícios, comércio e atividades que envolvam aptidão para análise e detalhes, recuperação ou restauração de objetos. Vênus na casa 6 favorece o trabalho com o público e com assuntos femininos.

Vênus na casa 7 | ♀

Vênus na casa 7 está muito bem. Essa posição reforça suas escolhas profissionais ligadas aos relacionamentos com os outros ou à estética e às artes, ou ainda à justiça. Você escolherá atividades nas quais suas qualidades e habilidades para lidar com o público ou para ser consultor, assessor, conselheiro, relações-públicas e terapeuta sejam utilizadas, isto é, aconselhando, atendendo, recepcionando, negociando, representando pessoas ou cuidando delas.

Como tem senso de justiça acima da média, poderá se dirigir para a área de advocacia ou da justiça em geral. Também poderá escolher profissões nas quais possa aplicar seu senso estético e artístico bem desenvolvido, como artista plástico, *designer*, estilista, sócio de galeria de arte, salão de beleza ou *marchand*, por exemplo.

Vênus na casa 7 atrai relacionamentos que complementem suas deficiências, formando parcerias, associações, sociedades e contratos com parceiros, pois relacionar-se é sua maior motivação.

Vênus na casa 8 | ♀

Na casa 8, Vênus atrairá atividades que lhe propiciem poder, controle e/ou recompensa financeira. Para conquistá-los você utilizará sua habilidade em lidar com recursos alheios, sejam eles físicos, materiais e econômicos, sejam intelectuais, emocionais e psicológicos, como fazem os advogados tributaristas, inventaristas, fiscais e psicoterapeutas.

Pode também escolher atividades financeiras, econômicas, atuariais, de mercado de capitais, captação de recursos, especulação, *factoring* e *leasing*, ou, ainda, exercer profissão comissionada, participativa, *franchising*, direitos autorais e *royalties*.

Sua escolha profissional deve abranger a habilidade para gerar poder – sua maior motivação. Seu poder é o de saber lidar com a crise e a emergência, recuperar o que parece perdido, restaurar o envelhecido, fazer acordos que pareciam impossíveis, como nos litígios, restaurar obras de arte, reciclar produtos. Seu poder também gera cura, regeneração e transformação, como em medicina, cirurgia plástica, psiquiatria, química e farmacologia.

Você tem atração pelo desconhecido, pelo profundo, por pesquisa, ocultismo e inconsciente, como os psicólogos. Você trabalha bem em parceria, mas gosta de estar no comando. É cauteloso, estratégico, misterioso, sedutor, envolvente e se autoprotege bastante para salvaguardar seus desejos e sua vulnerabilidade.

Vênus na casa 9 |

Na casa 9, Vênus ama a cultura, o saber e o conhecimento porque propiciam compreensão do significado da existência humana. Você conta com tendência intelectual, expressão verbal e visão de longo alcance para compreender assuntos filosóficos, sistemas de pensamento, códigos simbólicos, religiões, leis, ética e justiça, como é necessário aos advogados, juízes, cientistas, sacerdotes e filósofos.

Tem talento e capacidade para divulgação e propagação de novas ideias, como necessário nas áreas de publicidade, propaganda e marketing, editoração, produção e promoção cultural. Sua escolha profissional deve abranger a disseminação e aplicação de seu conhecimento em atividades das áreas de educação, ensino acadêmico e superior, estudos filosóficos, carreira universitária ou estudos permanentes.

Sua opção ainda deve proporcionar aventuras, viagens, contato com lugares distantes, povos e culturas estrangeiras, como nas áreas de aviação e turismo, exportação e importação, comércio exterior, história da arte e arqueologia. Qualquer que seja sua escolha, você utilizará suas qualidades e habilidades venusianas para obter prestígio e satisfação intelectual. Cuidado com a autoindulgência e a necessidade de sucesso, que podem torná-lo improdutivo.

Vênus na casa 10

A casa 10 é importante para a área vocacional pois é nela que se colhem os frutos profissionais de toda uma vida. Vênus na casa 10 atrai realização profissional, estabilidade, sucesso, prestígio, status e poder como meio de sentir-se seguro e reconhecido.

Aqui o indivíduo vive o ápice da vida e atinge o mais alto grau de reconhecimento por sua competência em fazer algo melhor do que qualquer outra pessoa, tornando seu nome uma grife e emprestando prestígio e credibilidade aos locais em que atua profissionalmente.

Vênus nessa posição favorecerá a obtenção dos resultados materiais nos quais você estará focado, já que se preocupa com sua carreira e com o futuro, quando não precisar mais trabalhar e puder desfrutar do que construiu. Favorecerá também seu desejo de ser admirado e reconhecido profissionalmente como especialista, uma autoridade no que faz, porque você adora ocupar posições de poder, de destaque ou de comando em instituições, empresas, áreas de governo ou universidades.

Com Vênus nessa casa, você deseja participar de elites, colher sucesso e valorização da sociedade, utilizando suas habilidades e talentos venusianos. Deve escolher profissões nas quais possa expressar suas habilidades para relacionamentos e prestação de serviços, assessorias e consultorias como profissional liberal, ou ainda para estética, arte e beleza, conjugadas com as da casa 10, para administração e finanças, ou ocupações que envolvam detalhe, pesquisa, técnica, qualidade e aperfeiçoamento, como criação ou desenvolvimento de produtos, pesquisas de mercado ou, ainda, planejamento e marketing de produtos e serviços.

Pode trabalhar em equipe, mas gosta de se destacar ou ocupar cargo de proeminência, que atraia admiração e prestígio. Sabe escolher os melhores componentes para uma equipe e liderá-la com charme, eficiência e resultados.

Vênus na casa 11 

Com Vênus na casa 11, você escolherá atividades em que possa ter participação efetiva na sociedade, profissional, política ou socialmente. Você deseja se sentir atuante, gerando benefícios à comunidade, exercendo atividades de dimensão social, em áreas públicas, que alimentem seu idealismo por um mundo mais humano e democrático, fazendo assim diferença com sua atuação.

Para tanto, você possui, além das habilidades venusianas, visão de conjunto e de futuro, que, somada à sua intuição, lhe confere capacidade para ciências sociais ou para antecipar tendências, sejam sociais ou econômicas, sejam políticas ou tecnológicas, como necessário em sociologia, antropologia, psicologia social ou, até mesmo, em moda e comportamento.

Com essas qualidades você escolherá atividades que tragam vantagens ou benefícios a grupos, minorias, empresas, governos e instituições, seja inventando e pesquisando, seja planejando, distribuindo tarefas e liderando equipes na projeção do futuro, como fazem os planejadores sociais e econômicos, os ecologistas, ambientalistas e urbanistas. Você dará preferência a trabalhar como autônomo, na qualidade de consultor ou assessor, ou ainda como líder de grupos e equipes.

Vênus na casa 12 

Com Vênus na casa 12, você atrairá atividades e situações voltadas para a busca de sua verdadeira vocação, para a busca de si mesmo, como forma de obter satisfação. Qualquer profissão que escolha terá de fazer sentido para você e levar em consideração suas crenças e inspirações, conjugadas com suas qualidades e habilidades venusianas.

Você tem grande sensibilidade, percepção, capacidade de envolvimento e adaptabilidade. Também conta com instinto assistencial acentuado para cuidar de pessoas e protegê-las, como fazem os médicos, terapeutas, psicólogos, assistentes sociais, enfermeiros.

Conta ainda com boa noção de estética, proporção, ritmo, equilíbrio e harmonia, além de imaginação ativa, criativa e intuitiva, atributos que podem ser aplicados em artes plásticas, teatro, cinema, música, fotografia, cenografia, coreografia, dança, produção e iluminação.

Você tem capacidades visionárias, prevendo para onde as massas se deslocam e antecipando tendências, assim como é necessário na moda ou na literatura. É capaz de desenvolver atividades que exijam sigilo, discrição, isolamento ou silêncio, como os psicanalistas, por exemplo.

Tem senso de integração, visão de conjunto e poder de síntese para aplicar em atividades que beneficiem muitos, que levem em conta a sociedade como um todo, que considerem uma multiplicidade de assuntos que se interdependem, ou ainda que relacionem mundos paralelos, linguagens plásticas e simbólicas, percepção e entendimento do macrocosmo comparado ao microcosmo, como é necessário aos estilistas, *designers*, comerciantes, ecologistas e ambientalistas, profissões nas quais tais fatores só se conjugam com conhecimento e sensibilidade.

Estando bem equilibrado emocionalmente, conta com capacidades quase ilimitadas. Pode ser muito influenciado pelo ambiente de trabalho e precisar de isolamento para se refazer. Cuide para não trocar de atividade com frequência e atente para sua necessidade de relacionamentos, que pode conduzi-lo à abdicação de si mesmo e ao excesso de devoção aos outros.

♂ Marte e suas características vocacionais por signo e casa

9

Marte em ÁRIES | ♂ ♈

Áries é um signo de fogo que indica que você agirá no mundo em busca de sua identidade, autoafirmação e liberdade de ação. Marte, que em Áries está muito bem, porque rege esse signo, acentuará sua criatividade, independência e autonomia, como é necessário aos empreendedores.

Em Áries, Marte também potencializará sua energia física, iniciativa, coragem, capacidade de liderança, competitividade, aptidão executiva e empreendedora, além de proporcionar poder de decisão para se lançar no mercado e atuar profissionalmente.

Você trabalha bem sozinho ou em qualquer atividade na qual exerça comando ou tenha autonomia, como em profissões autônomas, liberais ou ligadas à produção. Pode se dar muito bem em atividades ligadas a esportes, expressão corporal ou realizadas ao ar livre, como atleta, *personal trainer* ou lutador de artes marciais.

Tem fortes habilidades mecânicas e sentirá atração por atividades que utilizem ferramentas, instrumentos ou armas, como cirurgião ou dentista. Você gosta de correr riscos, enfrentar desafios e perigos e pode se sentir muito estimulado em cumprir metas em curto prazo.

Atente para a impulsividade e a ansiedade, que podem fazê-lo começar várias tarefas e não concluir nenhuma, e para sua agressividade e franqueza, que, se excessivas, podem provocar hostilidade no ambiente profissional. Aprenda ainda a lidar com a frustração e a dosar certa tendência ao egocentrismo.

Marte em TOURO | ♂ ♉

Touro é o signo das posses e dos valores. Com Marte nessa posição, você dirigirá suas ações para profissões que remunerem bem, atendam a suas necessidades materiais e práticas e ofereçam estabilidade, segurança material e realização. Sua profissão terá de lhe proporcionar resultados concretos.

Para tal, você conta com bom senso para lidar com valores, com energia, com capacidade produtiva e talento estético acentuados. Como visa à qualidade de vida, a conforto e prazeres sensoriais, seus interesses estarão voltados para profissões que lidem com valores, finanças e números, como economista, gerente financeiro ou de compras e aplicador de mercado financeiro, ou ainda com a terra, natureza e nutrição, artes e ofícios.

Você sabe lidar com a matéria, o dinheiro, a terra, os alimentos, a plástica, o concreto, a beleza, principalmente se esses elementos envolverem os sentidos físicos, como nas profissões de arquiteto, engenheiro civil, agrônomo, pecuarista, zootécnico, massagista, escultor, ceramista, ourives, produtor de alimentos, de beleza e cosméticos.

Pode trabalhar sozinho ou em grupo, mas prefere ser autônomo ou independente. Atente apenas para sua tendência a gastar rapidamente aquilo que ganha.

Marte em GÊMEOS | ♂ ♊

Gêmeos é o grande mensageiro do zodíaco. Para cumprir tal função, você direcionará suas ações, energia e capacidade para adquirir, transmitir e trocar informações e conhecimento.

Tem o poder da fala e da comunicação, de conhecer pessoas e colocá-las em contato, além de capacidade de negociação, articulação e argumentação, e muita habilidade com a voz, podendo ser cantor, locutor ou advogado.

É intelectual e fisicamente ativo, ágil, rápido, eficiente, adaptável, versátil e curioso. Precisa trabalhar com outras pessoas para que a troca de informações ou de produtos e a comunicação sejam praticadas com frequência, como acontece no comércio, nos meios de comunicação, no ensino ou na imprensa.

Precisa estar ativo física e mentalmente, conviver com diversidade de assuntos e de espaços e movimentar-se no trabalho. Pode desenvolver mais de uma atividade ao mesmo tempo ou função paralela para complementar a renda. Tem muita energia, mas pode gastá-la falando, andando, pensando ou dirigindo.

Marte em CÂNCER | ♂ ♋

Câncer é um signo de água dotado de grande sensibilidade tanto para captar suas próprias percepções quanto as das circunstâncias e pessoas à sua volta. Para sentir-se seguro e integrado, precisa se identificar com a atividade, o local de trabalho e as pessoas ao redor.

Com Marte nesse signo, você agirá para se manter ligado ao passado e às origens, por isso pode sofrer influência da família na escolha profissional. Tem forte instinto assistencial para cuidar de pessoas ou protegê-las, principalmente mulheres e crianças, o que é fundamental em profissões como médico, enfermeiro, cirurgião e terapeutas em geral.

Você conta com grande criatividade, imaginação e memória, além de bom senso de conservação, adaptabilidade e capacidade de integração. Seus interesses passam também por profissões que nutram as pessoas, como nutricionista; que cuidem dos objetos, da casa ou da família, como decorador ou arquiteto; que desenvolvam intimidade, como psicólogo; que investiguem e conservem o passado, a história e as origens, como arqueólogo; ou ainda que utilizem a imaginação criativa, como autor literário.

Marte em LEÃO | ♂ ♌

Leão é um signo de fogo que reforça a capacidade expressiva, a espontaneidade e a autoestima. Com Marte nesse signo, você lutará para ser quem é, sentir-se especial, doar seu coração ao mundo e receber aplausos, sua maior motivação.

Para isso, você conta com criatividade, teatralidade e talento artístico acentuados para criação, produção ou promoção de arte, espetáculos, dança, teatro, cinema e publicidade.

Você é dotado de grande autonomia, independência, exuberância e magnetismo, atributos que lhe possibilitam ser o centro das atenções ou o ator principal, ter capacidade de liderança e gerenciamento de negócios ou iniciativas empresariais.

Pode trabalhar bem com quem ama ou com crianças em áreas como medicina ou educação. Por gostar de trabalhar se divertindo, pode se dirigir para as áreas de entretenimento e lazer, mas precisará sempre de audiência.

Tem forte poder de comunicação e aprecia desafios, improvisos, riscos e esportes, como os comunicadores, publicitários ou especuladores. Atente para sua tendência à centralização excessiva.

Marte em VIRGEM | ♂ ♍

Virgem é um signo totalmente voltado para o trabalho, cuja maior motivação é servir aos outros: patrão, fregueses, clientes, alunos, pacientes, grupos ou empresas. Com Marte nesse signo, você espera prestar serviço aos outros assistindo, aconselhando, tornando-se confiável, útil e indispensável por suas qualidades e habilidades.

Você pode se sentir atraído por atividades ligadas à saúde e assistência de pessoas e animais doentes e incapacitados, como médico, cirurgião, veterinário, terapeuta, enfermeiro, cuidador e assistente social. Ou pode vir a prestar serviços a pessoas, empresas ou grupos. Também demonstra interesse pela natureza, biologia, ecologia, nutrição, higiene e sanitarismo.

Você tem grande capacidade de trabalho e organização, de implantação de métodos, de análise de sistemas, de desenvolvimento técnico e especializado, como necessário nas engenharias em geral ou na informática.

Conta com habilidades mecânicas e talento para trabalhos em empresas, escritórios, artes e ofícios, comércio, técnicas em geral, além de aptidão para análise e detalhes e de interesse pela recuperação de objetos. Atente ao perfeccionismo, à crítica e à autocrítica excessivos.

Marte em LIBRA | ♂ ♎

Libra é o signo de ar mais dado aos relacionamentos e à comunicação, além de ser muito focado na busca de identidade e diferenciação por meio das relações com os outros, da justiça e dos direitos humanos.

Com Marte nesse signo, você poderá dirigir suas ações para o caminho dos relacionamentos, atuando em assessorias, consultorias, profissões de aconselhamento, práticas terapêuticas e diplomacia, cuidando, assistindo, atendendo, entendendo, assessorando e defendendo pessoas.

Tem senso de justiça e de direitos humanos acima da média, como simboliza a própria balança, o que pode fazer que se dirija a profissões como advocacia, promotoria ou defensoria pública, por exemplo.

Você busca equilíbrio, aprecia o conforto e a beleza, gosta de movimento, lugares públicos e atraentes. Tem muito charme, capacidade de sedução, boa aparência e refinamento natural. Você atua bem em parceria, mas deve atentar para sua tendência ao comando, pois um dos aprendizados de Libra é a cooperação.

Marte em ESCORPIÃO | ♂ ♏

Escorpião é um signo de água orientado para aquisição de poder e recompensa financeira, que podem ser conquistadas por meio de sua habilidade em lidar com os recursos, sejam eles físicos, materiais e econômicos, sejam intelectuais, emocionais ou psicológicos, como fazem, por exemplo, os advogados, tributaristas e psicoterapeutas.

Sua escolha profissional deve favorecer sua autossuficiência, audácia e determinação para gerar poder – sua maior motivação. Seu poder é o de lidar com a crise e saber recuperar, reciclar, restaurar, regenerar, gerar cura e transformação, como necessário na medicina, nas cirurgias em geral, na psiquiatria, na química e na farmacologia.

Você também poderá optar por profissões que envolvam transformação de produtos e objetos, matérias-primas e energia, como é o caso das atividades exercidas em empresas de exploração e transformação de petróleo em derivados.

Demonstra interesse pelo desconhecido, pelo profundo e oculto, como os pesquisadores, detetives e psicólogos. É estratégico, secreto, corajoso e se defende ao extremo para salvaguardar sua vulnerabilidade. Trabalha bem sozinho, em parceria ou em grupo, mas é dotado energia de comando e frequentemente terá de lidar com seu senso de autoridade/autoritarismo.

Marte em SAGITÁRIO | ♂ ♐

Sagitário é um signo de fogo que busca ampliação de seus horizontes intelectuais para compreender a natureza humana e o significado da vida.

Marte nesse signo direcionará suas ações e capacidade intelectual, expressão verbal e visão de longo alcance para assuntos filosóficos, sistemas de pensamento, códigos simbólicos, religiões, leis, ética e justiça, como necessário aos advogados, médicos, juízes, cientistas, sacerdotes e filósofos.

Você tem interesse pela divulgação, comunicação e propagação de novas ideias, como necessário em publicidade e propaganda, marketing e editoração. Sua escolha profissional deve abranger a disseminação e a aplicação de seu conhecimento em áreas como educação, estudos superiores ou carreira universitária. Ou lhe proporcionar aventuras, práticas esportivas, viagens, contato com lugares distantes, povos e culturas estrangeiras, como em aviação, pilotagem, educação física, turismo, exportação e importação e arqueologia.

Você precisa tomar decisões, ser independente e agir com liberdade no trabalho. E, qualquer que seja sua escolha profissional, usará suas qualidades sagitarianas para obter diferenciação e prestígio.

Marte em CAPRICÓRNIO | ♂ ♑

Para Capricórnio, um signo de terra, a expressão da carreira é fundamental, assim como ser adulto e responsável, participar do mundo e da sociedade, ter sucesso e ser reconhecido por seu esforço e trabalho.

Marte em Capricórnio direcionará suas ações e esforços para obter resultados e recompensas materiais, poder, *status* e realização. É focado e preocupado com o futuro, quando não puder mais trabalhar e tiver de desfrutar do que construiu. Acredita que o mundo só o respeitará por sua competência e especialidade profissionais.

Para alcançar seus objetivos, aprendeu a lidar muito bem com limites, com obstáculos e com o tempo. É paciente, persistente, realista, pragmático, preciso, determinado e disciplinado. É orientado para áreas nas quais possa expressar sua criatividade, coragem e ousadia marcianas, conjugadas com as habilidades capricornianas, como administração, economia, engenharias e técnicas em geral, acadêmicas e científicas, ou ainda para atividades que envolvam a pesquisa e as ciências, a perícia, a qualidade e o aperfeiçoamento, como desenvolvimento de empresas, produtos e mercados.

Você pode trabalhar sozinho ou em equipe, mas precisa exercer comando e autoridade, ter negócio próprio ou ocupar cargo de proeminência. Sabe escolher os melhores componentes para uma equipe e liderá-la com firmeza, eficiência e controle.

Marte em AQUÁRIO | ♂ ♒

Aquário é um signo de ar que enfatiza a capacidade intelectual, a sociabilidade e os relacionamentos em grupo. Com Marte nesse signo, você poderá direcionar sua superioridade intelectual, criatividade e intuição para áreas como ciências sociais, exatas, econômicas ou políticas – medicina social, sociologia, antropologia, matemática e estatística.

Você buscará profissões nas quais possa se diferenciar, ocupações fora do comum, sem cartão de ponto, exercidas em horários não usuais, como as ligadas a astrofísica, meio ambiente, meteorologia e engenharia aeroespacial. Tem interesse em adquirir *know-how* técnico e em desenvolver sistema de pensamento, teoria ou especialização, como necessário nas áreas de engenharia elétrica ou eletrônica, ciência e tecnologia.

Por ser muito intuitivo, é voltado para o futuro, o que lhe dá grande capacidade de planejamento, desenvolvimento, modernização e inovação de processos, antecipação de tendências e tecnologias, como é o caso das mídias eletrônicas, das telecomunicações e da física quântica.

É inovador, inventivo, intuitivo, original, excitado mentalmente e dado a mudanças repentinas. Deve atentar para sua rebeldia, indisciplina e tendência à transgressão a regras e limites. Relaciona-se bem com colegas, mas precisa ter independência, liberdade, espaço e autonomia.

Marte em PEIXES | ♂ ♓

Peixes é, de todos os signos de água, o mais sensível e perceptivo. E é justamente nisso que reside sua diferenciação: na capacidade de captar as energias externas e adequá-las às mais diversas leituras – intelectual, emocional, sensorial, artística, psíquica e acadêmica.

Por ser motivado pelas crenças e inspirações, você direcionará suas ações para uma profissão que o satisfaça intimamente e faça sentido. Para tanto, você conta com as já citadas sensibilidade e percepção, com imaginação ativa e intuitiva, além de grande adaptabilidade e ecletismo.

É dotado, ainda, de talento estético, memória visual, ritmo e harmonia, qualidades que poderá aplicar em criação ou produção de artes plásticas, cinema, música, fotografia, cenografia e iluminação.

Tem forte instinto assistencial para proteger, nutrir, defender e cuidar de outras pessoas, como fazem os médicos, enfermeiros e terapeutas. Reúne ainda tendências visionárias, habilidades psíquicas e de leitura do inconsciente coletivo. Por isso, vê para onde as massas se deslocam e pode antecipar tendências, exercendo profissões nas áreas de política, moda e estilo, ecologia e meio ambiente.

Você também conta com senso de integração, visão de conjunto, poder de síntese, capacidade de fundir elementos, entendimento do macrocosmo em comparação ao microcosmo, o que pode aplicar em empreendimentos ou desenvolvimento de produtos que beneficiem a muitos, como é o caso dos medicamentos.

Quando conjuga seus sonhos e habilidades com esforço e competência, consegue realizar o que quer. E, se estiver bem equilibrado emocionalmente, tem capacidades quase ilimitadas. Pode ser muito influenciado pelo ambiente de trabalho e precisar de isolamento para se refazer. Cuide para não trocar de atividade com frequência, para não se envolver em muitos assuntos ao mesmo tempo e não desenvolver nenhum.

Marte na casa 1 | ♂

Qualquer planeta na casa 1 tem seu efeito ampliado. A casa 1 é a casa da personalidade, que se desenvolverá por todo o mapa. É também a casa da imagem que você tem de si mesmo e de como os outros o veem, de como você procura se diferenciar e se autoafirmar por meio de suas potencialidades.

Marte na casa 1 enfatiza suas qualidades marcianas, além de fortalecer seu desejo de autoafirmação, de se distinguir, ser único. Você busca independência e autonomia e agirá no mundo para imprimir sua marca pessoal em tudo que faz, interferindo e alterando a realidade com suas ações e iniciativas, como é o caso dos profissionais liberais, por exemplo.

Você dirigirá suas ações e iniciativas para atividades que exijam sua presença física, apresentando-se sempre pessoalmente em todas as situações e provando sua criatividade, capacidade de comando e liderança, além de combatividade. Tais atividades devem desafiá-lo de modo que você possa provar sua intuição, coragem e ousadia, como necessário aos criadores, inventores, empreendedores, construtores ou pioneiros que farejam oportunidades de mercado, por exemplo.

Nessa posição, Marte reforça sua energia física e seu interesse por atividades esportivas, corporais ou realizadas ao ar livre, como é necessário a atletas, pilotos de automóvel e de prova, jogadores de futebol, dançarinos, lutadores de artes marciais, treinadores ou condicionadores físicos.

Essa posição acentua também sua habilidade para a mecânica, para motores em geral, para o uso de ferramentas, armas e instrumentos de corte e precisão, como é o caso do médico cirurgião, do instrumentador, do dentista, do artesão, do engenheiro mecânico e mecatrônico, do metalúrgico e de outros profissionais.

Qualquer atividade profissional que escolha terá de estimulá-lo para que não perca o interesse por ela nem deixe de concluir as tarefas começadas.

Marte na casa 2 | ♂

A casa 2 rege sua capacidade produtiva e revela os recursos e ferramentas com os quais você conta para produzir, obter resultados concretos, ganhar dinheiro e se expandir materialmente, além de descrever de que maneira você lida com o mundo material.

Na casa 2, Marte buscará segurança material e resultados práticos e concretos rapidamente. Sua escolha profissional pode envolver atividades em que possa acumular, somar ou agregar bens, posses e valores.

Você conta com criatividade, energia e coragem, somadas às habilidades da casa 2, para lidar com ciências contábeis e econômicas, finanças e números, como necessário aos economistas, gerentes de banco ou de crédito, aplicadores, investidores ou agentes de mercado financeiro, de ações e de capitais, por exemplo.

Tem ainda habilidades mecânicas e os sentidos físicos muito apurados, que podem ser utilizados em profissões como arquiteto, engenheiro, quiropata, massagista, artesão, ou mesmo dono de restaurante, de bufê, de frigorífico ou produtor de alimentos.

Reúne o potencial para criar, multiplicar e cuidar da matéria, do dinheiro, do concreto, da plástica e da forma porque tem visão utilitarista, sabe fazer as coisas acontecerem, como produzi-las, multiplicá-las, fazê-las crescer, como necessário nas profissões ligadas a fabricação, produção, fornecimento ou venda de produtos, como nas engenharias civil, mecânica, mecatrônica, metalúrgica, de minas, hídrica, industrial, de produção, de manutenção e automatização industrial.

Você tem capacidade produtiva incomum, que será demonstrada por meio da conjugação com suas qualidades marcianas. Atente para sua tendência a acumular, mas também a gastar rapidamente.

Marte na casa 3 | ♂

Marte na casa 3 o direcionará para ocupações nas quais esteja em permanente troca de conhecimento ou informações, demonstrando inteligência e capacidade de aprendizado, assimilação e transmissão. Também o fará optar por atividades nas quais possa exercer sua capacidade de estabelecer relacionamentos e trocar suas qualidades marcianas com outras pessoas.

Sua escolha profissional deve passar por atividades nas quais possa buscar ou difundir conhecimento e trocar informações, por áreas de marketing e comunicação, como é o caso do jornalista, do repórter, do editor, do assessor de imprensa e do escritor, ou ainda por áreas que lidem com documentos, contratos e papéis, como advocacia, auditoria, arquivologia e contabilidade.

Você pode também escolher atividades que envolvam comércio ou lidem com meios de transporte, trânsito e deslocamento físico, como vendedor de automóvel, piloto, profissional de distribuição e logística, engenheiro mecânico, automotivo ou de tráfego.

Poderá trabalhar com irmãos ou colegas. Tem habilidade para fazer negociações, intermediação de negócios, articulação e argumentação, para conhecer pessoas e colocá-las em contato e para utilizar a palavra, como professor, comunicador, locutor e radialista.

Marte na casa 4 | ♂

Na casa das origens, raízes e relações familiares, Marte o direcionará para atividades nas quais possa se sentir seguro e satisfeito. Profissionalmente, você busca segurança emocional e integração no trabalho.

Profissões que possa praticar em casa, que lhe permitam o comando e a liderança de sua família ou dos negócios dela, ou propiciem sua participação em um projeto desde o início estão entre suas opções. Você pode ainda buscar assuntos ligados à casa, ao lar, a imóveis e propriedades, como arquitetura, construção, engenharia civil e negócios imobiliários.

Outra área de escolha pode ser a assistencial, protegendo, nutrindo ou cuidando de pessoas, como em medicina, odontologia, quiropraxia e terapias em geral. Pode exercer funções como psicólogo ou fisioterapeuta, ou ainda atuar em enfermagem, instrumentação cirúrgica, nutricionismo e serviço social.

Marte nessa casa também pode reforçar seu interesse por assuntos que lidem com a imaginação ativa e criativa, raízes culturais e tradições, como história, geografia, arqueologia e engenharia cartográfica. Mas, qualquer que seja sua escolha profissional, você terá de conjugar suas qualidades marcianas com satisfação pessoal e necessidade de se sentir adaptado e integrado ao trabalho.

Marte na casa 5 | ♂

A casa 5 é a casa da expressão natural da personalidade, da satisfação de ser quem é, dos talentos pessoais, artísticos, vocacionais e criativos. Marte na casa 5 o direcionará para atividades nas quais possa se expressar, ser autor, criativo, estar em evidência, sentir-se especial, ser o centro das atenções, ser reverenciado e reconhecido pelo que naturalmente é.

É também a casa do amor, da capacidade de amar, gerar filhos, criações e obras como se fossem uma extensão sua, como fazem o médico, o empreendedor, o inventor, o criador, o artista ou o ator. Com Marte nessa posição, você procurará demonstrar seus talentos e habilidades marcianas.

Você gosta de trabalhar se divertindo e, se não o fizer, terá de encontrar um *hobby* que o distraia ou escolher a área de entretenimento e lazer, como produtor de espetáculos ou eventos educacionais, artísticos, publicitários e esportivos. Aprecia desafios, improvisos, riscos, especulação, jogos e esportes, como é o caso do atleta, do *personal trainer*, do jogador de futebol, do treinador, do educador, do condicionador físico ou mesmo do profissional de marketing esportivo.

Tem poder de comunicação, capacidade de comando e liderança de negócios, como é o caso dos líderes empresariais ou publicitários. Pode trabalhar bem com quem ama ou com crianças, como educador, professor, diretor de ensino e orientador pedagógico, mas precisará estar sempre no centro ou no comando das atividades. Atente para sua tendência ao egocentrismo.

Marte na casa 6 | ♂

A casa 6 é importante para a área profissional pois revela o(s) assunto(s) profissional(is) de seu interesse, fala da rotina de trabalho que lhe agrada, da relação que você terá com colegas, patrões e empregados.

Marte nessa posição o direcionará para atividades nas quais possa se sentir ocupado e produtivo, útil e indispensável por suas qualidades marcianas.

Como essa casa fala de ritmos e fluxos, físicos ou da natureza, você pode direcionar suas escolhas profissionais para as áreas de biologia, ecologia, agronomia, pecuária, alimentação, nutrição, higiene e sanitarismo, ou pode partir para a prestação de serviços públicos essenciais, como correios, telefonia, energia elétrica, saneamento básico, comércio, imprensa, rádio e TV.

Você se sente atraído também por todo tipo de assistência à saúde de pessoas e animais doentes e incapacitados, como é o caso do médico, do cirurgião, do veterinário, do dentista, do enfermeiro ou do assistente social. Pode ainda dedicar-se à prestação de serviços gerais, como nas áreas de treinamento, recrutamento e seleção de recursos humanos, ou práticas terapêuticas.

É dotado de capacidade de organização, de implantação de métodos e sistemas, de desenvolvimento técnico e especializado, como técnicas em geral, além de aptidão para análise e detalhes, análise de sistemas, informática, automação de empresas e escritórios.

Tem muita habilidade mecânica para todas as engenharias, artes e ofícios, além de interesse pela recuperação e restauração de objetos. Marte na casa 6 favorece o trabalho autônomo, independente ou em posição de comando e liderança.

Marte na casa 7 | ♂

Marte na casa 7 o direcionará para profissões ligadas aos relacionamentos com os outros, à justiça e aos direitos humanos.

Você buscará atividades em que suas qualidades e habilidades para lidar com o público ou para ser consultor, assessor, conselheiro e terapeuta estejam sendo utilizadas – ou seja, você poderá atuar aconselhando, atendendo, recepcionando, negociando, entendendo, defendendo ou representando o outro.

Como tem senso de justiça e de direitos humanos acima da média, poderá se dirigir para as áreas de advocacia, promotoria e defensoria pública ou para profissões que lidem com a justiça de modo geral.

Marte na casa 7 buscará relacionamentos que complementem suas deficiências, formando parcerias, associações, sociedades e contratos com o outro, sua grande motivação. Mas preste atenção em sua necessidade de comando, pois, nessa casa, o maior aprendizado é a cooperação.

Marte na casa 8 | ♂

Na casa 8, Marte o direcionará para atividades que lhe proporcionem poder, controle e/ou recompensa financeira. Para tal, você utilizará sua habilidade em lidar com recursos alheios, sejam eles físicos e materiais, sejam econômicos, emocionais e psicológicos, como fazem os advogados, tributaristas, inventaristas, fiscais e policiais.

Também pode lidar com os recursos financeiros de outras pessoas, em atividades como captação de recursos, ciências atuariais, especulação, *factoring*, *leasing* ou, ainda, em ocupação comissionada, participativa, em *franchising*, direitos autorais e *royalties*.

Sua escolha profissional deve lhe permitir demonstrar autossuficiência, audácia e determinação para gerar poder – sua maior motivação. Seu poder é o de saber lidar com a crise e a emergência, gerando cura e transformação ou recuperando, reciclando, reconstruindo, reformando, reabilitando, como na psiquiatria, genética, química, farmacologia, medicina, nas cirurgias em geral ou especificamente nas áreas de neurologia, oncologia, proctologia, ortopedia e traumatologia, entre outras.

Marte na casa 8 também pode dirigi-lo para as áreas de reformas e reconstruções, como arquitetura e engenharia civil, ou ainda para as indústrias de transformação de matérias-primas em produtos e energia, como siderúrgicas, metalúrgicas, empresas petrolíferas e de processos petroquímicos.

Você tem interesse pelo desconhecido, pelo profundo e pelo oculto, como é necessário aos pesquisadores, investigadores, policiais, detetives, seguranças, psicólogos e cientistas.

Trabalha bem sozinho e precisa estar no comando das situações. Frequentemente terá de lidar com sua tendência ao autoritarismo. É competitivo, estratégico, misterioso, sedutor, corajoso e se autodefende ao máximo para salvaguardar sua vulnerabilidade. Deve estar atento à sua tendência à obsessão, desconfiança, vingança, destrutividade, possessividade, cólera e também para não misturar sexo com trabalho.

Marte na casa 9 | ♂

Na casa 9, Marte o direcionará para atividades e situações que ampliem seus horizontes de conhecimento e compreensão do significado da existência humana. Para tanto, você conta com interesse intelectual, expressão verbal e visão de longo alcance para lidar com assuntos filosóficos, sistemas de pensamento, códigos simbólicos, religiões, leis, ética e justiça, como é o caso do advogado, do médico, do juiz, do cientista, do sacerdote e do filósofo.

Tem capacidade de divulgação e propagação de novas ideias, como necessário nas áreas de publicidade, propaganda e marketing, editoração e promoção de eventos culturais. Deve procurar disseminar e aplicar seus conhecimentos em atividades de educação, ensino superior ou científico, carreira universitária ou concursos públicos.

Sua profissão deve lhe proporcionar aventuras, viagens, contato com lugares distantes, povos e culturas estrangeiras, como nas áreas de aviação, pilotagem, engenharia naval ou aeronáutica, exército, aeronáutica ou marinha, ecoturismo, arqueologia e geografia.

Marte nessa posição reforça sua energia física e acentua seu interesse por práticas corporais ou esportivas, como as de atleta, professor de educação física, treinador, promotor e profissional de marketing esportivo.

Você precisa tomar suas próprias decisões, ser independente e ter liberdade no trabalho. Qualquer que seja sua escolha, você utilizará suas qualidades marcianas para obter prestígio e satisfação pessoal.

Marte na casa 10 | ♂

A casa 10 é importante para a área vocacional pois é nela que se colhem os frutos profissionais de toda uma vida. Marte na casa 10 o direcionará para a realização profissional, para o sucesso, o prestígio, o *status* e o poder como meio de se diferenciar dos outros.

É nessa casa que o indivíduo vive o ápice da vida e atinge o mais alto grau de reconhecimento por sua competência em fazer algo melhor do que qualquer outra pessoa, tornando seu nome uma grife e emprestando prestígio e credibilidade aos locais em que atua profissionalmente.

Marte nessa posição agirá para obter os resultados materiais nos quais você estará focado, já que se preocupa com sua carreira e com o futuro, quando não precisar mais trabalhar e puder desfrutar do que construiu. Marte na casa 10 procura popularidade e reconhecimento profissional como pioneiro, especialista, uma autoridade no que faz, além de buscar posição de poder ou destaque em instituições, empresas, áreas do governo, instituições públicas ou universidades, como os executivos políticos ou comandantes do Exército, da Aeronáutica ou da Marinha.

Com Marte nessa casa, você almeja participar de elites, colher sucesso e reconhecimento da sociedade. Deve optar por profissões nas quais possa utilizar suas aptidões e talentos marcianos, afirmando sua tendência para o comando e a liderança de equipes, para empreendimentos, iniciativas, invenções e criações, ou ainda para atividades em que demonstre suas habilidades mecânicas, como engenheiro, médico cirurgião ou cirurgião dentista.

Na casa 10, Marte acentua sua energia física e seu interesse por atividades esportivas, como as de atletas, corredores de automóvel, treinadores, lutadores de artes marciais, jogadores de futebol, praticantes de tiro ao alvo, ou mesmo por ocupações que envolvam competição, desafios e riscos, como as de especulação, aplicação em mercado financeiro, *factoring*, iniciativas empresariais, atividades de segurança pública, policiamento e investigação.

Você pode ainda conjugar suas tendências com as habilidades da casa 10 para administração e finanças ou para profissões que envolvam a pesquisa e as ciências, o detalhe, a técnica e a precisão, a perícia, a qualidade e o aperfeiçoamento, como pesquisa científica ou desenvolvimento de produtos e mercados.

Pode trabalhar bem em equipe, mas sempre procurará exercer comando ou autoridade, ter negócio próprio ou ocupar cargo de proeminência. Sabe selecionar os melhores componentes para uma equipe e liderá-la com firmeza, eficiência e controle.

Marte na casa 11 | ♂

Com Marte na casa 11, você buscará ter participação efetiva na sociedade, profissional, política ou socialmente. Você almeja se sentir atuante, exercendo atividades de dimensão social, trabalhando em áreas públicas, que alimentem seus objetivos por um mundo melhor, fazendo diferença com sua criatividade, arrojo, ousadia e intuição.

Para isso, você conta, além das habilidades marcianas, com visão de conjunto e de futuro, que, somada à sua intuição, lhe confere capacidade para antecipar tendências, sejam sociais ou econômicas, sejam políticas, tecnológicas ou energéticas, como necessário a políticos, planejadores, urbanistas, cooperativistas, sindicalistas, ambientalistas, ecologistas, engenheiros e pesquisadores de novas fontes de energia.

Com essas qualidades, você procurará atividades que tragam benefícios a grupos, minorias, empresas, governos e instituições, seja inventando, pesquisando e planejando, seja distribuindo tarefas ou liderando equipes na projeção do futuro. Você dará preferência a trabalhar como autônomo, na qualidade de consultor, assessor ou ainda como comandante de grupos e equipes.

Marte na casa 12 | ♂

Com Marte na casa 12, você se dirigirá a atividades voltadas à busca de identidade, de sua verdadeira vocação, à busca de si mesmo, como forma de obter satisfação íntima. Qualquer escolha profissional terá de fazer sentido para você e levar em consideração suas crenças e inspirações, conjugadas com suas qualidades e habilidades marcianas.

Para tanto, você conta com sensibilidade, percepção, imaginação ativa, criativa e intuitiva, além de capacidade de adaptação e ecletismo. Conta ainda com senso de integração, visão de conjunto e poder de síntese, atributos que podem ser aplicados em empreendimentos e iniciativas privadas que beneficiem muitos.

Você tem tendência assistencial para defender, proteger ou cuidar de outras pessoas, como fazem os médicos, terapeutas, psicólogos, policiais e seguranças. Também é dotado capacidade visionária, prevendo para onde as massas se deslocam e antecipando tendências, como é necessário nas buscas científicas e tecnológicas ou na indústria da moda.

Pode vir a criar ou inventar atividade que leve em conta a sociedade como um todo, que considere uma multiplicidade de assuntos interdependentes ou relacione mundos paralelos, compare macrocosmo e microcosmo e sua interdependência, como necessário nas áreas de imunologia, microbiologia e ecologia, ou mesmo na homeopatia ou no desenvolvimento de medicamentos, áreas em que esses fatores só se conjugam com conhecimento e sensibilidade.

Pode ser muito influenciado pelo ambiente de trabalho e precisar de isolamento para se refazer ou para produzir. Pode se dedicar a atividades que exijam sigilo e discrição, como pesquisa, investigação e psicanálise.

Cuide para não trocar de atividade com frequência, para não começar várias atividades ao mesmo tempo e não conseguir desenvolver nenhuma até o fim.

♃ ♅ ♆ ♇
JÚPITER URANO NETUNO PLUTÃO

e suas características vocacionais por casa

JÚPITER | ♃

Júpiter na casa 1 | ♃

Qualquer planeta na casa 1 tem seu efeito ampliado. A casa 1 é a casa da sua personalidade, que se desenvolverá por todo o mapa. É também a casa da imagem que você tem de si mesmo e de como os outros o veem, de como você procura se diferenciar e se autoafirmar por meio de suas potencialidades.

Júpiter nessa posição enfatizará sua busca de crescimento e desenvolvimento, do significado da vida, e favorecerá seu caminho como um todo. A casa 1 potencializa as qualidades e habilidades jupiterianas e fortalece seu desejo de se autoafirmar e se diferenciar, ampliando seus horizontes de estudo, conhecimento teórico, viagens e contatos com o estrangeiro, e acentuando sua capacidade de atrair atividades e situações que o desenvolvam e o façam prosperar.

Você valoriza a liberdade, independência e autonomia, quer tomar suas próprias decisões, emitir seus pareceres e opiniões sobre tudo, precisa de muito espaço para ser quem é e deseja imprimir sua marca pessoal em tudo que faz, características necessárias aos profissionais liberais, advogados, juízes, pareceristas, consultores e conselheiros, por exemplo.

Você escolherá atividades que exijam presença física, apresentando-se pessoalmente em todas as situações. Tais atividades devem desafiá-lo de modo que você possa utilizar seus conhecimentos e provar sua coragem e ousadia, como fazem os empresários, professores ou educadores, publicitários e promotores culturais.

Nessa posição, Júpiter lhe conferirá muita energia física e interesse por aventuras, atividades esportivas, corporais ou realizadas ao ar livre, podendo até determinar opções profissionais como as de atleta, treinador, condicionador físico, arqueólogo, aviador e professor de educação física.

Qualquer atividade profissional que escolha terá de estimulá-lo muito para que você não perca o interesse por ela. Atente para a tendência à arrogância, à mania de grandeza e a julgar os outros e achar que tem sempre razão.

Júpiter na casa 2 | ♃

A casa 2 é muito importante para a área vocacional porque rege sua capacidade produtiva e revela os recursos com os quais você conta para produzir, obter resultados, ganhar dinheiro e expandir-se materialmente.

Com Júpiter na casa 2, você dispõe dos recursos e interesses jupiterianos para facilitar sua busca de segurança material e resultados concretos. Sua escolha profissional passa por atividades em que possa acumular, expandir ou agregar bens, posses e valores ou ainda acumular conhecimentos teóricos que lhe serão úteis em seu desempenho.

Você conta ainda com grande facilidade para lidar com ciências contábeis e econômicas, finanças e números, como é necessário aos investidores, especuladores, capitalistas, economistas e gerentes de banco ou de financeira, por exemplo.

Ou seja, você pode se desenvolver muito materialmente se conjugar suas habilidades com os assuntos citados, pois tem aptidão para criar, multiplicar e cuidar da matéria, do dinheiro, do concreto e para atrair para si benefícios, dinheiro e desenvolvimento. Tem facilidade para fazer as coisas acontecerem, para produzi-las, multiplicá-las, fazê-las crescer, como necessário em qualquer atividade envolvida com a fabricação, produção ou desenvolvimento de produtos.

Reúne ainda capacidade produtiva incomum e habilidade para atividades que envolvam os sentidos físicos, como arquitetura, práticas esportivas, geografia ou arqueologia, por exemplo.

Júpiter na casa 3 | ♃

Júpiter na casa 3 favorecerá atividades nas quais você possa estar em permanente estudo, trocando conhecimento ou informações, demonstrando sua inteligência e capacidade de aprendizado. Também o ajudará a estabelecer relacionamentos, atrair pessoas e trocar suas habilidades jupiterianas com elas.

Sua opção profissional deve abranger ocupações nas quais possa buscar ou expandir conhecimento e trocar informações, ou por ocupações relacionadas às áreas de comunicação, marketing e propaganda, como as de jornalista, repórter, publicitário, assessor de imprensa, professor e orientador pedagógico. Você pode também escolher áreas que lidem com documentos, contratos e papéis, como advocacia, auditoria, atividades gráficas e editoriais.

Júpiter na casa 3 pode também favorecer o comércio ou atividades que lidem com meios de transporte, trânsito ou deslocamento físico, como piloto, aviador ou engenheiro de tráfego. Você poderá trabalhar com irmãos ou colegas.

Você tem muita habilidade para negociações, intermediação de negócios, para conhecer as pessoas certas e colocá-las em contato, para aprender línguas estrangeiras e exercer atividades nas quais utilize a palavra, como orador, cantor, escritor, locutor, tradutor e intérprete.

Júpiter na casa 4 | ♃

Na casa das origens, raízes culturais e relações familiares, Júpiter está muito bem, favorecendo escolhas nas quais possa estabelecer vínculos fortes para se sentir seguro e satisfeito.

Profissionalmente, facilitará sua busca de segurança emocional e integração no trabalho, escolhendo profissões que possa praticar em casa, ou nos negócios da família, ou ainda que lhe possibilitem participar de um projeto desde o início, para que se familiarize com ele. Você pode ainda escolher assuntos ligados à casa, ao lar, a imóveis ou propriedades, como arquitetura, construção, hotelaria ou especulação imobiliária.

Outra área de escolha pode ser a assistencial, protegendo, nutrindo ou cuidando de pessoas, como na medicina ou na psicologia. E, finalmente, você também tem facilidade com assuntos que lidem com a imaginação ativa e criativa e/ou leis, culturas, línguas e tradições estrangeiras, como literatura, história, geografia, museologia e arqueologia.

Mas, qualquer que seja sua escolha profissional, você terá de conjugar as qualidades e interesses jupiterianos com satisfação pessoal e necessidade de se sentir bem adaptado e integrado ao trabalho.

Júpiter na casa 5 | ♃

A casa 5 é a casa da expressão natural da personalidade, da satisfação de ser quem é, dos talentos pessoais, artísticos, vocacionais e criativos. Júpiter na casa 5 favorecerá atividades nas quais você possa se expressar, ser autor, estar em evidência, sentir-se especial, ser o centro das atenções, ser querido, reverenciado e reconhecido pelo que naturalmente é, como em qualquer profissão artística ou performática.

É também a casa do amor, da capacidade de amar, gerar filhos, criações e obras como se fossem uma extensão sua, como fazem o empreendedor, o educador, o atleta, o artista ou o ator. Com Júpiter nessa posição, você o expressará, escolhendo situações nas quais demonstre seus talentos e habilidades, como profissional das áreas de estudos superiores, educação, filosofia, justiça, entretenimento, comunicação ou culturas estrangeiras.

Você gosta de trabalhar se divertindo e, se não o fizer, terá de encontrar um *hobby* que o distraia ou se dirigir para as áreas de entretenimento, lazer, produção cultural, editorial ou de eventos, como *promoter*, editor, criador de centros ou clubes de montaria, dirigente de empreendimentos de lazer, por exemplo.

Tem muita sorte, simpatia, poder de comunicação, aprecia desafios, riscos, improvisos, especulação, jogos e atividades corporais e esportivas, como o especulador, o professor de educação física, o treinador, o profissional de propaganda ou de marketing esportivo.

Trabalha bem com quem ama ou com crianças, como professor, pedagogo, pediatra ou orientador pedagógico, por exemplo. Mas terá de estar sempre no centro das atividades. Deve atentar à tendência para a arrogância, mania de grandeza e de julgar os outros.

Júpiter na casa 6 | ♃

A casa 6 é importante para a área profissional pois revela o(s) assunto(s) profissional(is) de seu interesse, fala da rotina de trabalho que lhe agradará, da relação que você terá com colegas, patrões e empregados.

Júpiter nessa posição favorecerá ocupações nas quais você possa se sentir produtivo ou atividades que demonstrem sua cultura e conhecimentos. Você gosta de se sentir útil e indispensável por suas qualidades e habilidades jupiterianas.

Como a casa 6 rege a saúde de pessoas ou animais, você pode se sentir atraído por todo tipo de assistência a doentes e incapacitados, como médico, veterinário ou assistente social. Ela ainda favorece a prestação de serviços em geral, como treinamento, recursos humanos, práticas terapêuticas ou esportivas, advocacia e profissões liberais.

Você tem capacidade de organização, de implantação de métodos e sistemas, de desenvolvimento técnico e especializado e sua aplicação na prática, atributos que, no seu caso, serão dirigidos para atividades culturais, educacionais, acadêmicas ou de justiça.

Júpiter na casa 6 favorece o desenvolvimento de várias atividades ao mesmo tempo, além de indicar trabalho independente, autônomo ou em posição de chefia e comando.

Júpiter na casa 7 | ♃

Júpiter na casa 7 indicará profissões ligadas aos relacionamentos com os outros ou à justiça.

Favorece atividades nas quais suas qualidades e habilidades para lidar com o público, prestar serviços ou ser consultor, conselheiro, relações-públicas, assessor de imprensa, representante ou terapeuta estejam sendo utilizadas, seja aconselhando, atendendo e cuidando, seja recepcionando, representando, negociando ou entendendo o outro.

Como tem senso de justiça muito acima da média, pode se dirigir para advocacia ou profissões que lidem com a justiça de modo geral.

Júpiter na casa 7 buscará relacionamentos que o complementem, formando parcerias, associações, sociedades e contratos com o outro, sua maior motivação. E, qualquer que seja a sua escolha, você aplicará seus amplos conhecimentos teóricos, culturais e filosóficos para alimentar sua vasta capacidade de atrair relacionamentos.

Júpiter na casa 8 | ♃

Na casa 8, Júpiter favorecerá sua escolha por atividades que lhe proporcionem poder, controle e/ou recompensa financeira. Para conquistá-los, você utilizará sua facilidade em lidar com recursos alheios, sejam eles físicos, materiais e econômicos, sejam intelectuais, emocionais ou psicológicos, como fazem os advogados, tributaristas e psicólogos.

Você também pode ser atraído por atividades que lidem com finanças em geral, mercado financeiro, captação de recursos, especulação, *factoring* e *leasing*, ou ainda com ocupação comissionada, participativa, *franchising*, direitos autorais e *royalties*.

Sua escolha profissional passa pela conjugação de suas qualidades e interesses jupiterianos e deve abranger autossuficiência, audácia e determinação para gerar poder – sua maior motivação. Seu poder reside na facilidade em lidar com a crise, com a emergência e gerar cura, regeneração e transformação, como na medicina, nas cirurgias, na psiquiatria, na genética e na farmacologia.

Júpiter nessa posição pode expandir seus interesses pelo desconhecido, pelo profundo, por pesquisa e ocultismo, como nas ciências ditas ocultas ou metafísicas.

Você pode trabalhar sozinho, em parceria ou em equipe, mas gosta de estar no comando e deve atentar para sua tendência ao autoritarismo. É estratégico, misterioso, sedutor, envolvente, corajoso e se autoprotege para salvaguardar sua liberdade e independência.

Júpiter na casa 9 | ♃

Na casa 9, Júpiter enfatizará suas qualidades e habilidades, pois está muito bem nessa casa. Você valorizará as atividades e situações que ampliem seus horizontes de conhecimento e a compreensão do significado da existência humana.

Para tanto, é dotado de forte tendência intelectual, interesse cultural, expressão verbal e visão de longo alcance para compreender assuntos filosóficos, sistemas de pensamento, teorias, códigos simbólicos, religiões, leis, ética e justiça, como é necessário aos advogados, juízes, cientistas, sacerdotes, filósofos, funcionários públicos e pareceristas.

Tem talento e capacidade de divulgação e propagação de novas ideias, fundamentais para as áreas de publicidade e propaganda, comunicação e marketing, editoração, publicação e promoção de eventos culturais.

Júpiter favorece escolhas profissionais que incluam aquisição de conhecimento teórico, estudos permanentes, disseminação e aplicação dessa bagagem intelectual em atividades de educação, ensino superior, estudos filosóficos e carreira universitária.

Pode favorecer também escolhas que lhe proporcionem aventuras, práticas corporais e esportivas, como as de atleta, professor de educação física, treinador ou condicionador físico, profissional de eventos ou de marketing esportivo. Ou, ainda, viagens, contato com lugares distantes, povos e culturas estrangeiras, como em geografia, aviação, turismo, hotelaria, exportação e importação, arqueologia e direito internacional.

Você atrairá expansão, fama e prestígio porque acredita na prosperidade, tem fé e otimismo. Gosta de tomar suas próprias decisões, ser independente e ter liberdade no trabalho.

Qualquer que seja sua escolha, você utilizará suas qualidades e habilidades jupiterianas para obter prestígio e satisfação intelectual. Cuidado com a arrogância, o autoritarismo e a autoindulgência, além de certa tendência a julgar os outros e da necessidade imperativa de sucesso.

Júpiter na casa 10 | ♃

A casa 10 é importante para a área vocacional pois é nela que se colhem os frutos profissionais de toda uma vida. Júpiter na casa 10 favorece a busca de realização profissional, sucesso, prestígio, *status* e poder como meios de sentir-se vitorioso, importante e reconhecido.

É nessa casa que o indivíduo vive o ápice da vida e atinge o mais alto grau de reconhecimento por sua competência em fazer algo melhor do que qualquer outra pessoa, tornando seu nome uma grife e emprestando prestígio e credibilidade aos locais em que atua profissionalmente.

Júpiter nessa posição ampliará suas oportunidades para obter os resultados nos quais você estará focado, já que é ambicioso com sua carreira e com o futuro, quando não precisar mais trabalhar e puder desfrutar do que construiu.

Júpiter na casa 10 amplia seu desejo de ser popular e reconhecido profissionalmente como especialista, uma autoridade no que faz, além de favorecer posição de poder, destaque, prestígio ou comando em instituições, empresas, áreas do governo, justiça, Estado ou universidades.

Com Júpiter nessa casa, você deseja participar das elites e colher sucesso e reconhecimento da sociedade, utilizando suas habilidades e talentos jupiterianos. Para alcançar seus objetivos, aprendeu a superar limites, é ambicioso e sabe aproveitar muito bem todas as oportunidades que surgem.

Suas escolhas profissionais podem tender para as áreas que envolvam capacidade de síntese e visão de conjunto, cultura e conhecimento teórico ou pesquisa e ciência, perícia, qualidade e aperfeiçoamento, como é necessário em pesquisa e desenvolvimento de mercado, empresas ou produtos.

Você pode trabalhar em equipe, mas gosta de exercer chefia, autoridade ou ocupar cargo de proeminência. Sabe escolher os melhores componentes para uma equipe e liderá-la com firmeza e eficiência.

Júpiter na casa 11 | ♃

Com Júpiter na casa 11, você terá oportunidades para participar efetivamente da sociedade, profissional, política ou socialmente. Você deseja se sentir atuante, gerar oportunidades e benefícios à comunidade, exercer atividades de dimensão social, trabalhar em áreas públicas, legislativas ou de justiça, que alimentem seu idealismo por um mundo mais humano e democrático, fazendo diferença com sua participação e aplicando seus conhecimentos.

Para tanto, você tem, além das qualidades e habilidades jupiterianas, capacidade de planejamento e visão de futuro, que, somada à sua intuição, lhe confere facilidade para atuar em ciências sociais ou para antecipar tendências, sejam elas sociais, econômicas e políticas, sejam culturais e tecnológicas, como é necessário às áreas de sociologia, antropologia, economia, educação, urbanismo, ou ao planejamento e crescimento de cidades ou empresas.

Com essas facilidades você poderá optar por atividades que tragam vantagens ou benefícios a grupos, minorias, empresas, instituições e órgãos públicos, seja inventando, pesquisando e planejando, seja distribuindo tarefas ou liderando equipes na projeção do futuro.

Você precisa de liberdade no trabalho ou preferirá trabalhar de forma independente, tomar suas próprias decisões, ser autônomo, atuando como consultor, assessor ou, ainda, como líder de grupos e equipes.

Júpiter na casa 12 | ♃

Júpiter é um dos regentes da casa 12 e nessa posição favorecerá as atividades e situações voltadas para a busca de sua verdadeira vocação e para a busca de si mesmo como forma de obter expansão e satisfação. Qualquer profissão que escolher terá de fazer sentido para você e levar em consideração suas crenças e inspirações, conjugadas com suas qualidades e habilidades jupiterianas.

Você tem sensibilidade, percepção, imaginação ativa, criativa e intuitiva, além de grande capacidade de adaptação e ecletismo. Conta ainda com boa noção de proporção, ritmo e equilíbrio, que pode ser aplicada, junto com seu senso de integração, visão de conjunto e poder de síntese, em atividades que beneficiem muitos, como defensor público, por exemplo.

Com forte instinto assistencial, você poderá optar por proteger, nutrir ou cuidar de pessoas, como fazem os médicos, terapeutas e psicólogos. Você é dotado de interesses acadêmicos e capacidades visionárias, prevendo para onde as massas se deslocam e antecipando tendências, assim como necessário em planejamento ou pesquisas sociais, filosóficas e científicas.

É hábil para desenvolver atividades que exijam sigilo, discrição, isolamento ou silêncio, como teologia, pesquisa e desenvolvimento de medicamentos. Você pode escolher uma ocupação que leve em conta a sociedade como um todo, que considere uma multiplicidade de assuntos interdependentes, ou ainda que relacione mundos paralelos, percepção e entendimento do macrocosmo em comparação com o microcosmo, como profissões ligadas a justiça, diplomacia, importação ou exportação e comércio, áreas nas quais esses fatores só se conjugam com conhecimento e sensibilidade. Atente para sua tendência à autoindulgência.

URANO

Urano na casa 1

Qualquer planeta na casa 1 tem seu efeito ampliado. A casa 1 é a casa da personalidade, que se desenvolverá por todo o mapa. É também a casa da imagem que você tem de si mesmo e de como os outros o veem, de como você procura se distinguir e se autoafirmar por meio de suas potencialidades.

Urano nessa posição acionará sua intuição e capacidade de ser único, excêntrico, diferente, original, genial. Na casa 1, Urano potencializará suas habilidades, sua busca de autoafirmação e diferenciação por meio de criatividade, vanguardismo, inteligência, ideias não convencionais e revolucionárias, como é o caso do inventor, do pesquisador, do cientista, do criador, do sociólogo, do astrofísico, do meteorologista e do astrólogo.

Também enfatizará sua capacidade inventiva, empreendedora e seu poder de decisão. Você escolherá profissões nas quais possa demonstrar sua marca pessoal, elegendo atividades que dependam exclusivamente de você, de sua inteligência e capacidade de inovação ou que exijam sua presença física, apresentando-se pessoalmente em todas as situações, como o antropólogo, astronauta, comunicador, político, filósofo, ambientalista e ecologista.

Urano na casa 1 reforçará sua busca de liberdade, independência e autonomia, como é necessário aos empresários, profissionais liberais, assessores e consultores. Reforçará também seu interesse por atividades que o desafiem, o façam correr riscos ou dependam de agilidade e velocidade, provando ousadia e coragem, como é o caso dos pilotos de automóvel, esportistas radicais, performáticos, aeronautas e, mais uma vez, astronautas.

Você precisará sempre se sentir estimulado com a atividade profissional para não romper com ela e partir para outra quando estiver entediado. Atente para não se tornar egocêntrico demais. Conjugue as habilidades da casa 1 com as de Urano e descubra como você pode ser extraordinário, fora do comum, original.

Urano na casa 2 | ♅

A casa 2 é muito importante para a área vocacional porque rege sua capacidade produtiva e revela os recursos com os quais você conta para produzir, obter resultados materiais e ganhar dinheiro.

Na casa 2, Urano conduzirá seus interesses, sua criatividade e suas ideias geniais para obter segurança material e resultados práticos e concretos. Sua escolha profissional passa por atividades em que possa acumular, somar ou agregar bens, posses e valores.

Para tanto, você conta com sua capacidade mental e intuitiva, além de suas qualidades e habilidades uranianas, para trabalhar com assuntos ligados às ciências contábeis e econômicas, finanças e números, como economista, matemático, atuarista, estatístico, especulador; ou para lidar com as áreas ligadas ao espaço cósmico ou virtual, à informática ou às novas fontes de estudo, de energia e de comunicação, como astrofísico, aeronauta, meteorologista, analista de sistemas, engenheiro espacial, petroquímico, de siderurgia, de metalurgia, de minas e energia, da computação ou de telecomunicações.

Você tem potencial para criar, multiplicar e cuidar da matéria, do dinheiro, do concreto, da plástica e da forma porque sabe fazer as coisas acontecerem, como planejá-las, produzi-las, multiplicá-las, fazê-las crescer, característica necessária aos arquitetos, urbanistas, projetistas, geógrafos, engenheiros elétricos e eletrônicos, ou ainda a profissionais de fabricação, produção ou industrialização, como é o caso do engenheiro industrial, de materiais, automatização industrial, robótica e mecatrônica.

Tem capacidade produtiva atípica e incomum, além de muita habilidade para profissões que lidem com os sentidos físicos, como arquiteto, *designer* gráfico, *web designer* ou desenhista industrial. Conjugue as habilidades da casa 2 com as de Urano e descubra como você pode ser genial e acumular valores ao mesmo tempo.

Urano na casa 3 | ♅

Urano na casa 3 despertará suas qualidades e habilidades uranianas para a necessidade de estar em permanente troca de conhecimento ou informações, demonstrando sua superioridade intelectual, intuição, rapidez de raciocínio, aprendizado, memória e genialidade.

Sua escolha profissional pode passar por ocupações nas quais utilize criatividade e interesses para buscar ou difundir conhecimento e trocar informações. Pode estar ligada à área de comunicação, como professor ou assessor de imprensa, jornalista, redator ou repórter, ou à internet, como *web designer*, bem como a áreas que lidem com documentos, contratos e papéis, como advocacia, educação, publicações, livros e revistas.

Urano na casa 3 pode também direcioná-lo para o comércio ou para atividades que lidem com informática, meios de transporte, trânsito ou deslocamento físico e mental, como estudos científicos e metafísicos, piloto de aviação, astronauta, engenheiro mecânico ou de tráfego.

Você poderá trabalhar com irmãos ou colegas, mas tenderá a atuar na liderança de grupos e equipes. Tem muita habilidade para intermediar negócios, conhecer pessoas e colocá-las em contato, e para exercer atividades em que utilize a palavra, como escritor, locutor, radialista, comentarista e cientista social. Conjugue as habilidades de casa 3 com as de Urano e descubra como você pode ser original, inventivo e comunicativo.

Urano na casa 4 | ♅

Na casa das origens, raízes e relações familiares, Urano dirigirá sua criatividade, seus interesses e ideias para a necessidade de segurança emocional e integração no trabalho.

Também pode fazê-lo optar por exercer profissões em casa ou com familiares, por trabalhar nos negócios da família ou por participar de um projeto desde o início para familiarizar-se com ele.

Os assuntos com os quais você vai trabalhar podem estar ligados à casa, ao lar, a imóveis, solos, construção ou propriedades, como arquitetura, *design* de móveis e objetos, engenharia civil, de solo, hidráulica e elétrica, ou ainda geologia e geofísica.

Outra área de opção pode ser a assistencial, protegendo ou nutrindo pessoas, como na medicina ou, especificamente, na radiologia, neurologia, endoscopia, eletroencefalografia, angiologia, informática médica. Você também poderá atuar nas áreas de prestação de serviços e desenvolvimento de tecnologia para medicina, como necessário na pesquisa ou na patologia clínica, por exemplo. Ou poderá vir a escolher atividades que propiciem alternância de lugares, ambientes e assuntos, dando vazão à sua inquietação natural.

Finalmente, você também tem aptidão para assuntos que lidem com a imaginação ativa, criativa e intuitiva e/ou história, raízes culturais e tradições, como literatura, antropologia, história, sociologia ou arqueologia. Mas, qualquer que seja sua escolha profissional, você terá de conjugar as qualidades uranianas com satisfação pessoal, necessidade de se sentir ativo, criativo e genial.

Urano na casa 5 | ♅

A casa 5 é a casa da expressão natural da personalidade, da satisfação de ser quem é, dos talentos pessoais, artísticos, vocacionais e, especialmente no seu caso, da criatividade. Com Urano na casa 5, você procurará estar em evidência, sentir-se especial, único, original, ser o centro das atenções, reverenciado e reconhecido por seus dotes intelectuais, criativos, expressivos, intuitivos e de grande genialidade.

Essa é também a casa do amor, da capacidade de gerar filhos, criações e obras como se fossem uma extensão sua, característica necessária ao empreendedor, inventor, educador, cientista, artista ou ator. Com Urano nessa posição, você demonstrará quem é por meio dos talentos e habilidades uranianos.

Você gosta de trabalhar se divertindo e, se não o fizer, terá de encontrar um *hobby* que o distraia ou se dirigir para a área de entretenimento e diversão pública, como é o caso do engenheiro elétrico, de controle e automação de brinquedos de parques infantis ou de brinquedos eletrônicos, de desenvolvimento de *softwares* para crianças ou lazer em geral.

Você tem grande poder de comunicação, aprecia desafios, improvisos, riscos, especulação, jogos e esportes.

Pode trabalhar bem com quem ama ou com crianças, como educador, orientador pedagógico e produtor de eventos infantis. Mas terá de estar sempre no centro das atividades e ser eleito por sua excentricidade e capacidade de ser incomum e de revolucionar. Conjugue as habilidades de Urano com as da casa 5 para descobrir como você pode ser genial e imprimir seu vanguardismo e sua marca pessoal em tudo que faz.

Urano na casa 6 | ♅

A casa 6 é importante para a área profissional pois revela o(s) assunto(s) profissional(is) de seu interesse, fala da rotina de trabalho que lhe agradará, da relação que você terá com colegas, patrões e empregados.

Urano nessa posição dirigirá sua criatividade, intuição, seus interesses e ideias geniais para o exercício da profissão e para a necessidade de se sentir ocupado e produtivo. Como a casa 6 rege a saúde de pessoas e animais, você pode ser atraído por todo tipo de assistência a doentes e incapacitados, como veterinário, zootecnista, assistente social ou médico das especialidades de radiologia, neurologia, endoscopia, angiologia e genética, ou ainda por informática médica e desenvolvimento de tecnologia para as áreas de saúde, meio ambiente, biologia e ecologia.

Você precisa se sentir útil e indispensável por suas habilidades uranianas, pois tem mente privilegiada, inteligência incomum e grande capacidade para pesquisa e implantação de métodos e sistemas. Pode se voltar para o desenvolvimento técnico e especializado e sua aplicação prática, como necessário nas áreas de energia, tecnologia, eletricidade, eletrônica, aeronáutica, estatística, computação e telecomunicações.

Pode se interessar por atividades de escritório, prestação de serviços ou comércio, com especial aptidão para análise e detalhes, como automação de escritórios, robótica e mecatrônica. Urano na casa 6 ativa o trabalho intelectual e enfatiza a independência e o trabalho autônomo, além de estimular tendências de vanguarda.

Urano na casa 7 | ♅

Urano na casa 7 estimulará criatividade, interesses e ideias para os relacionamentos com os outros ou para profissões ligadas à justiça.

Você escolherá atividades nas quais utilize suas qualidades e habilidades para lidar com o público ou para ser consultor, assessor, conselheiro, relações-públicas e terapeuta, seja aconselhando, atendendo, cuidando, seja recepcionando, negociando, entendendo ou representando o outro. Também poderá prestar serviços em áreas técnicas, científicas e de informática, ou em áreas vanguardistas, como é o caso do astrólogo, tarólogo, médico ortomolecular ou antroposófico.

Com senso de justiça acima da média, poderá se interessar por advocacia, defensoria pública, ciência social ou por profissões que envolvam ou promovam a justiça entre povos e nações, como diplomata, por exemplo.

Urano na casa 7 busca a formação de parcerias, associações, sociedades e contratos com o outro, para que você possa vivenciar toda a sua capacidade de inovação na área das relações humanas. Conjugue as habilidades de Urano com as da casa 7 para descobrir de que maneira você pode ser original.

Urano na casa 8 ♅

Na casa 8, Urano instigará você e sua criatividade, seus interesses e ideias geniais para a conquista de poder, controle e/ou recompensa financeira. Para tal, na casa 8, você tem habilidade para lidar com recursos alheios, sejam eles físicos, materiais ou econômicos, sejam intelectuais, emocionais ou psicológicos, como fazem os advogados, tributaristas, psicoterapeutas, ou para atuar em atividades financeiras, atuariais, de especulação, *factoring* e *leasing*, ou ainda em ocupação comissionada, participativa, de *franchising*, direitos autorais e *royalties*.

Sua escolha profissional deve abranger autossuficiência, audácia e determinação para gerar poder – sua maior motivação. Seu poder reside em saber lidar com a crise, encontrar soluções inusitadas, não convencionais ou tecnológicas para gerar cura, regeneração e transformação, como na medicina, nas cirurgias, nas ciências, na psiquiatria, na química e na farmacologia. Você pode atuar ainda nas áreas em constante transformação, como a das novas fontes de energia, siderúrgicas, eletrônicas, informática e genética.

Tem interesse pelo desconhecido, pelo profundo e pela pesquisa, como necessário nas atividades científicas, metafísicas, ocultas e na psicologia.

Você trabalha bem sozinho, em parceria ou em grupo, mas prefere autonomia e independência. É muito intuitivo, inventivo, além de estratégico e secreto, procurando salvaguardar sua liberdade, independência e vulnerabilidade. Conjugue as habilidades de Urano com as da casa 8 e descubra de que maneira você pode ser revolucionário.

Urano na casa 9 | ♅

Na casa 9, Urano estimulará sua criatividade e intuição, bem como seus interesses e suas ideias geniais para atividades que ampliem seus horizontes de conhecimento e compreensão do significado da existência humana.

Para tanto, você conta com forte capacidade intelectual, além de expressão verbal e visão de longo alcance para compreender assuntos filosóficos, teorias, ciências, sistemas de pensamento, códigos simbólicos, religiões, leis, ética e justiça, como é necessário aos advogados, juízes, cientistas, inventores, filósofos e revolucionários.

Tem talento e capacidade para divulgação, comunicação e propagação de novas ideias, como é preciso nas áreas de publicidade, propaganda e marketing, editoração, promoção de eventos culturais, radialismo e televisão. Sua escolha profissional pode abranger a disseminação de conhecimento em atividades de educação, ensino superior, estudos filosóficos, carreira universitária, científica ou tecnológica.

Você pode ainda se interessar por ocupações que lhe proporcionem viagens, contato com lugares distantes, povos e culturas estrangeiras, como em engenharia aeronáutica, aviação, pilotagem, astronomia, turismo, exportação e importação, arqueologia e relações internacionais.

Precisa tomar decisões, ser independente e trabalhar com liberdade. Qualquer que seja sua escolha, você utilizará suas habilidades uranianas para buscar prestígio e satisfação intelectual.

Urano na casa 10 | ♅

A casa 10 é importante para a área vocacional pois é nela que se colhem os frutos profissionais de toda uma vida. Urano na casa 10 buscará realização profissional, sucesso, prestígio, *status* e poder, sendo inovador, formador de tendências, revolucionário e original.

É nessa casa que o indivíduo vive o ápice da vida e atinge o mais alto grau de reconhecimento por sua competência em fazer algo melhor do que qualquer outra pessoa. Urano nessa posição utilizará sua criatividade, seus interesses e suas ideias geniais para obter resultados concretos e recompensas materiais, pois está sempre focado no futuro, quando não precisar mais trabalhar e puder desfrutar do que construiu.

Urano na casa 10 tem vocação para ser reconhecido profissionalmente como especialista, autoridade no que faz e para ocupar posição de poder, destaque ou comando em instituições, empresas, áreas do governo, organizações não governamentais, de Estado ou universidades. Você almeja colher sucesso, poder e reconhecimento da sociedade, utilizando seus talentos uranianos para alcançar seus objetivos, sem precisar obedecer a hierarquias ou cumprir regras, sem estar por cima ou por baixo de ninguém, mas poder ser profissionalmente livre.

Deve escolher profissões nas quais possa expressar suas habilidades para lidar com a técnica, a pesquisa ou as ciências, como é necessário nas áreas de desenvolvimento de tecnologia, produtos, pesquisas de mercado, inventos científicos, planejamento e marketing de produtos e serviços.

Você preferirá trabalhar em equipe, mas precisa ocupar posição de destaque e proeminência. Conjugue as habilidades de Urano com as da casa 10 e descubra de que maneira você pode ser original e vencer na vida ao mesmo tempo.

Urano na casa 11 | ♅

Urano está muito bem na casa 11 pois essa posição enfatiza sua busca de uma participação efetiva na sociedade, profissional, política ou socialmente. Você precisa se sentir atuante, exercendo atividades de dimensão social, trabalhando em áreas públicas, que alimentem seu idealismo por um mundo mais livre e democrático, fazendo diferença.

Você possui, além das qualidades uranianas, as habilidades da casa 11: capacidade intelectual privilegiada, visão de conjunto e de futuro, que, somadas à sua aguçada intuição, lhe conferem capacidade para ciências sociais e matemáticas ou para planejamento, desenvolvimento, modernização e inovação de processos e/ou para antecipação de tendências, sejam elas sociais, econômicas, científicas, políticas, ambientais ou tecnológicas, sejam de comportamento, como nas áreas de urbanismo, estatística, antropologia, sociologia, meio ambiente e ecologia.

Tem facilidade para adquirir *know-how* técnico e para desenvolver sistemas de pensamento, teorias ou especialização, como nas áreas de engenharia elétrica e eletrônica, pesquisa, ciência e tecnologia, telecomunicações, computação e novos inventos. Com esses atributos, você dirigirá ainda mais sua criatividade, seus interesses e ideias geniais para produzir benefícios a grupos, minorias, empresas, governos, instituições, organizações não governamentais, seja inventando, pesquisando e planejando, seja distribuindo tarefas ou liderando equipes na projeção do futuro.

Pode optar por profissões bem fora do comum, sem cartão de ponto e exercidas em horários não usuais. Mas, qualquer que seja a atividade que escolha, você desejará exercer autonomia, liberdade e independência, na qualidade de consultor, assessor ou líder de grupos e equipes.

Urano na casa 12 | ♅

Com Urano na casa 12, sua criatividade, seus interesses e ideias estarão voltados para a busca da verdadeira vocação, para a busca de si mesmo, como forma de obter satisfação íntima. Qualquer profissão que escolher terá de fazer sentido para você e levar em consideração suas crenças e inspirações, conjugadas com suas qualidades e habilidades uranianas.

Você é dotado de inteligência emocional, percepção, imaginação ativa, criativa e intuitiva, adaptabilidade e ecletismo. Conta ainda com boa noção de proporção, ritmo e harmonia, além de senso de integração, visão de conjunto e poder de síntese, atributos que serão utilizados em atividades que beneficiem muitos, como gestão ambiental, cooperativismo, meteorologia, urbanismo e ecologia.

Com forte instinto social e assistencial, poderá proteger, nutrir ou cuidar de pessoas, como médico, terapeuta e psicólogo, ou atuar nas áreas de desenvolvimento de tecnologia e informática ou de prestação de serviços à saúde pública. Por ainda dispor de capacidades visionárias, é capaz de ver para onde as massas se deslocam e antecipar tendências, podendo assim atuar com literatura ou nas buscas científicas, energéticas, ambientais ou metafísicas.

Pode criar uma atividade que leve em conta a sociedade como um todo, que considere uma multiplicidade de assuntos interdependentes ou que relacione mundos paralelos, linguagens simbólicas, percepção e entendimento do macrocosmo comparado ao microcosmo, áreas nas quais os fatores só se conjugam com conhecimento e sensibilidade, como é o caso de novos inventos, tecnologias ou mesmo novas atividades de comércio.

Cuide para não trocar de atividade com frequência, não levando nenhuma delas à conclusão. Conjugue as habilidades de Urano com as da casa 12 e descubra quanto você pode ser original e útil à sociedade.

NETUNO

Netuno na casa 1

Qualquer planeta na casa 1 tem seu efeito ampliado. A casa 1 é a casa da personalidade, que se desenvolverá por todo o mapa. É também a casa da imagem que você tem de si mesmo e de como os outros o veem, de como você procura se diferenciar e se autoafirmar por meio de suas potencialidades.

Na casa 1, Netuno terá suas qualidades e habilidades enfatizadas para que você se autoafirme e se distingue dos outros, exercendo seus atributos netunianos. Nessa casa, você deseja imprimir uma marca pessoal em tudo que faz. Netuno potencializará alguns dos talentos das áreas em que costuma atuar: assistencial, artística, fusão de elementos, antecipação de tendências, habilidades psíquicas, ligadas ao mar, ou mesmo conjugadas com profissões liberais ou iniciativa empresarial de sua parte.

Você escolherá atividades que demandem presença física, apresentando-se sempre pessoalmente em todas as situações, espalhando inspiração, harmonia e sensibilidade ao seu redor, mas ao mesmo tempo atraindo todas as pessoas que se identificam com sua grande empatia e compreensão para com os fracos e oprimidos, o que pode conduzi-lo para profissões assistenciais como médico, homeopata, biomédico, enfermeiro, assistente social, terapeuta e profissional de reabilitação e recuperação.

De qualquer modo, as atividades que escolher devem desafiá-lo a provar seu talento, sua sensibilidade e percepção, como é necessário a artistas, navegadores, psicólogos, músicos, estilistas ou empreendedores.

Nessa posição, Netuno pode sensibilizá-lo para atividades artístico-corporais ou realizadas ao ar livre, como dança, expressão corporal e tai chi chuan ou para todas as ocupações ligadas a mar, pesca, ecologia, oceanografia e equilíbrio ambiental.

Qualquer profissão que você escolha terá de inspirá-lo a não perder o interesse ou não se envolver em tantas outras atividades e acabar não se dedicando a nenhuma em especial. Atente para a preguiça e para sua tendência em deixar tudo para depois.

Netuno na casa 2

A casa 2 é muito importante para a área vocacional porque rege sua capacidade produtiva e revela os recursos com os quais você conta para produzir, obter resultados materiais e ganhar dinheiro. Na casa 2, você conta com os atributos e recursos de Netuno para buscar segurança material e resultados práticos e concretos.

Na casa 2, a escolha profissional passa por atividades em que você possa acumular, somar ou agregar bens, posses e valores. A casa 2 nos habilita a lidar com ciências contábeis e econômicas, finanças e números, ou com a matéria, a plástica, a forma e o concreto, o que, no seu caso, em conjunto com suas habilidades netunianas, pode dirigi-lo para as áreas de arte, estética e moda, atuando como artista plástico, arquiteto, estilista, ceramista, escultor, fotógrafo ou cineasta.

Você tem potencial para criar, multiplicar e cuidar da matéria, do dinheiro, do concreto e da forma. E pode ser um financiador ou investidor nas áreas afins com Netuno, como arte, estética, beleza, assuntos ligados ao mar, à ecologia, à integração social ou assistencial, visando construir um mundo melhor.

É na casa 2 que se aprende a fazer as coisas acontecerem, a produzi-las, multiplicá-las, fazê-las crescer. Aqui estão as atividades ligadas à fabricação, produção ou industrialização de produtos – de empresas de produtos têxteis, de moda ou de transformação de matérias-primas em alimentos, tintas, medicamentos, florais, cosméticos, produtos farmacêuticos e químicos.

Netuno na casa 2 também pode induzi-lo a atividades que envolvam os sentidos físicos, como fornecedor de alimentos, nutricionista, viticultor, enólogo, dono de restaurante e de bufê, ou mesmo perfumista, músico, produtor de vídeos e filmes.

Todas essas habilidades serão conjugadas e somadas às inúmeras de Netuno para que você consiga a segurança material e os resultados que tanto deseja.

Netuno na casa 3 | ♆

Netuno na casa 3 proporcionará interesse por atividades nas quais você possa estar em permanente troca de conhecimento ou informações, demonstrando inteligência emocional, percepção e hipersensibilidade, capacidade de aprendizado, memória visual, habilidades psíquicas, além de aptidão para estabelecer relacionamentos, atrair pessoas para trocar suas habilidades netunianas com elas.

Sua escolha profissional deve passar por profissões nas quais possa buscar ou difundir conhecimento, trocar informações, ou pelas áreas de marketing e comunicação, como jornalista, repórter, professor, assessor de imprensa e advogado. Você também poderá utilizar sua sensibilidade como artista gráfico, *designer*, escritor, poeta, comunicador visual, fotógrafo, produtor de vídeos, trilhas e filmes publicitários, diretor de arte e professor de educação artística.

Netuno também favorece as profissões que lidem com imagem, som e olfato, como perfumista, aromaterapeuta, cantor, pianista ou cineasta. Pode ainda favorecer o comércio ou atividades que lidem com meios de transporte, trânsito e deslocamento físico ou mental, como ciências metafísicas ou estudo de conjuntos simbólicos, como tarô ou I Ching.

Você poderá trabalhar com irmãos ou colegas. Tem habilidade para fazer negociações e intermediação de negócios, para conhecer as pessoas certas e colocá-las em contato, para aprender línguas estrangeiras, para exercer atividades nas quais utilize a palavra, como radialista, locutor, tradutor e intérprete, fonoaudiólogo, logopedista, e para seguir profissões ligadas a letras, linguística, semiologia e semiótica. Conjugue as habilidades de Netuno com as da casa 3 para inspirá-lo em sua escolha profissional.

Netuno na casa 4 | ♆

Na casa das origens, raízes e relações familiares, Netuno o dirigirá para atividades nas quais possa estabelecer vínculos fortes para se sentir seguro e satisfeito. Profissionalmente, pode enfatizar sua busca de segurança emocional, escolhendo profissões que possa exercer em casa, trabalhando em família ou participando de um projeto desde o início, para que se sinta familiarizado com ele.

Você pode se sentir atraído por assuntos ligados à casa, ao lar, a imóveis, construção ou propriedades, como arquitetura, decoração, paisagismo, hotelaria e movelaria.

Outra área de escolha favorecida na casa 4 é a assistencial, protegendo, nutrindo ou cuidando de pessoas, principalmente mulheres e crianças, como em medicina, aconselhamento, nutricionismo, terapia ocupacional, arteterapia, enfermagem, reabilitação, reintegração social, serviço social ou psicologia, já que você gosta de estabelecer intimidade e tem grande sensibilidade para as dores alheias.

Finalmente, você também valoriza assuntos que lidem com a sensibilidade, a imaginação ativa e criativa e/ou culturas e tradições, como história, poesia, literatura, criação de novelas, teologia, museologia ou arqueologia.

Mas, qualquer que seja sua escolha profissional, terá de conjugar as qualidades e habilidades netunianas com satisfação pessoal e necessidade de se sentir seguro, adaptado e integrado ao trabalho.

Netuno na casa 5 | ♆

A casa 5 é a casa da expressão natural da personalidade, da satisfação de ser quem é, dos talentos pessoais, artísticos, vocacionais e criativos. Netuno na casa 5 buscará atividades em que você possa se expressar, ser autor, estar em evidência, sentir-se especial, ser o centro das atenções, querido, reverenciado e reconhecido pelo que naturalmente é.

Por isso, todas as profissões artísticas estão muito enfatizadas na casa 5, onde o palco e a performance ganham importância, como é o caso de músicos, cantores, artistas plásticos, atores, fotógrafos, cineastas, bailarinos e ilusionistas.

Essa é também a casa do amor, da capacidade de amar e gerar filhos, criações e obras como se fossem uma extensão sua, como fazem o empreendedor, o educador, o orientador pedagógico e o autor de histórias infantis. Com Netuno nessa posição, você atrairá situações nas quais possa demonstrar seus talentos e habilidades netunianos e levar inspiração para onde quer que vá.

Você gosta de trabalhar se divertindo e, se não o fizer, terá de encontrar um *hobby* que o distraia ou se dirigir para as áreas de entretenimento e lazer como produtor de espetáculos ou coordenador de atividades em parques, teatro e cinema infantil.

Dotado de grande poder de comunicação, aprecia improviso, especulação, jogos e atividades corporais, como dança, balé clássico, tai chi chuan ou expressão corporal.

Pode trabalhar bem com quem ama ou com crianças, como professor de educação artística, orientador pedagógico e educador, mas terá de estar sempre no centro das atividades, espalhando arte, harmonia, beleza e sensibilidade.

Netuno na casa 6 | ♆

A casa 6 é importante para a área profissional pois revela o(s) assunto(s) profissional(is) de seu interesse, fala da rotina de trabalho que lhe agradará, da relação que você terá com colegas, patrões e empregados.

Com Netuno nessa posição, você procurará atividades profissionais nas quais possa se sentir ocupado, produtivo e seguro. Você gosta de se sentir útil e indispensável por suas qualidades e habilidades netunianas.

Pode se interessar por todo tipo de assistência a doentes e incapacitados, atuando como médico, enfermeiro, reabilitador, assistente social ou, ainda, prestando serviços gerais, como treinamento, recursos humanos, práticas terapêuticas, aconselhamento e terapia ocupacional.

Essa é também a casa da organização, da implantação de métodos e sistemas, do desenvolvimento técnico e especializado e da aplicação de técnicas na prática. Com Netuno nela, você pode ser desafiado a se organizar e sistematizar seus serviços para poder oferecê-los no dia a dia, mediante escolhas profissionais feitas com base em talentos artísticos, humanitários, sociais e ambientais – por exemplo, um músico que seja chamado para dar aulas em empresas ou escolas terá de se organizar para poder lecionar.

Você pode demonstrar interesse pelas áreas de estética e beleza, artes e ofícios, comércio, bem como aptidão para recuperação ou restauração de objetos e obras de arte. Netuno na casa 6 favorece o trabalho estético, artístico, criativo e humanitário.

Netuno na casa 7 | ♆

Netuno na casa 7 buscará profissões ligadas aos relacionamentos com os outros ou à justiça.

Você escolherá atividades nas quais suas qualidades e habilidades para lidar com o público ou para ser consultor, assessor, conselheiro, relações-públicas e terapeuta sejam utilizadas, isto é, aconselhando, atendendo, cuidando, recepcionando, negociando e sentindo o outro.

Tem senso estético muito aguçado, busca harmonia e equilíbrio em tudo que faz e pode inspirar-se por qualquer área criativa ou artística, como é o caso do artista plástico, do músico, do cineasta, do decorador e do estilista.

Como tem senso de justiça acima da média, pode se dirigir para advocacia, defensoria pública ou para profissões que lidem com a justiça em geral.

Netuno na casa 7 atrai pessoas e relacionamentos que complementem suas deficiências, formando parcerias, associações, sociedades e contratos com os outros, sua maior motivação. Conjugue as habilidades de Netuno com as da casa 7 e encontre uma profissão que faça sentido para você e atenda à sua busca do significado das relações em sua vida.

Netuno na casa 8 | ♆

Na casa 8, Netuno atrairá atividades que propiciem poder ou recompensa financeira. Para conquistar isso, você utilizará suas habilidades netunianas conjugadas com as da casa 8 para lidar com recursos alheios, sejam eles físicos, materiais ou econômicos, sejam intelectuais, emocionais ou psicológicos, como fazem os advogados, psicólogos, reabilitadores, os profissionais que lidam com finanças, captação de recursos, especulação ou que exercem atividade comissionada, participativa, de *franchising,* direitos autorais e *royalties*.

Sua escolha profissional deve abranger a aquisição de poder – sua maior motivação. Seu poder é saber lidar com a crise e a emergência, gerando cura, regeneração e transformação, como acontece na psiquiatria, química, farmacologia, alquimia, na combinação de florais, medicamentos ou medicina holística, homeopática, antroposófica, ortomolecular e chinesa.

Você tem atração pelo desconhecido, pelo profundo e pelo inconsciente, como necessário às áreas de psicologia, pesquisa, ocultismo, esoterismo e alquimia.

Você trabalha melhor em parceria, mas gosta de estar no comando. É muito sensível e perceptivo, além de misterioso, sedutor e envolvente, e se autoprotege ao extremo para salvaguardar sua vulnerabilidade.

Netuno na casa 9 | ♆

Na casa 9, Netuno o inspirará a escolher atividades que ampliem seus horizontes de conhecimento e compreensão do significado da existência humana. Você é dotado de interesse intelectual, expressão verbal e visão de longo alcance para compreender assuntos filosóficos, sistemas de pensamento, códigos simbólicos, religiões, leis, ética e justiça, características inerentes a advogados, juízes, cientistas, sacerdotes, filósofos e teólogos.

Tem talento e capacidade para divulgação e propagação de novas ideias, como é necessário nas áreas de publicidade, propaganda e marketing, editoração e eventos culturais. Sua escolha profissional deve abranger a disseminação e aplicação de seu conhecimento em atividades de educação, ensino superior, estudos filosóficos, teológicos e humanos, carreira universitária ou estudos permanentes. Também deve lhe proporcionar aventuras, viagens, contato com lugares distantes, povos e culturas estrangeiras, como nas áreas de navegação, marinha, oceanografia, turismo, exportação e importação, comércio exterior, diplomacia e arqueologia. Você atrairá expansão e fama porque acredita na prosperidade, tem fé e otimismo.

Qualquer que seja sua escolha, você utilizará suas qualidades e habilidades netunianas e desejará obter prestígio e satisfação intelectual. Cuidado com a autoindulgência e a necessidade de sucesso, que podem torná-lo improdutivo.

Netuno na casa 10 | ♆

A casa 10 é importante para a área vocacional pois é nela que se colhem os frutos profissionais de toda uma vida. Com Netuno na casa 10, você atrairá realização profissional, estabilidade, sucesso, prestígio, *status* e poder por meio dos assuntos e habilidades netunianos para sentir-se seguro e reconhecido.

É nessa casa que o indivíduo atinge o ápice da vida e o mais alto grau de reconhecimento por sua competência em fazer algo melhor do que qualquer outra pessoa, tornando seu nome uma grife e emprestando prestígio e credibilidade aos locais em que atua profissionalmente.

Netuno nessa posição proporcionará os resultados nos quais você estará focado, ja que se preocupa com sua carreira e com o futuro, quando não precisar mais trabalhar e puder desfrutar do que construiu. Você obterá o que almeja utilizando sensibilidade, *glamour*, percepção, inteligência emocional, talento artístico e assistencial, além de visão de conjunto e integração social.

Com Netuno nessa casa, você desejará participar de elites, colher sucesso e reconhecimento da sociedade, utilizando as habilidades e talentos netunianos.

Pode vir a escolher profissões nas quais possa expressar as habilidades da casa 10 para perceber o que o mercado está querendo, atividades que envolvam suas habilidades visuais, destreza para criar ilusões e sonhos, como fotografia, cinema e música, que envolvam a pesquisa, a qualidade e o aperfeiçoamento, como desenvolvimento de produtos e serviços na área médica, química e artística, que lidem com antecipação de tendências, como na área têxtil, de moda e estilo, ou relacionadas à multiplicação e distribuição de recursos, como *franchising*, meio ambiente e ecologia.

Netuno na casa 10 auxilia também seu desejo de ser popular e reconhecido profissionalmente como especialista, uma autoridade no que faz, além de favorecer posição de poder, destaque ou comando de grupos, instituições, empresas, áreas do governo, órgãos públicos ou universidades.

Pode trabalhar em equipe, mas aprecia estar em destaque ou ocupar cargo de proeminência. Sabe escolher os melhores componentes para uma equipe e liderá-la com sensibilidade, integração e eficiência.

Netuno na casa 11

Com Netuno na casa 11, você conjugará suas habilidades netunianas com os assuntos dessa casa, que pressupõe efetiva participação profissional, política ou social na sociedade. Você deseja se sentir atuante, gerando benefícios à comunidade, exercendo atividades que tenham dimensão social, trabalhando em áreas públicas, que alimentem seu idealismo por um mundo mais humano e democrático, fazendo diferença com sua atuação.

Para tanto, você possui, além das habilidades netunianas, reforçada visão de conjunto e de futuro, que, somada à sua percepção, sensibilidade e intuição, lhe confere capacidade para ciências humanas e sociais, como sociologia e antropologia, ou para antecipação de tendências, sejam sociais, políticas e teológicas, sejam de comportamento e tantas outras, como nas áreas de ecologia e meio ambiente, nas atividades holísticas ou cooperativistas.

Com essas qualidades, você escolherá atividades que tragam benefícios a grupos, minorias, empresas, governos e instituições, seja criando, inventando, cuidando e pesquisando, seja planejando, distribuindo tarefas ou liderando equipes na projeção de um futuro melhor. Você preferirá trabalhar como autônomo, na qualidade de consultor ou assessor, ou ainda como líder de grupos ou equipes.

Netuno na casa 12 ♆

Netuno nessa posição terá seus atributos, qualidades e habilidades muito enfatizados. Você atrairá atividades e situações voltadas para a busca de sua verdadeira vocação, do sentido da vida, como forma de obter satisfação íntima.

Qualquer profissão que escolher terá de levar em consideração suas crenças e inspirações, conjugadas com suas qualidades e habilidades netunianas.

Você, que já é dotado de grande sensibilidade, percepção, imaginação ativa, criativa e intuitiva, adaptabilidade e ecletismo, terá essas características em dose dupla. Sabe que já conta com acentuada noção de estética, proporção, ritmo, equilíbrio e harmonia, que pode ser aplicada nas artes plásticas, no cinema, na música, na dança, na fotografia, na produção, na cenografia, na iluminação ou em criação de figurinos para espetáculos.

Seu já forte instinto assistencial poderá incliná-lo ainda mais para escolher ocupações que lidem com a saúde física e mental de doentes, incapacitados e pessoas que requerem tratamentos, reabilitação, cuidados, como em qualquer área da medicina, de práticas terapêuticas e das profissões de aconselhamento, reabilitação e recuperação.

Você conta com capacidades visionárias acentuadas que lhe permitem ver para onde caminham as massas e antecipar tendências, como é necessário na área de moda, na política, nas ciências ocultas, nas atividades públicas ou na literatura, por exemplo.

Tem habilidade para desenvolver atividades que exijam sigilo, discrição, isolamento ou silêncio, como criação, pesquisa e teologia.

Pode vir a criar uma atividade que beneficie a muitos, que considere a sociedade como um todo ou que conjugue uma multiplicidade de assuntos, relacionando mundos paralelos, linguagens simbólicas, utilizando sua percepção do macrocosmo comparado ao microcosmo, áreas em que sua sensibilidade e inteligência emocional juntariam esses fatores ou compreenderiam o imponderável, como é o caso da homeopatia, da antroposofia, do holismo, do desenvolvimento de medicamentos, de florais e da alquimia.

Se estiver bem equilibrado emocionalmente, possui capacidades quase ilimitadas. Pode ser muito influenciado pelo ambiente de trabalho e precisar de isolamento para se refazer. Cuide para não trocar de atividade com frequência e atente para sua necessidade de relacionamentos, que pode conduzi-lo à abdicação de si mesmo e ao excesso de devoção aos outros. Atente para sua tendência a criar excessivas fantasias, ilusões e castelos de areia.

PLUTÃO | ♇

Plutão na casa 1 | ♇

Qualquer planeta na casa 1 tem seu efeito ampliado. A casa 1 é a da personalidade e se desenvolverá por todo o mapa. É também a casa da imagem que você tem de si mesmo e de como os outros o veem, de como você procura se diferenciar e se autoafirmar por meio de suas potencialidades.

Com Plutão na casa 1, você será um grande transformador ou se transformará ao longo de toda a vida visando aprofundar seu autoconhecimento e seu domínio sobre si mesmo. Ao mesmo tempo, como essa é a casa da identidade, você se identificará com Plutão e assumirá seu poder de construir ou destruir tudo à sua volta, mas, sobretudo, de recuperar, regenerar, restaurar, reabilitar, reformar, reconstruir e transformar.

Por isso, todas as atividades ligadas à recuperação de pessoas, empresas ou objetos estarão em pauta, como é o caso da medicina e de suas modalidades que envolvam reabilitação, regeneração, transformação e, é claro, a cura. Mas também se deve considerar a medicina preventiva, genética, obstetrícia, plástica, proctológica e sexológica. No caso de empresas, vemos profissões como auditores, consultores, avaliadores, economistas, planejadores, atuaristas e controladores; no caso dos objetos, encontramos os restauradores e pessoas que lidam, transformam ou revendem sucata.

Na casa 1, Plutão enfatiza seu desejo de se autoafirmar e se diferenciar, buscando independência e autonomia e procurando imprimir sua marca em tudo que faz, características necessárias aos donos de empresas ou profissionais liberais, por exemplo.

Você conduzirá suas escolhas a atividades que exijam sua presença física, apresentando-se sempre pessoalmente em todas as situações e provando seu poder de transformação, comando e liderança, além de combatividade e capacidade de renascer e regenerar constantemente, como fazem os cirurgiões plásticos de reconstituição, os psicoterapeutas, os atores, os caricaturistas, os construtores ou arquitetos que se dedicam a reformas e restaurações.

Tais atividades devem desafiá-lo a provar sua coragem, determinação, competitividade e ousadia, como é necessário aos grandes empreendedores, por exemplo.

Nessa posição, Plutão reforça sua energia física e seu interesse por atividades físicas, esportivas, corporais ou realizadas ao ar livre, que desafiem os limites do corpo, como lutas marciais, luta livre, boxe, mergulho, caça, tiro ao alvo, ou ainda anatomia, medicina desportiva ou legal, além de acentuar sua habilidade para a mecânica, para o uso de ferramentas, armas e instrumentos de corte e precisão, como cirurgião e policial.

Qualquer atividade profissional que você escolha terá de estimulá-lo constantemente para não perder o interesse por ela. Atente para sua tendência à manipulação dos outros e ao autoritarismo excessivo. Conjugue as habilidades de Plutão com as da casa 1 e torne-se um agente transformador de si mesmo e da sociedade.

Plutão na casa 2

A casa 2 rege sua capacidade produtiva e revela os recursos e ferramentas com os quais você conta para produzir, obter resultados concretos, ganhar dinheiro e se expandir materialmente, além de descrever como você lida com o mundo material.

Na casa 2, Plutão desejará poder material, segurança e resultados práticos e concretos, além de alta remuneração pelo trabalho. Sua escolha profissional passa por atividades em que possa acumular, somar ou agregar bens, posses e valores.

Para tanto, você já dispõe de sua habilidade para lidar com ciências contábeis e econômicas, finanças e números, como é o caso do economista, do investidor, do aplicador ou agente de mercado financeiro, do gerente de banco ou de crédito, do especulador, dos empresários atuariais ou de *factoring,* além das áreas que envolvem seguros ou segurança de pessoas, empresas ou objetos.

Conta ainda com os sentidos físicos muito desenvolvidos, que podem ser utilizados em profissões como perfumista, cosmetologista, massagista, otorrinolaringologista, broncoesofagologista e nutricionista.

Terá interesse por assuntos ligados a novas fontes de energia, inclusive nuclear, siderúrgicas e metalúrgicas, bem como indústrias de geração ou transformação de energia, recursos e matérias-primas em energia, como petróleo em gasolina, ou matéria-prima em produtos, como é o caso das indústrias alimentícias, químicas e farmacêuticas, por exemplo.

Você sabe criar, multiplicar e cuidar da matéria, do dinheiro, do concreto, da plástica e da forma. É muito objetivo, realista e tem visão utilitarista da vida, sabe como as coisas funcionam, como fazê-las acontecer, como produzi-las, multiplicá-las, fazê-las crescer, como nas áreas de engenharia, de construção e de empreendimentos.

Tem capacidade produtiva incomum, que será demonstrada por meio de suas habilidades plutonianas. Atente para sua tendência a acumular, mas também a gastar muito.

Plutão na casa 3 | ♇

Plutão na casa 3 desejará que você busque atividades nas quais possa estar em permanente troca de conhecimento ou informações, demonstrando inteligência, capacidade de aprendizado e memória, com uma mente poderosa e estratégica, que lhe permitirá estabelecer relacionamentos, fazer articulações e trocar suas habilidades plutonianas com as pessoas.

Sua escolha profissional deve passar por profissões nas quais possa buscar ou difundir ensinamentos e conhecimentos e trocar informações, pelas áreas de marketing e comunicação, como jornalista, repórter, professor, assessor de imprensa, ou ainda por áreas que lidem com documentos, contratos e papéis, como advocacia, auditoria, ciências atuariais ou contabilidade.

Pode também favorecer o comércio ou atividades que lidem com meios de transporte, trânsito ou deslocamento físico, como piloto, engenheiro de tráfego, comerciante de automóveis e aviões ou profissional de empresas que transportem pessoas e objetos. Você poderá vir a trabalhar com irmãos ou colegas, mas tenderá sempre a exercer o comando.

Tem muita habilidade para negociações e intermediação de negócios, além de capacidade para argumentar e persuadir, para conhecer as pessoas certas e colocá-las em contato e para exercer atividades nas quais utilize a palavra, como escritor, articulista, advogado, palestrante, comentarista, lobista, locutor. Também tem o poder de reabilitar nessas áreas, atuando como logopedista, fonoaudiólogo, foniatra, otorrinolaringologista, neuropsiquiatra, neurocirurgião e psicobiologista.

Plutão na casa 4 | ♇

Na casa das origens, raízes e relações familiares, Plutão o direcionará para atividades nas quais possa se sentir seguro e satisfeito. Profissionalmente, você busca segurança emocional e integração no trabalho, envolvendo-se profundamente com tudo que faz.

Profissões que possa praticar em casa ou que lhe permitam participar de um projeto desde o seu início podem estar entre suas opções, como pesquisa, planejamento ou economia doméstica. Talvez você busque assuntos ligados à casa, ao lar, ao solo, a imóveis e propriedades, como reformas, arquitetura, construção, geologia, engenharia sanitária, de solo, de minas, civil ou hidráulica, administração, avaliação ou especulação patrimonial e imobiliária.

Outra área de possível interesse pode ser a assistencial, protegendo, nutrindo ou cuidando de pessoas, como na medicina, na pedagogia, nas ciências sociais ou na psicologia, já que você sabe penetrar na alma das pessoas, estabelecendo intimidade, transmitindo-lhes segurança e ajudando-as a se transformar ou curar.

E, finalmente, você é hábil em assuntos que lidem com a imaginação ativa e criativa, com origens, raízes, culturas, passado e tradições, como literatura, museologia, arqueologia, antropologia, arquivologia, genealogia ou pesquisa em áreas humanas e sociais. Mas, qualquer que seja sua escolha profissional, você terá de conjugar suas qualidades e habilidades plutonianas com satisfação pessoal e necessidade de se sentir seguro, adaptado e integrado ao trabalho.

Plutão na casa 5 | ♇

A casa 5 é a casa da expressão natural da personalidade, da satisfação de ser quem é, dos talentos pessoais, artísticos, vocacionais e criativos. Plutão na casa 5 o direcionará para atividades nas quais possa se expressar, ser autor, estar em evidência, sentir-se especial, ser o centro das atenções, reverenciado e reconhecido pelo que você naturalmente é e sabe fazer, como nas profissões artísticas, de teatro ou de performance. Você tem muito carisma, sabe ocupar um palco e impressionar a plateia.

Essa é também a casa do amor, da capacidade de amar e de gerar filhos, criações e obras como se fossem uma extensão sua, como fazem o empreendedor, o administrador de empresas, o educador, o obstetra, o especialista em genética ou inseminação artificial e o atleta. Com Plutão nessa posição, você precisará demonstrar seu poder e seus talentos e habilidades transformadores.

Você procurará sempre trabalhar se divertindo e, se não o fizer, terá de encontrar um *hobby* ou dirigir-se às áreas de entretenimento e lazer, como empreendedor ou diretor de parques de lazer ou aquáticos, centros de cultura, eventos e esportes.

É dotado de muito poder de comunicação e marketing para o gerenciamento e direção de empresas. Adora desafios, riscos, improvisos, especulação, jogos e atividades corporais e esportivas, característica necessária ao empresário de comunicação ou educação e profissional de atletismo e de marketing esportivo.

Pode trabalhar bem com quem ama ou com crianças, como professor, psicólogo, pediatra, oncologista, terapeuta ocupacional ou periodontista infantil, orientador pedagógico, reabilitador de crianças e arteterapeuta. Mas terá de estar sempre no comando ou no centro das atividades. Cuidado com o excesso de centralização e autoritarismo. Conjugue as habilidades de Plutão com as da casa 5 e torne-se um agente transformador de si mesmo e da sociedade.

Plutão na casa 6 | ♇

A casa 6 é importante para a área profissional pois revela o(s) assunto(s) profissional(is) de seu interesse, fala da rotina de trabalho que lhe agradará, da relação que você terá com colegas, patrões e empregados.

Com Plutão nessa posição, você se dirigirá para atividades profissionais nas quais possa se sentir ocupado e produtivo, porque tem muita energia para dedicar ao trabalho, precisa se sentir útil e indispensável por suas qualidades e habilidades plutonianas.

Como essa casa fala de ritmos e fluxos, sejam físicos ou da natureza, pode direcionar as escolhas profissionais para as áreas de biologia, ecologia, energia, meio ambiente, alimentação, nutrição, higiene e agropecuária, ou pode sugerir atividades que envolvam rotina ou repetição, como processos produtivos, de controle, técnicos ou de transformação.

Como a casa 6 rege também a saúde de pessoas ou animais, você pode ficar muito atraído por todo tipo de assistência a doentes e incapacitados, como veterinário ou médico nas áreas de reabilitação, recuperação, cirurgias graves ou oncologia, genética, sexologia, hanseniologia, proctologia, terapia intensiva, medicina legal ou de saúde pública. Pode ter aptidão para enfermagem, terapia ocupacional ou assistência social. Pode ainda prestar serviços a pessoas comuns em atividades como treinamento, recrutamento ou seleção de recursos humanos.

Sua mente tem grande capacidade de organização e aprofundamento, como é necessário na implantação de métodos e sistemas, em desenvolvimento técnico e especializado, aplicação de técnicas na prática, análise de sistemas, perícia e auditoria em informática, automação de escritórios, normatização, pesquisa e controle de qualidade.

Pode ter interesse por práticas de escritório, artes e ofícios, comércio e técnicas em geral, bem como aptidão para detalhes, restauração e recuperação de objetos. Plutão na casa 6 favorece o trabalho autônomo, independente ou em posição de comando ou liderança. Mas atente para sua tendência ao autoritarismo, que pode lhe trazer problemas com colegas de trabalho.

Plutão na casa 7 | ♇

Plutão na casa 7 o direcionará para profissões ligadas aos relacionamentos com os outros ou à justiça.

Você procurará atividades em que suas qualidades e habilidades plutonianas possam ser dirigidas ao público, a pessoas ou empresas, como consultor, assessor ou conselheiro, como é o caso do relações-públicas, do secretário, do assessor de gabinete, do representante comercial e do assessor jurídico, econômico-financeiro, social ou pessoal, ou ainda dos profissionais liberais que prestam serviços que beneficiam, equilibram ou harmonizam pessoas, como é o caso das várias modalidades da prática médica, terapêutica e curativa.

Como você tem senso de justiça acima da média, pode se dirigir para qualquer área do direito, como advocacia, promotoria e defensoria pública, ou para profissões que lidem com a justiça de modo geral.

Plutão na casa 7 buscará complementação para suas deficiências e você tenderá a formar parcerias, associações, sociedades, contratos, processos e acordos com os outros, pois a relação é seu maior desafio. Mas preste atenção em sua necessidade de comando e autoritarismo, pois, na casa 7, o grande aprendizado é a cooperação.

Plutão na casa 8 | ♇

Plutão na casa 8 enfatizará muito sua escolha por atividades que lhe proporcionem poder, controle e/ou recompensa financeira. Para tal, você reforçará sua habilidade em lidar com os recursos alheios, como fazem os advogados tributaristas, de heranças, pecúlios ou testamentos, os inventariadores, profissionais de seguros, fiscais e auditores, por exemplo.

Nessa casa, Plutão reforçará sua habilidade para lidar com atividades bancárias e financeiras, com mercado de ações, investimentos, captação de recursos, especulação, *factoring* e *leasing*, ou ainda com ocupações comissionadas, participativas, *franchising,* direitos autorais e *royalties*.

Sua escolha profissional tem de permitir que você demonstre seu poder para administrar crises, lidar com emergências e perdas, eliminar a dor e o sofrimento alheios, gerar cura e transformação e até para enfrentar a morte se preciso for, como ocorre nas áreas críticas da medicina, em que ocorrem cirurgias graves e profundas (neurológicas, oncológicas e cardiológicas, por exemplo), ou mesmo nos casos extremos, situações-limite, segredos de vida ou morte, como nas cirurgias transexuais, nos transplantes, na terapia intensiva e na medicina legal.

Você trabalha bem sozinho e precisa estar no comando das situações. Plutão na casa 8 ainda potencializa seu interesse pelo desconhecido, pelo oculto e pelo inconsciente, como nas áreas de psicologia, psiquiatria, ocultismo e metafísica.

Você é demasiadamente estratégico, misterioso, corajoso, audacioso, sedutor e dominador. Deve estar atento à sua tendência à obsessão, desconfiança, destrutividade, possessividade e cólera e também a misturar sexo com trabalho.

Plutão na casa 9 | ♇

Na casa 9, Plutão buscará atividades que ampliem seus horizontes de conhecimento e compreensão do significado da existência humana. Para tanto, é dotado de tendência intelectual, expressão verbal e visão de longo alcance para lidar com assuntos filosóficos, sistemas de pensamento, códigos simbólicos, religiões, leis, ética e justiça, como o advogado, o juiz, o cientista, o médico, o sacerdote, o filósofo, o teólogo ou o acadêmico, por exemplo.

Você tem capacidade e talento para divulgação e propagação de novas ideias, como é necessário nas áreas de publicidade e propaganda, promoção, marketing, editoração e eventos culturais. Deve procurar disseminar e aplicar seus conhecimentos em atividades de educação, ensino superior ou científico, carreira universitária, estudos permanentes que envolvam pesquisas e aprofundamento, como economia, ciências sociais, arqueologia, história e psicologia.

Sua profissão deve lhe proporcionar aventuras, viagens, contato com lugares distantes, povos e culturas estrangeiras, como em aviação, pilotagem, turismo, exportação e importação, arqueologia, comércio exterior, direito internacional e diplomacia.

Plutão nessa posição reforça sua energia física e acentua seu interesse por práticas corporais ou esportivas, como atletismo, educação física, esportes radicais, treinamento e condicionamento físico.

Você busca prestígio, satisfação e poder intelectual para exercer julgamentos, o poder de dizer o que é certo e errado, para legislar, como fazem os juízes, procuradores, desembargadores, peritos e pareceristas. Precisa tomar suas próprias decisões, ser independente e ter liberdade no trabalho. Qualquer que seja sua escolha, você utilizará suas qualidades e habilidades plutonianas para obter o poder que tanto almeja.

Plutão na casa 10 | ♇

A casa 10 é importante para a área vocacional pois é nela que se colhem os frutos profissionais de toda uma vida. Plutão na casa 10 o direcionará para realização profissional, estabilidade, sucesso, prestígio, *status* e poder como meio de sentir-se seguro e reconhecido.

É nessa casa que o indivíduo vive o ápice da vida e atinge o mais alto grau de reconhecimento por sua competência em fazer algo melhor do que qualquer outra pessoa, tornando seu nome uma grife, emprestando prestígio e credibilidade aos locais em que atua profissionalmente.

Plutão nessa posição desejará obter resultados materiais ou concretos nos quais estará focado, já que se preocupa com sua carreira e com o futuro, quando não precisar mais trabalhar e puder desfrutar do que construiu.

Plutão na casa 10 procura reconhecimento profissional como especialista, uma autoridade no que faz, além de buscar posição de poder, direção, destaque ou comando em instituições, empresas, áreas do governo, órgãos públicos ou universidades. Com Plutão nessa casa, você desejará participar de elites, colher sucesso e reconhecimento da sociedade, utilizando suas habilidades e talentos plutonianos.

Para alcançar seus objetivos, você aprendeu a desafiar limites e é corajoso, audacioso, estratégico, misterioso, sedutor, ardiloso, determinado e pragmático. Deve optar por profissões nas quais possa reafirmar suas habilidades para planejamento, administração e finanças ou que envolvam o detalhe e a precisão, a pesquisa e as ciências, a perícia e a técnica, a qualidade e o aperfeiçoamento, como as áreas de economia, administração de empresas e indústrias ou mesmo medicina, promovendo a recuperação, restauração, reciclagem, transformação ou desenvolvimento de produtos, pessoas, empresas, matérias-primas, energia ou objetos.

Você pode trabalhar em equipe, mas procura exercer comando ou autoridade, ter negócio próprio ou ocupar função de proeminência, como os cargos políticos, já que tem talento para descobrir as engrenagens de poder, de como subir até lá e de como se manter nele. Sabe selecionar os melhores componentes para uma equipe e liderá-la com mãos de ferro, eficiência e controle. Atente para o excesso de autoritarismo.

Plutão na casa 11 | ♇

Com Plutão na casa 11, você desejará ter participação efetiva na sociedade – profissional, política ou socialmente. Você almeja se sentir atuante, exercendo atividades de dimensão social, trabalhando em áreas públicas que alimentem seu idealismo por um mundo mais democrático, fazendo diferença com sua participação.

Para isso, você conta, além das habilidades plutonianas, com visão de conjunto e de futuro, que lhe confere capacidade para atuar em ciências sociais, como estatística, economia, sociologia ou antropologia; ou para antecipar tendências, sejam sociais, econômicas e políticas, sejam tecnológicas, ecológicas ou de comportamento, como é necessário às áreas de planejamento de empresas, urbanismo e pesquisa de novas alternativas de energia.

Com essas qualidades você procurará atividades que tragam benefícios a grupos, minorias, empresas, governos e instituições, organizações não-governamentais ou comunidades, seja inventando, pesquisando e planejando, seja distribuindo tarefas ou liderando equipes na projeção do futuro.

Você dará preferência a trabalhar como autônomo, na qualidade de consultor, assessor, ou ainda como líder de grupos ou equipes. Conjugue as habilidades de Plutão com as da casa 12 e torne-se um agente transformador da sociedade.

Plutão na casa 12

Com Plutão na casa 12, você se dirigirá para atividades voltadas à busca de sua verdadeira vocação, à busca de si mesmo como forma de obter satisfação íntima. Qualquer escolha profissional terá de fazer sentido para você e levar em consideração suas crenças e inspirações, conjugadas com suas qualidades e habilidades plutonianas.

Para tanto, você conta com sensibilidade, percepção, imaginação ativa, criativa e intuitiva, capacidade de adaptação e ecletismo, o que pode aplicar em atividades que beneficiem e transformem a vida de muitas pessoas.

Reúne ainda boa noção de proporção, ritmo, equilíbrio e harmonia, além de senso de integração, visão de conjunto e poder de síntese, atributos que podem ser aplicados em empreendimentos ou atividades de construção, produção, transformação, reformas, recuperação e restauração de elementos, cidades, povos, sociedades e meio ambiente.

Você tem forte tendência assistencial e poderá proteger, nutrir ou cuidar de outras pessoas, como fazem os terapeutas, psicólogos, reabilitadores ou médicos com especialidades como infectologia, epidemiologia, anestesiologia, citopatologia, imunologia, oncologia, psiquiatria, saúde pública ou medicina legal.

É dotado de capacidades visionárias incomuns e talento para ler o inconsciente coletivo, prevendo para onde as massas se deslocam e antecipando tendências, como é necessário na área da moda, na literatura, na psicologia ou nas buscas metafísicas, econômicas e científicas. Pode vir a desenvolver atividades que exijam sigilo, discrição, isolamento ou silêncio, como necessário a psicanalistas, pesquisadores de medicamentos e coordenadores de projetos sociais de grande porte.

Você pode desenvolver uma atividade que leve em conta a sociedade como um todo, que considere uma multiplicidade de assuntos interdependentes, ou ainda que relacione mundos paralelos, linguagens simbólicas, percepção e entendimento do macrocosmo comparado ao microcosmo, como no comércio internacional, área em que esses fatores só se conjugam com conhecimento e sensibilidade. Conjugue as habilidades de Plutão com as da casa 12 e torne-se um agente transformador da humanidade.

Planetas: resumo de suas características vocacionais

Sol ☉

- Capacidade de chefia, comando, gerenciamento de negócios e liderança em qualquer profissão ou área, dependendo do signo e da casa.
- Profissional liberal, dependendo do signo e da casa.
- Criador, inventor, empreendedor.
- Profissões ligadas a propaganda, comunicação e marketing.
- Profissões de expressão artística, performática ou de entretenimento.
- Ocupações relacionadas a educação e crianças.
- Área médica ligada ao coração, à circulação, região lombar e coluna vertebral.

Lua ☾

- Habilidade para cuidar, assistir, reabilitar ou tratar de pessoas.
- Talento para lidar com o público.
- Profissões ligadas a alimentação, nutrição e produção de alimentos.
- Ocupações que lidem com a educação, crianças e brinquedos.
- Profissões ligadas a mulheres e assuntos femininos.

- Ocupações relacionadas a casa, economia e afazeres domésticos, cuidados e produtos para o lar, imóveis e construção civil.
- Profissões ligadas a água, natureza e solo.
- Ocupações relacionadas a história, ao passado, à conservação de peças, hábitos e móveis.
- Profissões ligadas à sensibilidade, criatividade e expressão artística.
- Área médica ligada aos órgãos femininos, digestivos e reprodutivos.
- Área médica que envolva a criança.

Mercúrio 

- Profissões ligadas a atividades intelectuais.
- Ocupações relacionadas a comunicação e marketing.
- Profissões ligadas aos meios de comunicação.
- Prestação de serviços, dependendo do signo e da casa.
- Profissões ligadas à transmissão, difusão ou distribuição de informações.
- Ocupações relacionadas à linguagem, ao verbo e à palavra.
- Profissões ligadas ao comércio, dependendo do signo e da casa.
- Atividades que lidem com ensino e educação.
- Profissões relacionadas a habilidades manuais e mecânicas.
- Profissões ligadas à articulação de pessoas ou negócios.
- Profissional liberal, dependendo do signo e da casa.
- Profissões ligadas a movimento e deslocamento físico.
- Engenharia, dependendo do signo e da casa.
- Área médica que trate do sistema nervoso e das glândulas.
- Área médica ligada ao aparelho respiratório, aos pulmões e aos cinco sentidos.

Vênus 

- Profissões ligadas ao atendimento ao público ou à diplomacia.
- Prestação de serviços, dependendo do signo e da casa.
- Profissões ligadas à criação, arte, expressão estética ou artística.
- Ocupações ligadas a harmonia, proporção e equilíbrio estético.
- Profissões que lidem com embelezamento de pessoas, objetos ou casas.
- Atividades ligadas a objetos de arte, beleza, perfumaria, joias ou assuntos e produtos femininos.

- Profissões ligadas a economia, área financeira, posses e valores.
- Profissional liberal, consultor, assessor, conselheiro, representante, dependendo do signo e da casa.
- Área médica ligada a glândulas, aos rins e ao sistema urinário.
- Área médica que lide com a estética, dietas e embelezamento.
- Área médica ligada aos órgãos femininos e reprodutores.

Marte | ♂

- Criador, inventor ou empreendedor.
- Posições de comando, chefia ou liderança em qualquer profissão ou área, dependendo do signo e da casa.
- Profissões que exijam destaque, diferenciação, especialidade ou pioneirismo.
- Profissional liberal ou autônomo, dependendo do signo e da casa.
- Ocupações relacionadas a mecânicas e/ou ao uso de armas, instrumentos e ferramentas de corte e de precisão.
- Atividades físicas, esportivas, atléticas ou performáticas.
- Profissões que exijam coragem, velocidade, assertividade, pontaria e precisão.
- Atividades que demandem interferência ou impressão de marca pessoal.
- Engenharia, dependendo do signo e da casa.
- Medicina clínica ou cirúrgica.
- Área médica ligada à cabeça e ao cérebro.

Júpiter | ♃

- Profissões ligadas a leis, ética, justiça e/ou diplomacia.
- Capacidade intelectual para assuntos de interesse cultural, temas filosóficos ou históricos, teorias, códigos simbólicos, sistemas de pensamento ou religiões.
- Talento para comando, chefia ou liderança em qualquer profissão, dependendo do signo e da casa.
- Profissões ligadas à educação ou que exijam muito estudo, conhecimento teórico, ampliação de horizontes, estudos superiores ou carreira acadêmica.
- Ocupações que exijam conhecimento abrangente e teórico.

- Profissões que envolvam viagens, turismo, hotelaria, lugares distantes, povos ou culturas estrangeiras.
- Exportação e importação.
- Ocupações ligadas a atividades físicas, esportivas e atléticas, a aventuras.
- Profissões relacionadas à promoção, propagação, divulgação de novas ideias, produtos ou serviços.
- Medicina.
- Área médica ligada ao fígado, à vesícula, ao pâncreas e ao baço.

Saturno 

- Capacidade de comando, chefia e liderança, dependendo do signo e da casa.
- Administração de empresas e serviços.
- Profissões que demandem especialização, perícia, *expertise*, precisão, competência e muita dedicação, dependendo do signo e da casa.
- Ocupações que lidem com o tempo ou precisem dele para obter resultados.
- Profissões que exijam estruturação, criação de estruturas ou de alicerces sólidos.
- Habilidades técnicas, mecânicas ou que exijam o uso de instrumentos e ferramentas de precisão.
- Profissões de reabilitação ou que lidem com idosos.
- Ocupações que envolvam a matéria, o concreto, o financeiro, o prático ou a realidade.
- Área médica ligada aos ossos, aos dentes e à pele.
- Engenharia em geral.
- Planejamento administrativo, econômico ou estratégico.

Urano 

- Profissões que exijam criatividade, originalidade, genialidade e diferenciação.
- Criador, inventor, empreendedor.
- Profissões fora do comum ou consideradas excêntricas, inovadoras, não convencionais ou de vanguarda.

- Ciência, pesquisa e tecnologia de ponta.
- Profissional liberal, prestador de serviços, assessor, consultor ou autônomo, dependendo do signo e da casa.
- Ocupações que exijam correr riscos, ter ousadia, agilidade, velocidade ou radicalismo.
- Profissões que defendam a liberdade de pensamento e ação, liberdades políticas, sociais e democráticas.
- Ciências humanas, sociais, políticas e antropológicas.
- Planejamento, desenvolvimento, modernização e inovação de processos.
- Antecipação de tendências, visão de futuro e de conjunto.
- Profissões que exijam atualização permanente.
- Informática, computação ou comunicação em mídia eletrônica.

Netuno

- Habilidades para cuidar, tratar, reabilitar, assistir ou recuperar pessoas.
- Antecipação de tendências, visão de futuro e de conjunto.
- Profissões ligadas à criação, arte, expressão estética ou artística.
- Ocupações relacionadas à pesca e ao mar.
- Profissões ligadas a ecologia, equilíbrio ambiental e natureza.
- Ocupações que lidem com harmonia, proporção, ritmo e equilíbrio, inspiração e sensibilidade.
- Profissões que exijam imaginação ativa, percepção e intuição.
- Atividades ligadas ao som ou à imagem.
- Habilidades psíquicas, espirituais, religiosas ou teológicas.
- Profissões que exijam a fusão de elementos.
- Atividades ligadas a assuntos ou produtos femininos.
- Área médica que trate de doenças mentais, reabilitação, doenças infecciosas ou do sistema linfático.
- Áreas química e farmacêutica.
- Psicologia.

Plutão

- Profissões que exijam recuperação, restauração, regeneração, reforma ou reabilitação de pessoas, produtos e objetos.

- Ocupações relacionadas à reciclagem de materiais.
- Profissões que envolvam a transformação de matéria-prima em produtos, em outros materiais ou em energia.
- Área de energia.
- Tendência ao comando e à liderança de pessoas.
- Administração de empresas, pessoas e negócios.
- Habilidade para lidar com crises, mortes, renascimentos e transformações.
- Profissões ligadas a auditoria, controles, inventários, remanejamentos administrativos.
- Grande capacidade de construção e transformação.
- Profissional liberal, dependendo do signo e da casa.
- Atividades que exijam desafios, quebra de limites, coragem, ousadia, competitividade e determinação.
- Área médica, mental, cirúrgica, de terapia intensiva e reabilitação.
- Psicologia.

Referências bibliográficas

ANN, Sue. *Vocational astrology: personality and potential.* Arizona: American Federation of Astrologers (AFA), 1981.

BINDER, Jamie. *Os planetas e o trabalho*. Rio de Janeiro: Rocco, 2002.

BUENO, Ciça; MATTOS, Márcia. *Síndromes de Plutão e dos outros planetas exteriores.* São Paulo: Ágora, 2007.

GAUQUELIN, Michel. *La Cosmo-psychologie – Les astres et les tempéraments.* Paris: Centre d'Étude et de Promotion de la Lecture, 1974.

HADÈS. *Astrologie et orientation professionnelle.* Paris: Editions Bussière, 1982.

HILLMAN, James. *O código do ser.* Rio de Janeiro: Objetiva, 1997.

www.summus.com.br